İÇİNDEKİLER

SEMERKANT

Amin Maalouf, 1949'da Lübnan'da doğdu. Ekonomi ve toplumbilim okuduktan sonra gazeteciliğe başladı; 1976'dan beri Paris'te yaşıyor. Çeşitli yayın organlarında yöneticilik ve köşe yazarlığı yapmış olan Maalouf, bugün vaktinin çoğunu kitaplarını yazmaya ayırmaktadır.
Yapıtlarında çok iyi bildiği Asya ve Akdeniz çevresi kültürlerinin söylencelerini başarıyla işleyen Maalouf, ilk kitabı *Les Croisades vues par les Arabes* (1983, *Arapların Gözüyle Haçlılar*) ile tanındı ve bu kitabın çevrildiği dillerde de büyük bir başarı kazandı. 1986'da yayımlanan ve aynı yıl Fransız-Arap Dostluk Ödülü'nü kazanan ikinci kitabı (ilk romanı) *Léon l'Africain* (*Afrikalı Leo*) ise bugün bir "klasik" kabul edilmektedir.
Maalouf'un 1988'de yayımlanan ikinci romanı *Samarcande* (*Semerkant*) da coşkuyla karşılandı ve pek çok dile çevrildi. Maalouf'un sonraki kitapları yine romandı: *Les Jardins de lumière* (1991, *Işık Bahçeleri*) ve *Le Premier Siècle après Béatrice* (1992, Beatrice'den Sonra Birinci Yüzyıl).
Amin Maalouf, 1993'te yayımlanan romanı *Le Rocher de Tanios* (*Tanios Kayası*) ile Goncourt Ödülü'nü kazandı. Son romanı *Echelles du Levant* (*Doğunun Limanları*) ise 1996'da yayımlandı.

Amin Maalouf'un dört romanı yayınevimizce Türkçeye kazandırılmıştır: *Afrikalı Leo* (1993), *Semerkant* (1993), *Tanios Kayası* (1995) ve *Doğunun Limanları* (1996).

Esin Talu-Çelikkan, 1931'de Varşova'da doğdu. Notre Dame de Sion Lisesi'ni ve Siyasal Bilgiler Fakültesi Basın Yayın Yüksek Okulu'nu bitirdi. On beş sene Babıâli'de yazılı basında makale ve köşe yazarlığı yaptı. Yirmi sene TRT'de çalıştı. Bu görevinin son on senesinde Yurtdışı Yayınlar Daire Başkanlığı'nı yürüttü.
Başlıca Çevirileri: Václav Havel'den *Görüşme - Kutlama - Çağrı*'yı, Victor Hugo'dan *1793*'ü, ayrıca *Sarah Bernhardt'ın Anıları*'nı çevirdi. Yapı Kredi Yayınları'ndaki diğer çevirileri: Amin Maalouf'tan *Tanios Kayası, Doğunun Limanları*; Philippe Sollers'den *Kadınlar*; Osamu Dazai'den *Batan Güneş*; Velibor Çoliç'ten *Bosnalılar*.

Amin Maalouf'un
YKY'deki öbür kitapları

Afrikalı Leo (1993)
Tanios Kayası (1995)
Doğunun Limanları (1996)

AMIN MAALOUF

Semerkant

ÇEVİREN:
ESİN TALU ÇELİKKAN

ROMAN

Edebiyat - 27
ISBN 975-363-223-1

Semerkant / Amin Maalouf
Özgün adı: Samarcande
Çeviren: Esin Talû-Çelikkan

1. baskı: İstanbul, Şubat 1993
15. baskı: İstanbul, Ağustos 1998

Baskı: Şefik Matbaası

Yapı Kredi Kültür Sanat Yayıncılık Ticaret ve Sanayi A.Ş.
Yapı Kredi Plaza E Blok Manolya Sokak 1. Levent 80620 İstanbul
Telefon: (0 212) 280 65 55 (pbx) Faks: (0 212) 279 59 64
http://www.ykykultur.com.tr

Ve şimdi, bakışlarını Semerkant üzerinde gezdir! O, yeryüzünün kraliçesi değil mi? Tüm kentlerin kaderini ellerinde tutmuyor mu?

Edgar Allan Poe
(1809 -1849)

Atlantik'in dibinde bir kitap var. Anlatacağım, işte onun öyküsü.

Belki nasıl sonuçlandığını biliyorsunuz: o tarihte gazeteler yazdı, bazı yapıtlarda da belirtildi: 14 Nisan 1912'yi 15 Nisan 1912'ye bağlayan gece, *Titanic* gemisi, Newfoundland açıklarında battığında, en ünlü kurbanlarından biri de, İranlı bilge ozan, gökbilimci Ömer Hayyam'ın *Rubaiyat'*ının elyazması tek örneği idi.

Bu deniz faciasından söz edecek değilim. Benden başkaları, felaketi dolar ile değerlendirdiler, benden başkaları, ölülerin ve son sözlerinin dökümünü, yapılması gerektiği gibi yaptılar. Aradan altı yıl geçmiş olmasına karşın, layık olmadığım halde bir ara sahibi bulunduğum o deriden ve mürekkepten olma varlık, daha hâlâ kafama takılıyor. Onu, doğduğu Asya topraklarından söküp alan ben değil miyim? Ben, yani Benjamin O. Lesage. Onu *Titanic* gemisine bindiren ben değil miyim? Bin yıllık güzergâhını değiştiren, çağımın küstahlığı değilse, nedir?

O günden beri, dünya her gün biraz daha kana ve karanlığa bulandı. Bana gelince, artık hayat gülümsemiyor. Anıların sesini dinlemek, saf bir ümit beslemek, "onu yarın bulacaklar" hayalini kurmak için, insanlardan uzaklaştım. Altın kutusunun içinde, denizin derinliklerinden çıkacak, kaderine yeni bir macera eklenecek diyordum. Parmaklar ona dokunabilir, onu açabilir, içine dalabilir, gözler aşama aşama serüvenini izleyebilirdi. Keşfedecekleri: şairin kendisi olurdu ve onun ilk dizeleri, ilk aşkları, ilk korkuları! Ve de Haşhaşilerin mezhebi!

Sonra, boz ve zümrüt rengi bir resmin karşısında, kuşkuyla dururlardı. Resmin üzerinde ne tarih, ne de imza! Sadece coşkulu ya da bezgin şu sözler var:

"Semerkant, dünyanın güneşe dönük en güzel yüzü."

BİRİNCİ KİTAP
ŞAİRLER VE SEVGİLİLER

Kim Senin Yasanı çiğnemedi ki, söyle?
Günahsız bir ömrün tadı ne ki, söyle?
Yaptığım kötülüğü, kötülükle ödetirsen Sen,
Sen ile ben arasında ne fark kalır ki, söyle?

Ömer Hayyam

I

Bazen Semerkant'ta, ağır ve kasvetli bir günün bitiminde, kentin iş-
siz güçsüz takımı, baharat çarşısının yanı başındaki iki meyhane
çıkmazında, Sogd ülkesinin kokulu şarabını içmek için değil, ama
gelen gideni gözetlemek ya da çakırkeyif bir kaç akşamcıya saldır-
mak için dolanıp durur. Ele geçirilen kişi yere serilir, hakaret edilir,
baştan çıkartan şarabın kızıllığını ona yüz yıllar boyu hatırlatacak
olan bir cehennem ateşine sokulur.

İşte *Rubaiyat*, 1072 yazında, böyle bir olay üzerine yazılmaya
başlandı. Ömer Hayyam yirmi dört yaşındaydı ve bir süredir Se-
merkant'ta bulunuyordu. O akşam, meyhaneye mi gitmişti yoksa
dolaşıp dururken rastlantılar mı onu oraya sürüklemişti? Bilinme-
yen bir kenti arşınlamanın taze keyfi, biten günün binlerce biçim
alışına açık gözlerle bakış... Gelincik Tarlası Sokağında bir küçük
oğlan, aşırdığı elmayı göğsünde tutarak tabanları yağlıyor; çuhacı-
lar çarşısında bir dükkânın içinde, bir kandilin kör ışığında tavla
partisi sürüyor, iki zar atışından sonra bir küfür ve tıkırtılı bir gü-
lüş duyuluyordu. İplikçiler geçidinde ise, katırcının biri çeşmenin
önünde durup yüzünü yıkıyor, sonra da uyuya kalan çocuğunu
öpercesine, dudaklarını uzatıp musluğa eğiliyor, susuzluğunu gi-
derdikten sonra ıslak avuçlarını yüzünde gezdirip şükrediyor, içi
boş bir karpuzu yerden alarak su ile dolduruyor ve hayvanının ba-
şından aşağıya, o da içebilsin diye boca ediyordu.

Tütüncüler Meydanında, gebe bir kadın Hayyam'a yaklaştı.
Peçesini açtığında ancak onbeş yaşında olduğu anlaşılıyordu. Tek
söz etmeden, çocuksu dudaklarında tek gülümseme olmadan,
Hayyam'ın elindeki kestanelerden bir kaçını çalıverdi. Hayyam şa-
şırmadı. Bu Semerkant'da eski bir inanıştı. Bir anne adayı, sokakta
hoşuna giden bir yabancıya rastlarsa, yiyeceğini elinden almak ce-
saretini gösterebilmeliydi. Böylece, doğacak çocuk, onun kadar ya-
kışıklı, onun gibi ince uzun, onun kadar soylu ve düzgün hatlara
sahip olacaktır. Ömer, uzaklaşan kadına bakarken, elinde kalan
kestaneleri yemeye devam etti. O sırada duyduğu bir uğultu, hız-

lanmasına yol açtı. Az sonra kendini, zincirinden boşanmış bir güruhun ortasında buluverdi. Kolları ve bacakları upuzun, beyaz saçları dağılmış bir ihtiyar, yere serilmiş, çığlıkları öfke ve korkudan hıçkırığa dönüşmüştü. Gözleriyle yeni gelene yalvarmaktaydı. Zavallının çevresini, yirmi kadar titrek sakallı, sopalı adam almış, az ötede keyifli bir seyirci kitlesi birikmişti. Aralarından biri, Hayyam'ın kızgın yüzünü görünce: "Önemli değil, bu Uzun Cabir'den başkası değil" dedi. Ömer sıçradı, bir utanç dalgası gelip boğazında düğümlendi, kendi kendine: "Cabir, Ebu Ali'nin arkadaşı!" diye söylendi. Ebu Ali, aslında sık rastlanan bir isimdi. Ama ister Buhara'da olsun, ister Cordoba'da, ister Belh'de olsun, ister Bağdat'ta, adı saygı ile anılırsa, kim olduğu kolaylıkla anlaşılır. Bu, İbn-i Sina'dan başkası değildir. Batı'da Avicenne diye bilinen! Ömer onu tanımış değildi. Onun ölümünden onbir yıl sonra doğmuş, ama onu, kuşağının en büyük ustası, bütün bilimlerin üstadı, Mantık havarisi olarak kabul etmişti. Hayyam tekrar söylendi: "Cabir, Ebu Ali'nin en sevdiği arkadaşı!" Cabir'i gerçi ilk kez görüyordu ama, talihsiz yaşamı hakkında bilgisi vardı. İbn-i Sina, Cabir'i kendi halefi sayar, yalnız düşüncelerini sergilemedeki ataklığını ve pervasızlığını eleştirirdi. Cabir, bu kusuru yüzünden günlerce hapis yatmış, meydan dayağına çekilmiş, son kamçılanması Büyük Semerkant Meydanında, ailesinin gözleri önünde gerçekleşmişti. Cabir bu hareketi asla unutmamıştı. Cesur, gözüpek bir adam iken nasıl olmuştu da böyle ihtiyara dönüşmüştü? Herhalde karısının ölümü yüzünden! Karısı öldükten sonra, yırtık pırtık giysilerle, sendeleye sendeleye, saçma sapan konuşarak dolaşmaya başlamıştı. Cabir'in peşinden, gülüşüp bağrışan, ellerini çırpan, attıkları taşlarla onun, gözlerinden yaş akıtacak kadar, canını yakan bir çocuk ordusu giderdi.

Ömer, bütün bunları izlerken "Dikkat etmezsem, günün birinde ben de böyle olacağım" diye düşündü. Korktuğu sarhoşluk değildi; nicedir şarapla aralarında karşılıklı bir saygı oluşmuştu. Onun asıl korktuğu, içindeki saygınlık duvarını yıkmalarından ürktüğü, insan yığınlarıydı. Şurada duran zavallı, düşkün, etrafında çember oluşturulmuş adamı görmek istemiyor, uzaklaşmak istiyordu. Ama yine biliyordu ki, İbn-i Sina'nın bir dostunu böylesi bir güruha terk edemezdi. Ağır ağır ilerledi. Son derece sakin bir sesle:

— Bu zavallıyı bırakın gitsin! diye seslendi.

Elebaşı, Cabirin üzerine gelmişken doğruldu, davetsiz konuğunun karşısına dikildi. Yüzünde derin bir bıçak yarası vardı ve Ömer'e, suratının o yanını dönerek konuşmaya başladı:

— Bu adam bir sarhoş, bir zındık, bir *feylesof!* dedi.

Hele bu son sözcük, ağzından tükürürcesine çıkmıştı.

— Semerkant'da artık tek bir *feylesof* istemiyoruz!

Kalabalıktan bir onama sesi yükseldi. Onlar için "feylesof" sözcüğü, Yunanın din dışı bilimlerine, genelde din ya da edebiyat dışı her şeye ilgi gösteren adam anlamına geliyordu. Ömer Hayyam, genç yaşına karşın, tanınmış bir feylesoftu. Yani şu zavallı Cabir'e oranla çok daha büyük bir avdı. Anlaşılan, suratı yaralı adam onu tanımamıştı, çünkü arkasını dönerek işine koyulmuş, ihtiyarı saçlarından yakalayarak, kafasını üç, dört kez sağa sola sallamaya başlamış, en yakın duvara çarpacakmış gibi yapıp, bir anda bırakıvermişti. Sert olmakla birlikte, davranışının yine de temkinli bir yanı vardı, işi sonuna kadar götürmek istemiyormuş gibiydi. Hayyam, bundan yararlanarak tekrar araya girdi:

— Bırak şu ihtiyarı, o bir dul, bir hasta, bir deli, dudaklarını ancak kıpırdatabildiğini görmüyor musun?

Elebaşı bir sıçrayışta Hayyam'ın yanına geldi, parmağını gözüne sokarcasına sordu:

— Sen onu iyi tanıyor gibisin. Kimsin sen? Semerkant'lı değilsin! Seni bu kentte tanıyan yok!

Ömer, karşısındakinin parmağını itti. Adam bir adım geriledi ama yine de ısrar etti:

— Adın ne yabancı?

Hayyam duraksadı, sığınacak bir yer aradı, gök yüzüne baktı. Hilali örten bulutları gördü. Sustu, iç çekti. Düşünceye dalma, yıldızları adları ile tek tek sayma, uzaklara gitme, halk yığınından kaçma!

Kalabalık çevresini sardı, birkaç el omuzuna dokundu, kendine gelip doğruldu:

— Ben Ömer, Nişapur'lu İbrahim'in oğlu. Ya sen kimsin?

Şeklen sorulmuş bir soruydu. Adamın kendini tanıtmaya hiç niyeti yoktu. Burası onun kentiydi ve sorgu sual etmek yalnızca onun hakkıydı. Daha sonra Ömer adamın lakabını öğrenecekti. Kesik Yüz diye tanınırmış. Eli sopalı, ağzı laf yapar, gelecekte Semerkant'ı titretecek olan adam! Şimdilik sadece, bir işareti ile dilediğini yaptırdığı çevresindeki şu insanlara egemendi. Gözlerinde beliren ani pırıltı ile hempalarına döndü, sonra da kalabalığa seslendi:

— Vay canına, Nişapur'lu İbrahim Hayyam'ın oğlu Ömer'i nasıl oldu da tanımadım? Horasan'ın yıldızı, İran'ın, Irak'ı Arabî ve Irak-ı Acemî olmak üzere her iki Irak'ın dâhisi, feylesofların prensi Ömer!

Sözde derinden bir selam verip, parmaklarını sarığının iki yanında şakırdatınca, aylakların kahkahalarına yol açtı.

— İman sahibi, inanç sahibi, rubailer yazarını kim tanımaz?

Şarap testimi kırdın, Tanrım.
Zevk yolumu tıkadın, Tanrım.
Nar rengi şarabımı yere çaldın, Tanrım.
Tövbeler olsun, yoksa sarhoş musun Tanrım?

Hayyam, kızgın ve endişeli, dinledi. Bu biçimde bir kışkırtma, cinayete davetiye çıkartmak demekti. Tek bir saniye yitirmeden, kalabalıktan ayartılan olmasın diye, yüksek sesle haykırdı:

— Bu dörtlüğü ilk kez duyuyorum. Benim yazdığım rubai şöyle:

Hiç, hiç bir şey bilmiyorlar, bilmek istemiyorlar
Şu cahillere bak, dünyaya egemen onlar.
Onlardan değilsen eğer, sana kâfir derler
Onlara aldırma Hayyam, yoluna devam et.

"Şu cahillere bak" derken, eliyle kalabalığı gösteren Hayyam, yanlış bir iş yapmış oldu. Eller kalktı, giysisini çekiştirmeye başladı, elbisesi parçalandı, sırtına indirilen bir diz darbesi ile kendini yerde buldu. Kalabalığın altında ezilmişti ama, kendini savunmaya kalkışmadı. Giysilerinin lime lime, bedeninin param parça olmasına ses çıkartmayacaktı, kurbanlık koyun uyuşukluğu ile kendini koyuverdi. Artık hiçbir şey hissetmiyor, hiçbir şey duymuyordu. Kendi içine kapanmış, iç âlemine çekilmişti.

Hayyam, kıyamı durdurmaya gelen silahlı on adama, davetsiz konuklarmış gibi baktı. Keçe kalpaklarının üzerinde, Semerkant kent zabıtasının açık yeşil işareti vardı. Saldırganlar onları görür görmez, Hayyam'dan uzaklaştılar; ama davranışlarını haklı kılmak için, kalabalığı tanık göstererek haykırmaya başladılar:

— Simyacı! Simyacı!

Resmi makamların gözünde, feylesof olmak bir suç değildi ama simyacılığın sonu ölümdü.

— Simyacı? Bu yabancı bir simyacı?

Zabıta şefinin tartışmaya hiç niyeti yoktu.

— Bu adam gerçekten bir simyacı ise, onu yüce yargıç Ebu Tahir'e götürmek gerekir.

Herkesin unuttuğu Uzun Cabir, bir daha dışarıda dolaşmamaya kendi kendine and içip meyhanelerden birinden içeri süzülürken, Ömer kimsenin yardımı olmadan ayağa kalktı. Kimseye bakmadan, dosdoğru yürüyordu; gururlu tavrı, lime lime olmuş giysilerini ve kanlı yüzünü bir tül ile örter gibiydi. Önünde, meşaleli zabıta güçleri yol açıyor, ardında saldırganlar güruhu yürüyordu. En arkadan da ayak takımı gelmekteydi.

Ömer onları görmüyor, duymuyordu. Ona göre sokaklar ıssız, yeryüzü sessiz, gökyüzü bulutsuzdu ve Semerkant, daha hâlâ bir kaç gün önce keşfettiği o düş ülkesiydi.

Hiç durup dinlenmeksizin, üç hafta yürüyerek gelmişti Semerkant'a ve eskiden gelmiş olanların öğütlerine uyarak dosdoğru Kuhandiz kalesine çıkıp kenti seyretmişti. Ona "Su ve yeşillik, çiçeklikler ve bahçıvanların ustaca fil, deve, atlamaya hazır kaplanlar biçiminde budadıkları ağaççıkları göreceksiniz" demişlerdi. Gerçekten de kalenin batısında, Manastır Kapısının iç kısmından, Çin Kapısına kadar sık meyvelikler, şırıl şırıl akan dereler görmüştü. Sonra, şurada burada tuğladan bir minare, oymalı bir kubbe, bir küçük köşkün duvarının beyazlığı gözüne çarpmıştı. Salkım söğütlerin kapladıkları su birikintisinin kıyısında, saçlarını rüzgâra açmış bir kadın, çıplak, suya giriyordu.

Rubaiyat'ın elyazması kitabını resmeden ve kim olduğu bilinmeyen ressam, işte bu cenneti anlatmak istememiş miydi? Semerkant'da, kadıların kadısı Ebu Tahir'in ikamet ettiği Asfizar'a götürülürken, Ömer'in hayalindeki görüntü bu değil miydi? Kendi kendine tekrarlayıp duruyordu: "Bu kentten nefret etmeyeceğim. Suya giren kadın bir serap bile olsa. Gerçeğin yüzü, Kesik Yüz'ünki gibi olsa bile. Bu serin gece, benim son gecem olsa bile."

II

Kadı Efendi'nin geniş divanında, şamdanlardan süzülen cılız ışık, Hayyam'ın yüzünün rengini balmumuna çevirmişti. İçeriye girer girmez, iki muhafız, kendisi tehlikeli bir deliymiş gibi, omuzlarından yakalamıştı. Onu bu durumda, kapının yanında bekletiyorlardı. Odanın öteki ucunda oturmakta olan Kadı, Hayyam'ı farketmemişti. Davayı bitirmiş, davacılarla tartışıyor, birine nasihat ederken, diğerini azarlıyordu. Anlaşıldığı kadarıyla bu bir komşu dalaşması idi, eskiden birikmiş hınçlar yinelenmiş, saçma ayrıntılar ortaya dökülmüştü!

Ebu Tahir, açıkça usandığını gösterip, aile reislerinden öpüşüp barışmalarını istemişti. Hemen oracıkta, hiç ayrılmayacaklarmış gibi. Biri, bir adım atmış, dev gibi olanı ise geri çekilmişti. Kadı, hızla ona bir tokat indirip, orada bulunanları dehşete düşürmüştü. Dev gibi olanı, suratına vurmak için kalkıp uzanmak zorunda kalan öfkeli Kadı'ya bir an için bakmış, sonra denileni yapmıştı.

Herkes çıktıktan sonra, Ebu Tahir, milislere yaklaşmaları için işaret etti. Bunlar yaklaşıp raporlarını vermeye ve sokakta onca kalabalığın toplanmasına neyin sebep olduğunu anlatmaya başladılar. Sonunda sıra Kesik Yüz'e geldi. Adam Kadı'nın önünde eğildi, Kadı'nın onu uzun süredir tanıdığı anlaşılıyordu. Kesik Yüz heyecanla anlatmaya başladı. Ebu Tahir dinliyordu. Yüzünden, ne düşündüğü belli olmuyordu. Birkaç saniye durdu, düşündü, sonra:

— Ahali dağılsın, diye buyurdu. Herkes, en kısa yoldan evine dönsün. Sonra saldırganlara bakarak:

— Sizler de evlerinize dönün dedi. Yarından önce karar verilmeyecek. Sanık geceyi burada geçirecek. Yalnızca benim adamlarımın gözetiminde olacak, başkasının değil!

Böyle çarçabuk yok olması emredilen Kesik Yüz, karşı çıkacak oldu, ama kendini tuttu. Eteklerini toplayıp, iki büklüm selam verdi.

Ebu Tahir, sadece kendi adamlarının tanıklığında, Ömer ile karşı karşıya geldiğinde, şu şaşırtıcı sözleri söyledi:

— Bu yüce makamda, Nişapur'lu Ömer Hayyam'ı kabul etmek bir şereftir.

Kadı alaycı da değildi, heyecanlı da... Hiçbir heyecan belirtisi göstermiyordu. Tekdüze bir ses tonu, düzgün bir konuşma, burma bir sarık, kalın kaşlar, kır bir sakal, bıyıksız bir yüz, meraklı bakışlar...

Böylesi bir karşılama, bir saattir ayakta, herkesin alaylı bakışlarına hedef olmuş durumda bekletildiğinden, Ömer için daha da şaşırtıcı oldu. Ebu Tahir, ustaca geçiştirdiği bir kaç saniyeden sonra, devam etti:

— Ömer, Semerkant'ın yabancısı değilsin! Genç yaşına karşın, bilgin dillere destan, başarıların okullarda örnek gösteriliyor. İbn-i Sina'nın kalın bir kitabını Isfahan'da yedi kez okuduktan sonra, onu Nişapur'da kelimesi kelimesine ezbere tekrarlayan sen değil misin?

Hayyam, hünerinin Maveraünnehir'de duyulmuş olmasından memnun, ama yine de endişeli idi. Bir Şafi kadısının ağzından, İbn-i Sina'nın adını duymak, yine de güven verici değildi; üstelik, daha hâlâ oturmasına izin çıkmamıştı. Ebu Tahir devam etti:

— Anlatılanlar sadece buluşların değil. Pek tuhaf dörtlüklerin de varmış.

Ölçülü sözler, suçlayıcı değil, aklayıcı değil, sadece dolaylı biçimde sorgulayıcı. Ömer, sessizliği bozmanın sırası geldiğine karar verdi:

— Kesik Yüz'ün söyleyip durduğu rubai, bana ait değil.

Kadı, elinin tersi ile bu çıkışa karşı koydu. Bu kez sesi sertti:

— Şunu ya da bunu yazmış olman önemli değil. Öylesine zındıkça sözler naklettiler ki, bunları tekrarlayacak olursam, kendimi yazarı kadar günahkâr sayarım. Sana itiraf ettirmek, seni cezalandırmak niyetinde değilim. Simyacılık suçlamaları, bir kulağımdan girip, diğerinden çıktı. Şimdi yalnızız, birbirini tanıyan iki kişi gibi ve ben sadece gerçeği bilmek istiyorum.

Ömer'in içi rahat değildi, bir tuzaktan kuşkulanıyor, konuşmaktan çekiniyordu. Kendini şimdiden cellada teslim edilmiş görüyordu. Uzuvları kesilmiş, parçalara ayrılmış ya da çarmıha gerilmiş olarak. Ebu Tahir, sesini yükseltti. Neredeyse bağırıyordu:

— Nişapurlu çadırcı İbrahim'in oğlu Ömer, bir dostu tanıyabilir misin?

Bu sözlerde, Hayyam'ı kamçılayan bir içtenlik hissediyordum. "Bir dostu tanımak mı?" Soruyu ciddiyetle tarttı, Kadı'nın yüzünü inceledi, sırıtmasına, sakalının titreyişine dikkatle baktı. Güven duygusu yavaş yavaş içini kapladı. Yüz hatları gevşedi. Yumuşadı. Muhafızların ellerinden kurtuldu, zaten Kadı'nın işareti üzerine, onlar da onu sıkmıyordu. Kadı içtenlikle gülümsedi ama yine de sorusunu tekrarladı:

— Sen, söylendiği gibi zındık mısın?

Bu bir soru olmaktan çok bir ümitsizlik çığlığı idi. Hayyam yanıtladı:

— Yobazların gayretkeşliğinden çekinirim ama, Bir'in iki olduğunu asla söylemedim.

— Söylemedin ama düşündün mü?

— Asla, Tanrı tanığımdır.

— Benim için bu yeterli. Tanrı için de, sanırım. Ya halk için? Sözlerini, hareketlerini gözlüyorlar. Benimkileri de, Hükümdarınkini de. Sen şöyle demişsin: "Arasıra, Güneşe yardımcı olan gölgenin bulunduğu camilere giderim..."

— Sadece, Yaradanı ile barış içinde olan bir insan, ibadet yerinde rahat uyur.

Ebu Tahir'in kuşkulu bakışları üzerine, Ömer heyecanla devam etti:

— Ben, imanı Yargı korkusu, duası da secde etmek olanlardan değilim. Nasıl mı dua ederim? Güle bakarım, yıldızlara bakarım, yaratılışın güzelliğine hayran kalırım, Yaradan'ın en büyük, en güzel eseri olan insana, bilgiye açlık duyan beynine, sevgiye susamış olan yüreğine, duyularına, uyanışmış ya da doyuma ulaşmış tüm duyularına hayranlık duyarım.

Kadı, düşünceli düşünceli ayağa kalktı, gelip Hayyam'ın yanına oturdu, elini babaca omuzuna koydu. Muhafızlar şaşkın şaşkın birbirlerine bakıyordu.

— Dinle genç dostum, Yüce Tanrı sana, bir Âdem oğlunun erişebileceği en değerli şeyi vermiş: zekâ, belagat, sağlık, güzellik, öğrenmek arzusu, hayattan zevk alma, erkeklerin takdiri ve sanırım kadınların hayranlığı. Seni, bilgelikten yoksun bırakmadığını umarım. Çünkü dilini tutma bilgeliği olmazsa, bütün bu saydıklarıma ne hayranlık duyulabilir ne de korunabilir.

— Düşündüğümü söylemek için yaşlanmayı beklemem mi gerek?

— Bütün düşündüklerini söyleyebileceğin gün, torunlarının torunları yaşlanacak zamanı bulur. Bizler, giz ve korku çağını yaşıyoruz. Senin iki yüzün olmalı, birini halka diğerini de kendine ve

Tanrı'ya göstermelisin. Gözlerine, kulaklarına, diline sahip olmak istiyorsan, gözlerin, kulakların, dilin olduğunu unut.

Kadı sustu, tepeden inme bir sessizlikti bu. Karşısındakini konuşmaya davet etmeyen, aksine odayı tümüyle dolduran, hizaya getirici bir sessizlik. Ömer, gözleri yerde, bekliyordu. Kadı'nın, kafasındaki sözcükleri seçmesine fırsat vermek istiyordu.

Oysa Ebu Tahir derin bir nefes aldıktan sonra adamlarına sert bir emir verdi. Adamlar çekildiler. Kapıyı kapattıklarında, kadı kalktı, bir duvar halısını kaldırdı, sonra oymalı bir kutunun kapağını açtı, içinden bir kitap çıkartarak özenle Ömer'e verdi. Artık yumuşamış, yüzü koruyucu bir ifade almıştı.

İşte bu kitap, benim, yani Benjamin O. Lesage'nin, ellerimle tuttuğum, dokunduğum kitaptı. Sanırım eskiden de, dokunulduğu vakit aynı duyguyu verirmiş. Kitap kalın ve sert bir ciltle kaplı ve yüzü kabartmalı idi. Yapraklarının kenarları yenmişti. Ama o unutulmaz yaz gecesinde, Hayyam kitabı açtığında, ikiyüzelli boş sayfa gördü, üzerlerinde ne bir yazı, ne bir resim, kenarlarında ne bir çıkıntı, ne bir not, her hangi bir yerinde ne bir minyatür!

Ebu Tahir, heyecanını gizlemek için, işi çığırtkanlığa vurdu:

— Bu Çin Kaghez'inden yapılmış. Bugüne dek Semerkantta imal edilmiş en iyi kâğıt cinsi. Maturid mahallesinden bir Yahudi, eskiden kalma yöntemle, beyaz dut ağacından imal etti bu kâğıdı. Salt benim için. Dokun bak, aynen ipek gibi.

Boğazını temizleyerek devam etti:

— Benden on yaş büyük bir ağabeyim vardı. Öldüğünde, senin yaşındaydı. Dönemin hükümdarının hoşuna gitmeyen bir şiir yazdığı için Belh kentinde işkenceyle öldürüldü. Onu, ayrı bir mezhep kurmakla suçladılar. Doğru mu bilmiyorum. Ama bir şiire, zavallı bir rubaiden biraz daha uzun bir şiire karşılık hayatını koymasını hiç affetmedim.

Sesi çatallaştı, nefes nefese ayağa kalktı:

— Bu kitabı sakla. Düşüncende bir mısra oluştuğu ve gün ışığına çıkmak için dudaklarına kaydığı her seferinde, onu kendine sakla, sır gibi gizlenecek bu kitaba yaz. Yazarken de Ebu Tahir'i unutma.

Kadı, bu davranışı ile, bu sözleriyle, edebiyat tarihinde en iyi korunmuş gizlerden birine yol açtığını biliyor muydu? Ömer Hayyam'ın o ince şiirlerini keşfetmek, *Rubaiyat'*ını çağların en özgün yapıtı saymak ve Semerkant'ın bu elyazması kitabının garip öyküsünü öğrenmek için, aradan sekiz yüz yıl geçmesi gerekeceğini nereden bilecekti?

21

III

Ömer o gece, Ebu Tahir'in geniş bahçesindeki tepelerden birinde, kendisine ayrılan yazlık köşkün içinde, uyumak için dönenip durdu. Yanıbaşında, alçak bir sehpanın üzerinde, kalemi, hokkası, sönmüş kandili ve ilk sayfası açılmış, üzerine hiçbir şey yazılmamış kitabı duruyordu.

Sabaha karşı bir rüya gördü: güzel bir cariye ona bir tepsi üzerinde dilimlenmiş kavunlar, yepyeni bir giysi, Çin ipeğinden sarıklık kumaş getiriyor, bir de kulağına fısıldıyor:

— Efendi seni sabah namazından sonra bekliyor.

Oda şimdiden dolmuş, şikâyetçiler, talepçiler, dalkavuklar, akrabalar, her çevreden ziyaretçiler ve bunların arasında, haber almak üzere gelmiş olan Kesik Yüz. Ömer, kapıdan içeriye süzülmüş, Kadı'nın sesi, herkesin dikkatini üzerine toplamış:

— İmam Ömer Hayyam aramıza hoş geldi. Hiç kimse, Peygamberimizin hadislerini onun kadar bilemez. Kimse, güvenilirliğini tartışamaz. Söylediklerine kimse karşı çıkamaz.

Ziyaretçiler tek tek ayağa kalkıp temenna ettiler. Ömer, kaçamak bakışlarla Kesik Yüz'e baktı. Adam köşede durmuş, patlayacak gibi ama yine de alaycı bir yüz takınmış.

Ebu Tahir, yanındakilere hızla yer açtırarak, Ömer'i sağına oturttu. Sonra da konuşmaya başladı:

— Değerli konuğumuzun başından, dün akşam bir olay geçmiş. Horasan'da Fars'ta, Mazandaran'da başlar üstünde tutulan, her kentin konuk etmek için birbiriyle yarıştığı, her hükümdarın sarayında görmek istediği konuğumuz, dün akşam Semerkant sokaklarında tartaklanmış.

Orada bulunanlardan öfkeli sesler yükseldi, Kadı durdurmadan önce, gürültü bir süre devam etti. Ebu Tahir devam etti:

— Daha da kötüsü, çarşıda az daha bir ayaklanma olacakmış. Tam da, Saltanatın Güneşi, sevgili hükümdarımız Nasır Han, Allah'ın izniyle bu sabah Buhara'dan kentimize geleceği sırada! O güruh durdurulmasa ve dağıtılmasaydı, bu sabah duyacağımız üzüntüyü, tahmin etmeye bile cesaret edemiyorum. Ama hemen belirteyim: nice kelle omzunun üzerine düşmüş olacaktı.

Ebu Tahir, nefes almak ve yarattığı etkiyi anlamak, korkunun yüreklere iyice sinmesini beklemek için durdu.

— Neyse ki bir eski öğrencim, ki şimdi aramızda bulunuyor, değerli konuğumuzu tanımış ve gelip bana haber verdi.

Kadı parmağı ile Kesik Yüzü işaret etti ve ayağa kalkmasını söyledi:

— İmam Ömer'i nasıl tanıyabildin?

Cevap yerine bir mırıltı...

Kadı bağırdı ve yanında oturan ak sakallı ihtiyarı gösterdi:

— Daha yüksek! Şuradaki yaşlı amcan seni duyamıyor.

Kesik Yüz, zoraki, konuştu:

— Değerli konuğumuzu belagatinden tanıdım. Onu kadımıza getirmeden önce, kimliğini sordum.

— İyi yapmışsın. Ayaklanma sürseydi, kan akardı. Gel, konuğumuzun yanına otur. Bu onuru hak ettin.

Kesik Yüz yapay bir uysallıkla yaklaştığı sırada, Ebu Tahir, Ömer'in kulağına fısıldadı.

— Sana dostluk göstermese de, en azından herkesin önünde sana sataşamaz. Sonra yüksek sesle devam etti:

— Başına gelenlere karşın, Hoca Ömer'in Semerkant'ı kötü anmasını istemeyiz.

Hayyam cevap verdi:

— Dün akşam olanları unuttum bile. İleride, bu kenti düşündüğümde, aklımda bambaşka bir görüntü kalacak. O da harika bir adamın görüntüsü. Ebu Tahir'den söz etmiyorum. Bir kadıya yapılacak en güzel övgü, onun meziyetlerini saymak değildir, sorumlu olduğu, yönettiği kişilerin dürüstlüğüdür. Semerkant'a geldiğim gün, katırım Kiş Kapısına giden son yokuşa da tırmanmış, ben de yere henüz ayak basmışken, bir adam yanıma geldi.

— Bu kente hoş geldin, dedi. Ailen, dostların var mı?

Bir yankesici, en azından bir dilenci olabileceği korkusu ile, bir taraftan yürürken bir yandan da cevap verdim: "Hayır yok!" Adam: "Benden korkma soylu ziyaretçi," dedi. "Ben burada bekleyip, gelen ziyaretçileri ağırlama emrini efendimden aldım." Adam, fakir bir adama benziyordu ama üstü başı temiz, kendisi de çok saygılı idi. Onu izledim. Biraz sonra, beni ağır bir kapıdan geçirip, bir kervansarayın avlusuna soktu. Orta yerde bir kuyu vardı. İnsanlar ve hayvanlar suyundan yararlanıyordu. Avlu, çepeçevre bir sürü odası olan iki katlı bir binayla çevriliydi. Adam, "Burada kalabilirsin" dedi. "İster bir gece, ister bir mevsim. Yatacak ve yiyecek bulursun. Katırın için de ot bulursun." Kaç para vereceğimi sorduğumda, "Sen burada efendimin konuğusun" dedi. "Bunca cömert, konuksever Efendin nerede, gidip ona teşekkür edeyim" dedim. "Efendim öleli yedi yıl oluyor. Bana, Semerkant'a gelen yolculara sarf etmem için gerekli parayı bıraktı" dedi. İyiliklerini anlatmam için, Efendinin adını söyle dediğimde, "Şükranını Yüce Tanrı'ya yönelt. Kimin için kendisine şükredildiğini bilir" dedi. Ve böylece, bir kaç gün, bu adamın konuğu oldum. Kervansaraya girip, çıkıyordum. Sofram nefis yemeklerle donanıyor, hayvanıma da benim bakacağımdan iyi bakılıyordu.

Ömer, kendisini dinleyenlere baktı, anlattıkları ne gözlerde bir ışıltı, ne dudaklarda bir pırıltı yaratmıştı. Şaşırdığını anlayan Kadı:

— Daha nice kent, İslam ülkesinin en konuksever kenti olduğunu iddia eder. Ama bu sıfatı sadece Semerkant hak eder. Bildiğim kadarı ile, bugüne kadar hiçbir yolcu, yatacak ve yiyecek parası vermemiştir. Yolculara ya da yoksullara yardım edebilmek için iflas etmiş nice aile tanırım. Ama tek bir gün övündüklerini duyamazsın. Sokak başlarında gördüğün çeşmeler, gelen geçenin su içmesi için yaptırılmıştır. Kimi tuğladan, kimi çiniden, kimi bakırdan iki bin çeşme vardır, hepsi Semerkant'lıların armağanıdır. Bir teki bile, teşekkür alacağım diye, üzerine adını yazdırmamıştır.

— Doğru, dedi Ömer. Hiçbir yerde buna benzer bir cömertliğe rastlamadım. Ama yine de, aklıma takılan bir soruyu sorabilir miyim?

— Ne soracağını biliyorum. Konukseverliği bunca ileri olan kişiler nasıl oluyor da, senin gibi bir konuğa şiddet gösterebiliyor?

— Ya da Uzun Cabir gibi zavallı bir ihtiyara?

— Cevabımı tek bir sözcükle vereceğim: korku! Burada gördüğüm şiddet, korkunun çocuğudur. Dinimize her yandan saldırılıyor. Bahreyn'deki Karmati'ler, Kom'daki İmamiyeciler, Konstantiniyye'deki Rumlar, tüm kâfirler ve özellikle Bağdat'ın ortasına kadar hatta Semerkant'a kadar gelmiş olan Mısır'daki İsmailiyeler. Bizim İslam kentlerimizin nasıl olduklarını unutma. Mekke, Medine, İsfahan, Bağdat, Şam, Buhara, Merv, Kahire, Semerkant, her biri bir anlık ihmalin çölleştireceği kentler. Her biri, kum fırtınalarına açık.

Kadı, pencereden giren güneş ışığına baktı. Ayağa kalktı. Ellerini çırptı:

— Bize yolluk getirsinler.

Yol boyunca kuru yemiş yemeyi adet edinmişti. Dostları ve konukları da ona uyardı. Bu yüzden orta yere bir sini getirdiler. Üzeri tepeleme üzüm ile doluydu. Herkes ceplerini doldurdu. Sıra Kesik Yüz'e geldiğinde bir avuç alıp, Hayyam'a verdi:

— Üzümü, şarap olarak vermemi yeğlerdin.

Yüksek sesle konuşmamıştı ama, orada bulunanlar nefeslerini tutmuştu.

Herkes Ömer'e bakıyordu. O ise:

— Şarap içmek istenirse, saki de, içki arkadaşı da özenle seçilir, dedi.

Kesik Yüz, sesini hafifçe yükseltti:

— Ben, tek damla içme heveslisi değilim. Cennete gitmek istiyorum. Bana eşlik etmeye niyetli görünmüyorsun.

— Hikmet yumurtlayan ulema takımı ile sonsuza dek ahirette olmak mı? Yok, hayır. Tanrı bizlere daha başka şeyler vaad etti.

Konuşma burada bitti. Ömer, Kadı'ya yetişmek için hızlandı. Kadı:

— Kent halkı seni yanımda görmeli, dedi. Dün akşamki izlenimleri silinir böylece.

Kadı'nın evi önünde biriken kalabalığın içinden, bir armut ağacını siper etmiş akşamki kestane hırsızını fark eder gibi oldu Ömer. Yavaşladı. Gözleriyle onu aradı. Ama Ebu Tahir onu iteledi:

— Çabuk ol. Han bizden önce gelmiş olursa, kemiklerini kırarım.

IV

— Müneccimler ta ezelden beri bunu söylüyor ve doğru söylüyor.

Dört kent var ki, isyan yıldızı altında doğmuş. Bunlar Semerkant, Mekke, Şam ve Palermo'dur. Bu kentlerin insanları, zorla olmadıkça asla yöneticilerine baş eğmemişler, adaletin kılıcı olmadıkça asla doğru yoldan gitmemişler. Peygamberimiz, Mekke'nin küstahlığını kılıcı ile gidermiş, ben de Semerkant'ın küstahlığına adaletin kılıcı ile son vereceğim!

Maveraünnehir'in hükümdarı Nasır Han, her yanı kakmalı, muazzam tahtının önünde ayakta durmuş, el kol hareketi ile konuşuyor, sesi etrafındakileri titretiyordu. Gözleri, topluluk içinde bir kurban, kıpırdanma cüreti gösterebilecek bir çift dudak, inanmayan bir bakış, bir ihanet belirtisi yakalamaya çalışıyordu. Ama herkes, içgüdüsel olarak, yanındakinin arkasına saklanmış, sırtını, boynunu, omuzlarını, fırtına geçene dek, gizlemeye çalışıyordu.

Nasır Han, pençesine uygun bir av bulamadığı için, tören giysilerine saldırdı ve peşpeşe her birini sırtından çıkarmaya başladı. Türk-Moğol şivesi ile sıraladığı küfürlerin ardı arkası kesilmiyordu. Geleneğe göre, hükümdarlar, üst üste üç, dört, bazen yedi kat giyinirler ve gün boyu, bu işlemeli giysilerini, onurlandırmak istedikleri kimselerin sırtlarına geçirirlerdi. Böyle davranmakla Nasır Han, o gün onurlandıracağı kimse olmadığını göstermiş oluyordu.

Oysa, hükümdarın Semerkant'a her gelişinde olduğu gibi, o gün de şenlik yapılmalıydı ama daha ilk saniyelerden itibaren, herkesin keyfi kaçmıştı. Nasır Han, Siab ırmağı boyunca taşlı yolları aşıp, kentin kuzeyindeki Buhara Kapısından girmişti Semerkant'a. Yüzü gülüyor, iyice çekik gözleri pırıldıyor ve elmacık kemikleri alev alev yanıyordu. Sonra, birdenbire keyfi kaçıverdi. Aralarında Ebu Tahir'in de bulunduğu ikiyüz kadar eşrafa yaklaşmış, kalabalığa bir göz atmış, aradığını bulamayınca, atını mahmuzlayıp, anlaşılmaz sözlerle uzaklaşmıştı. Siyah kısrağının üzerinde dimdik, somurtkan, sabahın erken saatinden beri toplanmış kalabalığın alkışlarına cevap vermeden geçip gitti. Kimileri, "arzuhalci"lere yazdırdıkları dilekçeleri ellerinde sallıyordu ama, boşuna! Kimse dilekçesini hükümdara sunma cesaretini bulamamıştı. Daha çok vezirine başvuruluyor, o da kâğıtları toplamak üzere atının üzerinden eğiliyor ve ilgileneceği vaadinde bulunuyordu.

Nasır Han, önünde hanedanın kara bayraklarını taşıyan dört atlı, ardında koca bir şemsiye tutan, yarı beline kadar çıplak bir köle ile, iki yanı ağaçlı yoldan geçti, *arik* adı verilen su yolları boyunca ilerledi ve Asfizar mahallesine vardı. Sarayını, Ebu Tahir'in evinin iki adım ötesinde, işte bu mahallede yaptırmıştı. Geçmişte, hükümdarlar kale içinde otururlardı, ama son savaşlarda kale yıkıldığı için, orayı terk etmek gerekmişti. Artık kalede sadece yurtlarını kuran Türk askerlerinin karargâhı vardı.

Hükümdarın keyifsizliğini gören Ömer, Saraya gitmeye çekinmiş ama Kadı, ünlü dostunun orada olması havayı değiştirir ümidiyle ısrar etmişti. Yolda giderlerken; Ebu Tahir neler olduğunu anlattı Hayyam'a: Kentin ileri gelen din adamları, Han, silahlı muhaliflerinin siper kurdukları Buhara'daki Büyük Cami'yi yaktırdığı için, onu karşılamaya gelmemişlerdi. Kadı:

— Hükümdar ile din adamları arasında bitmez tükenmez bir savaş var dedi. Bazen açık ve kanlı, çoğu kez kurnaz ve sinsi.

Ulema takımının, hükümdarın davranışlarından bezmiş olan bazı subaylarla ilişki kurduğu da söylenmekteydi. Anlatıldığına göre, Nasır Han'ın ataları, yemeklerini subayları ile bir arada yer, iktidarlarının, cengâverlerinin cesaretine dayalı olduğunu göstermek için hiçbir fırsatı kaçırmazlarmış. Ama, kuşaktan kuşağa, Türk Hakanları, Acem hükümdarlarının kötü alışkanlıklarını edinir olmuşlar, kendilerini yarı-tanrı gibi görmeye başlamış giderek daha şatafatlı törenler düzenlemişler ve bu durumu subaylarına kabul ettirememişlerdi. Çoğu, dini liderlerle ilişki kurmuş ve onların Nasır'a dil uzatmalarını, İslam'ın yolundan ayrıldığını söylemelerini keyifle izler olmuşlardı. Dini bütün bir adam olmasına karşın babası, saltanatını, sarıklı kelleleri uçurtmakla başlatmış değil miydi?

İçlerinde bulundukları o 1072 yılında, Ebu Tahir, Hakan ile ilişkileri iyi olan ender din adamlarından biriydi. Onu sık sık Buhara'da ziyaret eder, hükümdarın Semerkant'a her gelişinde onu törenle karşılayıp ağırlardı. Onun bu uzlaşmacı tutumu, bir kısım ulemanın hiç hoşuna gitmiyordu ama çoğunluk, kadı ile hükümdar arasındaki bu yakınlıktan memnundu.

27

Kadı, bir kez daha uzlaşmacı tutumu ile, Nasır'a karşı çıkmaktan sakınarak onu yumuşatacak her yolu denedi. Öfkesinin geçmesini bekledi. Hakan tahtına oturduğunda ve sırtını yumuşak yastıklara dayadığında, Ömer'in de içini rahatlatan bir ustalıkla işi ele aldı. Vezire işaret eder etmez, içeriye bir cariye girdi ve savaş meydanını andıran yerden, Hakanın giysilerini toplamaya başladı. Havada hemen bir hafifleme olmuş, herkes gevşemiş, fısıldaşmalar başlamıştı.

Kadı, kabul odasının ortasına kadar ilerledi, hükümdarın karşısında durdu, başını eğdi ve tek kelime etmedi. Uzunca bir sessizlikten sonra Nasır, bıkkın fakat güçlü bir sesle: "Bu kentin tüm ulemasına, sabah ezanında gelip ayaklarıma kapanmasını söyle" diye buyurdu. "Baş eğmeyen kafa, uçurulacak; kimse kaçmaya yeltenmesin, öfkemden kaçıp sığınabilecekleri tek bir ülke yoktur." Herkes, fırtınanın geçmiş olduğunu, hükümdarın tutumundan anladı. Hükümdarın cezalandırmaktan vazgeçmesi için, din adamlarının yola gelmeleri yeterli olacaktı.

Ömer, ertesi günü kadı ile birlikte Saraya gitti. Hava tümden değişmişti. Nasır tahtına oturmuştu. Yanı başındaki kölelerden biri, üzeri pembe şekerlerle dolu bir tepsiyi tutmakta, hükümdar birini alıp dilinin üzerine koyarken, diğer elini, gülsuyu dökme telâşı içindeki köleye uzatmaktaydı. Bu hareket yirmi-otuz kez tekrarlana dururken, heyetler de hükümdarın önünden geçmekteydi. Bunlar özellikle Asfizar, Panjkin, Zagrimah, Maturid gibi mahallelerin temsilcileriydi. Çarşıdaki esnafın ve loncaların temsilcileri, bakırcılar, kâğıtçılar, ipekçiler ve sakaların yanı sıra, korunmaya alınmış toplulukların, yani Yahudilerin, Mecusilerin ve Nesturi Hıristiyanlarının temsilcileri de vardı.

Hepsi önce yeri öpüyor, sonra doğrularak, Hakan çekilmeleri için işaret edene kadar, iki büklüm bekliyorlardı. Hakan işaret verince, sözcüleri bir kaç kelime ediyor, geri geri giderek çekiliyorlardı. Odadan çıkarken, hükümdara sırtlarını çevirmeleri söz konusu değildi. Tuhaf bir alışkanlık! Bu usul, saygınlığına fazlasıyla düşkün bir hükümdar tarafından mı, yoksa pek kuşkucu bir ziyaretçi tarafından mı konulmuştu?

Sonunda sıra, merakla beklenen din adamlarına geldi. Yirmi kişi kadardılar. Ebu Tahir, gelmelerini hiç zorluk çekmeden kabul ettirmişti. Bütün kızgınlıklarını gösterdiklerine göre, bu yolda ısrar etmek kurban vermeyi gerektirirdi ki, buna da hiçbirinin niyeti yoktu. İşte şimdi tahtın karşısına dizilmişler, her biri yaşına göre eğilebildiği kadar eğilmiş, doğrulmak için hükümdarın işaretini bekliyordu. Ama işaret bir türlü gelmiyordu. On dakika geçmişti. Sonra yirmi dakika. En gençleri bile, bu rahatsız durumda kalabilmenin zorluğunu çekiyordu ama başka çare de yoktu. İzinsiz doğrulmak, Hakanın yıldırımlarını üzerine çekmek olurdu. Her biri, ardarda diz üstü düşmüştü. Bu da eğilmek kadar saygı göstermekti ama hiç değilse daha az yorucu idi. Sonuncusu da diz üstü çöktüğünde, hükümdar kalkmalarını ve hiçbir konuşma yapmadan çekilmelerini emretti. Kimse, işin böyle sonuçlanmasına şaşmadı. Bu, ödenmesi gereken bir bedeldi.

Daha sonra sıra Türk subaylarına, eşrafa ve köy ağaları dihkânlara geldi. Rütbelerine ve mevkilerine göre, kimi hakanın elini, kimi ayağını, kimi de omzunu öpüyordu. Sonra bir ozan yaklaştı, hanı öven bir kaside okudu. Hakan, sıkıldığını açıkça belli etti, övücü sözünü bir işaretle kesti. Vezirine işaret etti, o da eğilip hakanı dinledikten sonra, orada bulunanlara seslendi:

— Efendimiz hep aynı şeyleri duymaktan bıktığını söylüyor. Artık ne aslana, ne kartala ne de güneşe benzetilmek istiyor. Başka söyleyecek şeyi olmayan çekilsin.

V

Vezirin bu konuşmasından sonra, sıranın kendilerine gelmesini bekleyen ozanlar arasında mırıldanmalar, kıpırdanmalar, karışıklıklar görüldü. Bazıları, usulca ortadan kaybolmak üzere, bir iki adım geri attı. Aralarından yalnızca bir kadın, sert adımlarla yaklaştı. Ömer'in meraklı bakışlarını gören kadı:

— Bu Buhara'lı bir kadın şair. Kendini Cihan diye çağırtıyor. Dünya gibi, âlem gibi Cihan. Bir hayli dedikoduya yol açmış aşk öykülerine sahip genç bir dul, dedi.

Sesi uyarıcıydı ama Ömer'in bir kez merakı kabarmıştı, gözlerini kadından alamıyordu. Cihan, peçesini hafifçe kaldırmış, boyasız dudakları ortaya çıkmıştı. Güzel bir şiir okumaya başladı. Şiirde, bir kere olsun hükümdarın adı geçmedi. Hayır, Semerkant'ı ve Buhara'yı sulayan, suyunu almaya hiçbir denizin layık olmaması yüzünden çölün derinliklerinde kaybolan Zerefşan ırmağını övüyordu.

Nasır Han, her zamanki alışkanlığı ile:

— İyi dedin, dedi. Ağzın altınla dolsun.

Cihan, üzeri altın para dolu geniş bir tepsinin önünde eğildi ve altınları tek tek ağzına doldurmaya başladı. Herkes yüksek sesle saymaya başladı. Cihan, boğazına takılan bir hıçkırık yüzünden boğulacak gibi olunca, başta hükümdar, herkes kahkahayla güldü. Vezir, kadının yerine dönmesi için işaret etti. Ağzından çıkan altın, tam kırkaltı dinardı.

Gülmeyen tek kişi Hayyam'dı. Gözleri Cihan'a takılmış, ona karşı ne gibi duygular hissettiğini anlamaya çalışıyordu. Şiiri o denli saf, söyleyişi o denli vakur, yüreği o kadar cesur bu kadının, bu aşağılayıcı ödüle boyun eğmesini anlayamıyordu. Cihan peçesini kapatmadan önce daha da yükseltmiş ve bir bakış fırlatmıştı. Ömer, bu bakışı yakaladı, içine çekti ve orada kalmasını istedi. Bu, kalabalığın kavrayamayacağı bir kısacık an, bir sevgili için upuzun bir sonsuzluktu. Hayyam, zamanın iki yüzü var diye düşünmekten kendini alamadı. Zamanın iki yüzü, iki boyutu var. Uzunluğu güneşe, genişliği tutkulara uyarlanmış.

Bu eşsiz anı, koluna dokunmakla, Kadı bozmuş oldu. Artık çok geçti. Kadın yok olmuş, ortada sadece bir çarşaf kalmıştı! Ebu Tahir dostunu Han'a tanıttı:

— Yüce katınızda, Horasan'ın en büyük bilgini Ömer Hayyam bulunuyor. Onun için, hiçbir bitkinin, hiçbir yıldızın sırrı yoktur.

Ebu Tahir'in, Hayyam'ın bildikleri arasında tıptan ve müneccimlikten söz etmesi boşuna değildi. Hükümdarlar her zaman bu iki dala ilgi duymuşlardır. Birincisine, sağlıklarını ve yaşamlarını korumak, ikincisine yazgılarını anlamak için!

Hakan memnun olduğunu, onurlandığını söyledi ama, o gün bilimsel konuşmalar yapmak niyetinde değildi. Konuğunun durumunu değerlendiremeyerek:

— Ağzı altınla dolsun! dedi.

Ömer irkildi, şaşırdı ve yüzünde bir tiksinti belirtisi görüldü. Bunu anlayan Ebu Tahir ürktü; hükümdarı red etmek onu kızdırabilirdi. Dostunu kolundan tuttu ama geç kalmıştı. Hayyam konuşmağa başlamıştı bile:

— Haşmetlû beni mazur görsünler, ama oruçluyum. Ağzıma bir şey koyamam dedi.

— Yanılmıyorsam, oruç ayı geçeli üç hafta oluyor.

— Ramazanda seferi idim. Nişapur'dan Semerkant'a gelirken orucu bıraktım. Sonradan borcumu ödeyeceğime and içtim.

Kadı dehşete düştü, odadakiler kıpırdadı, hükümdarın yüzünden bir şey anlamak olanaksızdı. Soruyu Ebu Tahir'e yöneltmeyi yeğledi:

— Sen ki dinin kurallarını bilirsin, ağzına altın sokup çıkartmakla Hoca Ömer'in orucu bozulur mu?

Kadı yansız bir sesle:

— Tam olarak söylemek gerekirse, ağızdan giren her şey orucu bozar, dedi. Altının yanlışlıkla yutulduğu da olmuştur.

Nasır bu görüşü kabul etti ama tatmin olmadı. Ömer'e dönerek:

— Red edişinin gerçek nedeni bu mu? diye sordu.

Hayyam bir an duraksadı, sonra:·

— Tek nedeni bu değil, dedi.

— Konuş öyleyse. Benden korkmana sebep yok.

Bunun üzerine Ömer şu dörtlüğü okudu:

Beni sana getiren yoksulluk muydu
İstekleri basitse, kimse yoksul değil.
Dürüstü ve özgürü onurlandırabiliyorsan,
Beklediğim, onur vermen, başka bir şey değil.

Ebu Tahir kendi kendine:
— Hey günlerin kararsın Hayyam, diye söylendi.
Böyle bir şeyi aslında istediği yoktu ama korkusundan söylemişti. Hakanın öfkeli sesi kulaklarından gitmemişti, bu kez işin üstesinden gelebileceğinden emin değildi. Han, derin bir düşünceye dalmışçasına sessiz, hareketsiz kaldı; yanındakiler, ağzından çıkacak ilk sözcüğü, bir idam hükmü beklercesine bekliyor, dalkavukların bir kısmı usulca yok olmanın yollarını arıyordu.
Ömer, bu genel şaşkınlık havasından yararlanarak, Cihan'ın gözlerini aradı. Cihan, bir sütuna dayanmış, yüzünü avuçlarının içine almıştı. Acaba Ömer için mi korkuyordu?
Sonunda Han ayağa kalktı. Ömer'e doğru kararlı adımlarla yürüdü. Ona kuvvetle sarıldı, elinden tutup peşinden sürükledi. Tarihçiler: "Maveraünnehir'in Efendisi, Ömer Hayyam'ı o denli sayıyordu ki, onu hep tahtında, yanı başında oturtuyordu." diye yazdılar.

Saraydan çıktıklarında, Ebu Tahir:
— Artık Han ile dostsunuz, dedi.
Az önce boğazını kurutan korku ne denli büyükse, şimdi de sevinci o denli büyüktü. Ama Hayyam:
— Denizin komşusu olmaz, hükümdarın dostu olmaz atasözünü unuttun mu? diye sormaktan kendini alamadı.
— Açılan kapıyı küçümseme. Saraydaki geleceğin çizilmiş görünüyor.
— Saray hayatı bana göre değil. Tek düşüm, tek tutkum, günün birinde bir rasathane, bir gül bahçesi sahibi olmak. Sonsuza dek, elimde şarap, yanımda güzel bir kadın, gökyüzünü incelemek istiyorum.
Ebu Tahir güldü:
— Şu şair kadın kadar güzel, dedi.
Ömer'in tek düşündüğü oydu ama sustu. Ağzından çıkacak en ufak bir sözcüğün kendisini ele vermesinden çekiniyordu. Kadı, biraz hafif davrandığını anlayarak, sözünü değiştirdi:
— Senden bir şey isteyeceğim.

— İsteklerimle beni şımartan sensin her zaman.

— Öyle olduğunu kabul edelim ve diyelim ki karşılığında bir şey istiyorum.

Evin önüne gelmişlerdi. Ebu Tahir, konuşmalarını sofrada sürdürmeyi önerdi:

— Seninle ilgili bir tasarım var. Bir kitapla ilgili. Bir an için *Rubaiyat*'ı unutalım. O benim için bir dahinin kaprisleri. Sen asıl tıpta, astrolojide, matematikte, fizikte ve metafizikte başarılısın. İbni Sina'nın ölümünden beri, bu konuları senden iyi bilen yok derken yanılıyor muyum?

Hayyam cevap vermedi. Ebu Tahir devam etti:

— İşte bu dallarda senden bir kitap bekliyorum. Sonuncusu olacak bir kitap ve onu bana ithaf etmeni istiyorum.

— Sanmam ki bu alanlarda sonuncu kitap olsun ve bu nedenle bugüne dek hiçbir şey yazmadan sadece okudum, öğrendim.

— Açıkla.

— Eskileri ele alalım. Yunanlıları, Hintlileri, benden önceki Müslümanları. Tüm bu konularda pek çok kitap yazdılar. Yazdıklarını yineleyecek olursam, benim işim nafile iş olur. Onlara karşı çıksam, ki bunu hep istedim, benden sonrakiler de bana karşı çıkacaklar. Bilginlerin yazdıklarından geriye, yarın ne kalacak? Kendilerinden önce gelenleri karalamaları. Başkalarının kuramlarını nasıl yıktıkları belki anımsanacaktır ama kendi kurdukları kuramlar da başkaları tarafından yıkılacaktır, hatta ardından gelenlerce alaya alınacaktır. Bilinen yasadır bu; şiirde böyle bir yasa yoktur, sonraki ondan öncekini asla yadsımaz, ardından gelen de onu yadsımaz! Yüzyılları, büyük bir rahatlıkla aşar. İşte bunun için *Rubaiyat*'ı yazıyorum. Bilimde beni hayran bırakan nedir bilir misin? Onda, şiirin yüceliğini bulurum, matematikte sayıların baş döndürücü tadını, astronomide evrenin gizemli mırıltısını. Ama bana gerçek olandan lütfen söz etmeyin!

Bir an durdu, sonra devam etti:

— Semerkant'ın çevresinde dolaştığım günler oldu. Üzerlerinde, artık hiç kimsenin çözemediği yazılar olan harabeler gördüm. Kendi kendime dedim ki: Eskiden burada yükselen kentten, geriye ne kaldı? Nasıl bir krallık vardı, nasıl bir bilim, nasıl bir yasa, nasıl bir gerçek? Hiç. İstediğim kadar bu enkazın altını üstüne getireyim, bir çanağın üzerinde bir yüz, bir duvarda bir resim parçası bulabildim sadece. İşte bin yıl sonra, benim zavallı şiirlerim de böyle olacak. Kırık çömlekler, resim parçaları, sonsuza dek gömülmüş bir dünyanın artıkları. Bir kentten geriye kalan, yarı yarıya sarhoş bir şairin üzerinde gezdirdiği kayıtsız bakışlardır.

Ebu Tahir, pusulasını şaşırmış gibiydi:

— Sözlerini anlıyorum diyebildi. Ama yine de Şafi bir kadıya şarap kokan şiirler adamak istemezsin herhalde.

Ömer, eğer şarabı sulandırmak denilebilirse, uzlaşmacı, minnet dolu bir tavır takındı. Bu konuşmayı izleyen aylarda, küp denklemleri ile ilgili ciddi bir eser yazmaya koyuldu. Bu cebirsel denklemin bilinmeyenine, Arapça *şey* diyordu. Bu sözcük İspanyolca yapıtlarda *Xay* diye yazıldığından, zamanla X biçimi alacak ve bilinmeyeni göstermekte kullanılan evrensel X harfine dönüşecekti.

Hayyam, Semerkant'ta tamamladığı eserini, koruyucusuna adadı: "Bizler bilim adamlarının gözden düşürüldükleri bir çağın kurbanlarıyız. Aralarında pek azı, gerçek bir araştırma yapmak olanağını bulabiliyor... Günümüz bilginlerinin bilmedikleri şeylerden biri, maddi sonuçlar çıkartmak... Bu nedenle, bu dünyada olup biten kadar Bilime ve insanoğlunun kaderine ilgi duyan bir kişiye rastlamak ümidini yitirmişken, Tanrı karşıma büyük kadı Ebu Tahir'i çıkarttı. Bu çalışmayı onun yardımı ile tamamlayabildim."

Hayyam o akşam, artık evi gibi kullandığı bahçedeki küçük köşküne döndüğünde, akşamın o saatinden sonra yazamam diye yanına lamba almamıştı. Yolunu ay ışığı aydınlatıyordu. Şevval'in bu son günlerinde, ay incecik bir hilâl biçiminde olduğu halde... Kadı'nın konağından uzaklaşır uzaklaşmaz, el yordamıyla yürümeğe başladı ve birkaç kez düşecek gibi oldu. Salkım söğütlerin dalları, yüzüne çarpıp duruyordu.

Odasına girdiğinde, tatlı bir sesin tatlı sitemi ile karşılaştı:

— Daha erken gelirsin sanmıştım.

Bu kadını aklından çıkarmadığı için mi sesini duyar gibi oldu? Usulca kapattığı kapının ardında durmuş, önce bir görüntü seçmeğe çalışıyordu. Boşuna. Ses, bir sis perdesinin ardından gelir gibi, yeniden duyuldu:

— Susuyorsun. Bir kadının, odanın mahremiyetini bozabileceğini sanmıyorsun. Sarayda bakışlarımız karşılaştı gerçi ama, Han oradaydı. Sonra Kadı ve tüm Saraylılar. Bakışlarını kaçırdın. Nice erkek gibi sen de kaçmayı yeğledin. Basit bir kadın için, kaderi zorlamak niye? Çeyiz olarak sivri dilinden ve kötü ününden başka bir şeyi olmayan bir dul için Hakanın öfkesine yol açmak niye?

Ömer, sanki görünmeyen güçler tarafından yerine mıhlanmıştı. Ne kımıldayabiliyor, ne konuşabiliyordu. Cihan:

— Bir şey söylemiyorsun dedi. Ne yapayım, ben de kendi kendime konuşurum. Şimdiye kadar girişken davranan da benim zaten. Sen saraydan çıktıktan sonra, hakkında bilgi edindim, nerede oturduğunu öğrendim. Semerkant'lı zengin bir adamla evli olan bir akrabamda kalacağım bahanesi ile dışarı çıktım. Genelde, sarayla birlikte yolculuk yaptığımdan, haremde kalırım. Haremdeki arkadaşlarım beni sever, dışarı gidip onlara haber getirmemi isterler. Beni rakip olarak görmezler. Hanın karısı olmak gibi bir niyetim olmadığını bilirler. Gerçi hakanı baştan çıkartabilirdim ama hükümdar karılarının nemene bir hayat yaşadıklarını yakından gördüm. Onun için de istemem. Benim için yaşamak, erkeklerden daha önemli. Birinin karısı olsam da olmasam da Hakan *Divan*'a gelip şiir okumamı istiyor. Benimle evlenmeyi düşündüğü an, beni dört duvar arasına kapatmakla işe başlar.

Şaşkınlığından zorlukla kurtulan Ömer, Cihan'ın söylediklerini aklında tutamadı ve ilk sözcükler dudaklarından döküldüğünde Cihan'a ya da kendisine değil, bir gölgeye konuşuyor gibi konuştu:

— Yetişme çağında ve daha sonraları bir bakış ile, bir gülümseme ile karşılaştığım çok oldu. Geceleri, bu bakış bedenlenip bir kadına, karanlıkta bir pırıltıya dönüşüyordu. Şimdi ise, bu karanlığın içinde, gerçek olmayan bir köşkte, gerçek olmayan bir kentte, sen, güzel kadın, üstelik şair kadın, kendini sunuyorsun.

Cihan güldü:

— Sunmak mı? Ne biliyorsun? Bana dokunmadın, beni görmedin ve herhalde görmeyeceksin, çünkü gün doğmadan gideceğim.

Koyu karanlığın içinde ipek kumaş hışırtısı ve koku birbirine karıştı. Ömer, nefesini tuttu, eti canlandı, bir çocuk safiyeti ile sormaktan kendini alamadı:

— Peçen hâlâ yüzünde mi?

— Geceden başka örtüm yok.

VI

Bir kadın, bir erkek... Adı bilinmeyen bir ressam onları yan yana uzanmış, birbirlerine sarılı olarak hayal etmiş. Güllerden bir yatak, ayakucunda akan gümüş rengi bir dere, Cihan'a Hint tanrıçasının dolgun memelerini yakıştırmış, Ömer'in bir elinde şarap kadehi, diğer eliyle sevgilisinin saçlarını okşuyor.

Her gün, Saray'da karşı karşıya geliyorlardı. Duygularını belli etmek korkusuyla birbirlerinden uzak duruyorlardı. Hayyam her akşam, küçük köşkünün yolunu tutup sevgilisini beklemeye gidiyordu. Acaba kısmette kaç gece beraberlik vardı? Her şey hükümdara bağlı idi. O gitmeğe kalkışırsa, Cihan da onlarla gidecekti. Hükümdar, önceden hiçbir açıklamada bulunmazdı. Bir sabah, atına atladığı gibi Buhara'nın, Kiş'in ya da Pencikent'in yolunu tutuverirdi göçebe oğlu göçebe! Saray, peşinden yetişmenin telâşı içinde.. Ömer ile Cihan, bu anın gelmesinden korkuyorlardı. Her öpüşte bir veda tadı, her sarılışta soluk kesici bir kaçamak lezzeti vardı.

Çok sıcak yaz gecelerinden birinde, Ömer Cihan'ı beklerken dışarı çıktı. Muhafızların sesleri yakından gelince, ürktü. Ama endişesi boşa çıktı. Cihan, kimseye görünmeden gelmişti işte. İlk öpüşler kaçamak, sonrakiler uzun uzun... Başkalarının gününü bitirip, kendi gecelerine başlamanın bir yoluydu bu.

— Bu kentte bizim gibi buluşan kaç sevgili var dersin?

Soruyu soran Cihan, muzip muzip fısıldıyordu. Ömer, gece takkesini düzeltti, yanaklarını şişirdi, sesine bir ağırlık verdi:

— Durumu yakından inceleyelim bakalım. Canları sıkılan evli kadınları, itaatkâr köleleri, kendilerini satan ya da kiralayan fahişeleri, iç çeken bakireleri bir kenara bırakırsak, geriye kaç kadın, kendi seçtiği erkekle buluşan kaç sevgili kalır? Yine acaba kaç erkek, sevdiği kadının, özellikle başka bir şey yapamadığı için kendini sunan değil, bir başka nedenle kendini veren bir kadının yanında uyur? Kimbilir? Belki bu gece Semerkant'ta tek bir seven kadın ve tek bir seven erkek vardır. Neden sen, neden ben, diyeceksin. Çünkü Tanrı nasıl bazı çiçekleri zehirli yaratmışsa, bizi de âşık yaratmış da ondan.

Ömer gülüyor, Cihan'ın gözyaşları akıyordu.

— İçeriye girelim ve kapıyı kapatalım. Mutluluğumuzun sesini duyabilirler.

Birkaç kez seviştikten sonra, Cihan doğruldu, yarı yarıya örtündü, sevgilisinden az öteye gitti:

— Sana bir sır vereceğim. Bunu Han'ın eşinden öğrendim. Neden Semerkant'a geldiğini biliyor musun?

Ömer onu durdurdu. Harem dedikodusu dinlemeye niyetli değildi:

— Hükümdarın sırları beni ilgilendirmiyor. Bunları dinleyenin kulakları yakılır.

— Dinle beni. Bu sır, ikimizi de ilgilendiriyor, çünkü hayatımızı altüst edebilir. Nasır Han, askeri teftişte bulunmak için gelmiş. Yaz sonunda, sıcaklar geçer geçmez, Selçuklu Ordusunun saldıracağını sanıyor.

Selçukluları Hayyam çocukluğundan bilirdi. Müslüman Asya'nın efendileri olmalarından çok önce, doğduğu kenti ele geçirmişlerdi. Kuşaklar boyu dillere destan Büyük Korku, o günlerden kalma idi.

Hayyam'ın doğumundan on yıl önce olmuştu bütün bunlar. Nişapur'lular, bir sabah uyandıklarında, kentlerini Türk savaşçılarının kuşattıklarını görmüşlerdi. Ordularının başında iki kardeş vardı: "Şahin" diye tanınan Tuğrul Bey ve "Atmaca" diye bilinen Çağrı Bey. O sıralarda adları henüz duyulmamış ve daha yeni Müslüman olmuş göçebe aşiret reislerinden Selçuk Bey'in oğlu Mikâil Bey'in iki oğlu idiler. Kentin ileri gelenlerine şöyle haber göndermişlerdi:

"Erkeklerinizin küstah, sularınızın yer altında oldukları söyleniyor. Direnecek olursanız, yer altındaki su oluklarınız yer üstüne, erkekleriniz de yer altına gider."

Kuşatma sırasında sık görülen palavralar! Yine de, Nişapur'un ileri gelenleri, kent halkının canına ve malına dokunulmayacağı, su yollarına zarar verilmeyeceği sözüne karşılık teslim olmaya karar verdiler. Yenenin sözü ne işe yarar? Kuvvetler kente girer girmez, Çağrı Bey adamlarını kent içine ve çarşıya salmak istedi. Tuğrul Bey, ramazan olduğu ve bir İslam kentinin ramazanda yağmalanamayacağı gerekçesiyle karşı çıktı. Görüşü benimsendi ama Çağrı

Bey pes etmedi. Sadece halkın bağışlandığı ramazan ayından çıkana kadar beklemeye karar verdi.

Kentliler, iki kardeş arasındaki görüş farkını öğrendiklerinde, ertesi ay yağmalanacaklarını, saldırıya uğrayacaklarını ve öldürüleceklerini anladılar. İşte Büyük Korku böyle başladı. Saldırıdan kötüsü, saldırının beklenmesidir. Hiçbir şey yapamadan, aşağılayıcı bekleyiş. Dükkânlar boşalmıştı. Erkekler gizlenmişti. Kadınlar ve kızlar güçsüz kalmış, ağlaşıyorlardı. Ne yapmalı? Nasıl kaçmalı? Hangi yoldan gitmeli? İşgalci her yeri tutmuştu. Atlı askerler, Büyük Meydan Çarşısının çevresinde, Yanık Kapı'da mahalle aralarında, semt sokaklarında gidip geliyorlardı. Sürekli sarhoştular. Bir fidye, bir vurgun, bir rüşvet bekleyişi içindeydiler. Diğerleri de komşu köyleri yağmalıyorlardı.

Orucun bitmesi, bayramın gelmesi istenmez mi genelde? O yıl, orucun sonsuza kadar sürmesi, bayramın hiç gelmemesi istendi. Yeni ay gökyüzünde belirdiği vakit, kimse ne eğlenmeyi, ne gezmeyi, ne kuzu çevirmeyi düşünebiliyordu. Zaten bütün kent, bir aydır beslenen kurbanlık bir koyuna benziyordu.

Bayram öncesinde, dileklerin yerine getirildiği Kadir Gecesi'nde, binlerce kişi, dua ve gözyaşları içinde, geceyi camilerde, tekkelerde geçirmişti.

Kale içinde ise, Selçuklu kardeşler arasında hararetli bir tartışma sürmekteydi. Çağrı Bey, askerlerine aylardır para verilmediğinden sızlanıyor, bu zengin kenti yağmalamaları sözü verildiği için savaştıklarını söylüyor, ayaklanmak üzere olduklarını, onları daha fazla tutamayacağını söylüyordu.

Tuğrul Bey, başka bir dilden konuşuyordu:

— Biz, fetihler öncesi bir dönem yaşıyoruz. Daha alacağımız nice kent var: İsfahan, Şiraz, Rey, Tebriz ve daha niceleri. Teslim olduğu halde Nişapur'u yağmalayacak olursak, bize hiçbir kapı açılmaz, hiçbir karargâh zaaf göstermez.

— Düşünü gördüğün tüm bu kentleri, ordumuz olmadan, askerlerimiz bizi terk edecek olurlarsa, nasıl alırız? En sadık olanları bile, şimdiden ayaklanmış durumda, tehdit savuruyor.

İki kardeşin yanında, aşiretin kıdemli subayları vardı ve hepsi Çağrı'yı doğruluyorlardı. Bundan cesaret alan Çağrı, ayağa kalkıp şöyle dedi:

— Çok konuştuk. Adamlarıma kent sizindir diyeceğim. Sen, seninkileri durdurmak istiyorsan, durdur. Herkes kendi ordusundan sorumludur.

Tuğrul cevap vermedi, kımıldamadı. Korkunç bir ikilemin tam ortasındaydı. Sonra birden sıçradı ve hançerini eline aldı. Çağrı kılıcını çekti. Oradakiler, müdahale etmek mi yoksa her zamanki gibi iki kardeşin hesaplaşmasını izlemek mi gerektiğini bilemiyordu. Sonra Tuğrul konuştu:

— Ağabey, bana itaat etmeni bekleyemem. Senin adamlarını da durduramam. Ama onları kente salarsan, bu hançeri kalbime saplarım. Bunu deyip, hançeri kalbinin hizasına getirdi. Ağabeyi bir an duraksadı. Sonra kollarını açarak ona doğru ilerledi ve kardeşine sarıldı. Ona, bir daha karşı çıkmayacağına yemin etti. Nişapur böyle kurtuldu. Ama o yılın ramazanında duyduğu Büyük Korku'yu asla unutmadı.

VII

Hayyam:

— İşte Selçuklular böyledir, dedi. Hem insafsızca yağmacı ve hem de en aşağılık ve en yüce duyguları besleyebilen aydın hükümdarlardır. Özellikle Tuğrul Bey, bir imparatorluk kuracak çaptaydı. İsfahan'ı aldığında, ben üç yaşındaydım, Bağdat'ı aldığında on yaşındaydım. Halifenin koruyuculuğunu üstlenmiş ve "Doğu ve Batı Kralı Sultan" ünvanını almıştı. Yetmiş yaşında olduğu halde Halifenin öz kızı ile evlenmişti.

Ömer, böyle konuşarak belki de hayranlığını belirtmiş oluyordu ama Cihan, saygısızca gülmeye başladı. Ömer ona baktı, alnı kırıştı, ciddileşti, alındı, bu ani kahkahaya bir anlam veremedi. Cihan, özür diledi:

— Bu evlilikten söz edince, bana haremde anlatılanları anımsattın.

Ömer, Cihan'ın her bir ayrıntısını anımsadığı öyküyü hayal meyal hatırlıyordu.

Tuğrul Bey, Halifeden kızı Seyyide Hatunun elini isteyince, halife sararmıştı. Sultanın elçisi çekilir çekilmez de öfkesinden patlamıştı:

— Şu Türk, yurdundan yeni fırlamış! Daha düne kadar ataları, bilmem hangi puta tapan ve bayraklarına domuz resmi koyduranlardan gelme şu Türk! Bir halifenin, soyluların soylusu bir adamın kızını nasıl ister?

Halifenin böyle tir tir titremesinin nedeni, isteği geri çeviremeyeceğini bilmesiydi. Aylarca duraksadıktan, kendisine iki kez haber gönderildikten sonra, cevabını verdi. En kıdemli danışmanını, Tuğrul Bey'in bulunduğu Rey kentine göndermişti. Adam önce vezir tarafından kabul edilmişti:

— Sultan sabırsızlanıyor. Beni sıkıştırıp duruyor. Neyse ki cevabı getirdin.

— Cevabı duyunca o kadar sevinmeyeceksin. Halife özür diliyor. Ona iletilen isteği yerine getiremeyecek.

Vezir etkilenmiş görünmedi. Yeşimden tespihini çekmeye devam etti:

— Şimdi buradan çıkıp, oradaki büyük kapıdan gireceksin ve Irak'ın, Fars'ın, Horasan'ın, Azerbeycan'ın Efendisine, Asya'nın Fatihine, gerçek dini savunan Mücahid'e, Abbasilerin tahtının Koruyucusuna: "Hayır, Halife sana kızını vermiyor" diyeceksin. Pek âlâ, şu muhafız seni ona götürür.

Muhafız göründü, elçi arkasından gitmek üzere ayağa kalktı. Vezir, en masum halini takınarak:

— Tedbirli bir adam olarak borçlarını ödemiş, servetini oğullarına dağıtmış, kızlarını evlendirmiş olmanı umarım dedi.

Elçi, vezirin yanına çöküverdi:

— Ne önerirsin? diye sordu.

— Halife sana bir talimat vermedi mi? Bir uzlaşma yolu göstermedi mi?

— Bana dedi ki, bu evlilikten kaçmanın hiçbir yolu kalmazsa, karşılığında üçyüz bin dinar altın iste.

— Bu daha iyi bir yaklaşım. Ama sanırım Sultanın, Halife için yaptıklarından sonra, Şiilerin kendisini kovdukları yurduna onu kavuşturduktan sonra, mallarını ve topraklarını kendisine iade ettirdikten sonra, bir karşılık istemek mantıklı bir şey olmaz. Tuğrul Bey'i kızdırmadan da bir sonuca ulaşabiliriz. Sen, Halifenin kızını vermeyi kabul ettiğini söylersin, ben de, onun bu sevinçli anından yararlanarak, ününe yakışır bir armağan vermenin yerinde olacağını söylerim.

Böyle davranıldı. Sultan büyük bir sevinçle, aralarında vezirinin, şehzadelerin, pek çok subayın, görevlinin, aile büyüğü bazı kadınların, yüz kadar muhafızın ve bir o kadar kölenin bulunduğu bir kafile oluşturdu. Bağdat'a bu kafile ile değerli armağanlar, kumaşlar, kıymetli taşlarla dolu kutular ve ayrıca yüzbin altın gönderdi. Halife, heyetin ileri gelenleriyle görüştü, nazik ama mesafeli davrandı. Sonra Sultan'ın veziri ile başbaşa kaldığında, bu evliliği onaylamadığını, zorlanırsa Bağdat'ı terk edeceğini söyledi.

— Halife hazretlerinin kararı bu ise, neden altın karşılığı uzlaşma önerisinde bulundunuz?

— Kesin red cevabı veremezdim. Sultan'ın bunu, istiskalimden anlıyacağını ve benden böyle bir şey istemeyeceğini sanmıştım. Bunu sana açıkça söyleyebilirim. Türk olsun, Acem olsun, daha önce hiçbir Sultan, Halifeyi böyle bir iş için zorlamamıştır. Bu bir onur işi. Onurumu savunmalıyım.

41

— Bundan birkaç ay önce, cevabın olumsuz olabileceğini düşünerek, Sultanı hazırlıklı kılmak istedim. Ondan önce hiç kimsenin böyle bir istekte bulunmaya cesaret edemediğini, böyle bir gelenek olmadığını, herkesin şaşıracağını söyledim. Verdiği cevabı asla tekrar edemem.

— Korkma, konuş!

— Halife Efendimiz beni affetsinler, o sözcükleri tekrar edemem.

— Konuş, emrediyorum, hiçbir şeyi gizleme!

— Sultan önce, bana hakaretler yağdırdı. Beni sizden yana, kendisine karşı olmakla suçladı. Beni prangaya vurmakla tehdit etti.

Vezir bile bile kemküm ediyordu.

— Sadede gel! Tuğrul Bey ne dedi?

— Sultan buyurdu ki: "Şu Abbasiler tuhaf herifler! Ataları, dünyanın yarısını fethettiler, en bereketli kentleri kurdular. Bir de bugünkü hallerine bak! Ellerinden imparatorluklarını alıyorum. Razı geliyorlar. Başkentlerini alıyorum. Mutluluk duyup beni hediyelere boğuyorlar. Halife de bana "Tanrının bana verdiği bütün ülkeleri sana veriyorum, bana emanet ettiği bütün Müslümanları sana teslim ediyorum" diyor. Sarayını, kendini, haremini korumam için yalvarıyor. Ama iş kızını istemeye geldiğinde, isyan edip, onurunu korumak istediğini söylüyor. Uğruna savaşmak istediği tek yer, bir bakirenin kıçı mı?"

Halife boğulacak gibi oldu. Ağzından tek söz çıkmadı. Vezir durumdan yararlanarak konuşmasını tamamladı:

— Sultan ayrıca şunu söyledi: "Git söyle, bu kızı alacağım. O İmparatorluğu ve Bağdat'ı aldığım gibi".

VIII

Cihan, büyük bir zevkle, ünlü adamların evlilik öykülerini ballandıra ballandıra anlatıyordu; onu suçlamaktan vazgeçen Ömer de, Cihan'ın mimiklerine katılıyordu. Cihan, hınzırca sustuğunda, Ömer öykünün nasıl bittiğini bildiği halde, devam etmesi için yalvarıyordu.

Öykümüze devamla, Halifenin, içini karalar basa basa "Evet" demek zorunda kaldığını söyliyeyim. Tuğrul, cevabı alır almaz, Bağdat'ın yolunu tutmuş ve kente varmadan önce, düğün hazırlıklarını görmesi için önden vezirini göndermişti.

Halifenin sarayına vardığında vezire, nikâhın aktedilebileceğini ama buluşmalarının söz konusu olamayacağı söylendi. "İşin önemli yanı buluşup görüşmeleri değil, bu nikâhın taşıdığı şeref" idi. Vezirin sabrı taştığı halde, kendini tuttu:

— Tuğrul Bey'i tanıdığım kadarı ile söyleyeyim, işin şerefi kadar birleşmeye de verdiği önem yabana atılır gibi değildir. Gerçekten de Sultan, artık daha fazla sabredemeyeceği için, birliklerini hazırola geçirmiş, Bağdat'ın etrafını çevirmiş, Halifenin sarayını kuşatmıştı. Halife sonunda direnmekten vazgeçti ve "buluşma" gerçekleşti. Halifenin kızı, altın işlemeli bir yastığın üzerinde oturuyordu: Tuğrul Bey odaya girdi, yeri öptü, sonra "peçesini kaldırmadan, ona tek bir söz söylemeden, onu orada yokmuş varsayarak, onurlandırdı." Ondan sonra hergün gelip onu onurlandırdı, ama bir tek kez olsun, yüzündeki peçeyi açmıyordu. Her "buluşmadan" sonra, dışarıda yığınla adam bekliyordu. Çünkü Tuğrul Bey o kadar keyifli çıkıyordu ki, sunulan bütün dilekçelere olur diyor, sayısız "ihsan" dağıtıyordu. Meydan okuyarak yaptığı bu evlilikten çocuğu olmadı. Altı ay sonra Tuğrul Bey öldü. Kısırlığı nam salmıştı. Kendi kusuru olduğu halde, ilk iki karısını boşamıştı. Sayısız eş, cariye, odalıktan sonra, gerçeği kabul etmek zorunda kalmıştı. Ortada bir kusur varsa, kendisine aitti. Müneccimlere, sağaltıcılara, üfürükçülere ve şamanlara başvurulmuş, her dolunaydan sonra, yeni sünnet edilen bir çocuğun kapçığını yutması tavsiye edilmişti. Sonuç yine aynı. Sonunda Tuğrul Bey de kaderine razı gelmişti. Ama bu kusuru yakınları üzerindeki saygınlığını yok eder korkusu ile, müthiş bir âşık olarak ün salmaya bakmıştı. Nereye gitse, ardından, her biri doyuma ulaşmış bir harem taşıyordu. Çevresinde, yeteneklerinden konuşulmasını isterdi. Subaylarının, hatta yabancı konukların hünerini merak ederek, bu işin sırrını kendilerine de vermesi ve geceleri edindiği bu gücün reçetesini, iksirini ulaştırması istenirdi.

Dediğimiz gibi Seyyide Hatun, altı ay sonra dul kaldı. Altın işlemeli yatağı boş kaldı diye yakınacak hali yoktu. İşin asıl ciddi olan yanı, iktidar boşluğu idi. Yeni doğan İmparatorluk, atası Selçuk'un adını taşısa da; asıl kurucusu Tuğrul'du. Çocuksuz ölümü, Doğu'daki İslam âleminde kargaşa yaratmıyacak mıydı? Bir sürü kardeş, yeğen, kuzen vardı. Türk'lerde ne büyük evlat hakkı ne de bununla ilgili veraset yasası vardı.

Ama bir adam ortaya çıktı: Bu Çağrı'nın oğlu Alp Aslan idi. Bir kaç ay içinde aşiret üyelerine, kimini katlederek, kimini satın alarak, kendini kabul ettirmişti. Kısa sürede, kendi vatandaşlarının gözünde büyük bir hükümdar oldu. Büyük, azimli ve adil bir hükümdar. Ama rakipleri dedikodudan vazgeçmediler. Kısır Tuğrul'un erkekliği ün saldığı halde, dokuz çocuklu Alp Aslan, cins-i latife az ilgi gösterir diye bilinirdi. Düşmanlarının ona taktığı ađ "Efemine" idi. Çevresindekiler, böylesi tehlikeli konuya değinmekten ürkerlerdi. Haklı ya da haksız, bu ünü, henüz başlayan parlak saltanatına bir anda son verecekti.

Cihan ile Ömer bunu henüz bilmiyorlardı. Ebu Tahir'in bahçesindeki küçük köşkte çene çalıp dururlarken, otuz sekiz yaşındaki Alp Aslan yer yüzünün en güçlü insanı olmuştu. İmparatorluğu, Kâbil'den Akdeniz'e uzanıyordu. İktidarı mutlak, ordusu sadık, veziri de çağının en yetenekli adamı Nizamülmülk idi. Alp Aslan, kısa süre önce Anadolu'da, Malazgirt'de, Bizans İmparatorunu yenmiş, ordusunu perişan etmişti. Bütün camilerde onun zaferleri anlatılıyordu. Savaşırken nasıl bembeyaz bir kefene büründüğü, nasıl kokular süründüğü, atının kuyruğunu kendi eliyle nasıl bağladığı, Bizanslıların gönderdikleri Rus keşif erlerini ordugâhının yanı başında nasıl yakaladığı, burunlarını nasıl kestirdiği ama bunun yanı sıra İmparatoru nasıl serbest bıraktığı anlatılıyordu.

Kuşkusuz İslam âlemi için büyük bir an, Semerkant için korkulu bir düş yaşanmaktaydı. Alp Aslan her zaman Semerkant'ı istemiş, geçmişte onu ele geçirmeye çalışmıştı. Sırf, Bizanslılar ile anlaşmazlığa düştüğünden bu işe ara vermiş, iki hanedan arasındaki evlilikler de bir bırakışma sağlamıştı. Sultanın büyük oğlu Melikşah, Nasır'ın kız kardeşi Terken Hatun ile, Nasır Han da Alp Aslan'ın kızı ile evliydi.

Ancak bunun gibi düzenlemeler kimseyi aldatmaz. Kayın babasının Hıristiyanları yendiğini haber aldığı andan itibaren, Semerkant hükümdarı, kentin başına gelecekler için korkmaktaydı. Haksız da değildi. Olaylar hızla gelişiyordu.

İki yüz bin Selçuklu askeri "nehri" geçmeye hazırlanmaktaydı. O tarihte adı Ceyhun olan, daha eskiden Oxus dedikleri ve ileride Amu Derya adını alacak olan nehri. Birbirine bağlı kayıkların üzerinde kurulan köprüyü, sonuncu askerin geçmesi, yirmi gün almıştı.

Semerkant'ta taht odası ağzına kadar dolu, ama sessizdi. Han, sarsılmıştı. Saraylılar üzgündü. Kaçmak mı, şimdiden ihanette bulunmak mı yoksa beklemek mi gerektiğini bilemiyorlardı. Han günde iki kez, kale duvarlarından birini teftişe gidiyor, kendini askerlere ve ayak takımına alkışlatıyordu. Bu gidiş gelişlerinden birinde, genç kentliler yanına yaklaşmak istemişler, hükümdarın yanına yaklaştırılmayınca da, askerleri yanında savaşmaya, kenti ve hanedanı savunmaya hazır olduklarını haykırmışlardı. Nasır Han, bu girişimden hoşnut olacağı yerde, öfkelenerek gezisini yarıda kesmiş ve askerlere, onları gözlerinin yaşına bakmaksızın dağıtmalarını emretmişti. Saraya döndüğünde, subaylarına verdiği öğüt şu oldu:

— Büyük babam, Tanrı bize bilgeliğini unutturmasın, Belh kentini almak istediğinde, kentliler, hükümdarlarının olmadığı bir sırada silaha sarılıp askerlerimizin çoğunu öldürmüşler. Ordumuz geri çekilmek zorunda kalmış. Bunun üzerine dedem, Belh hükümdarı Mahmud'a sitem dolu bir mektup yazmış. Demiş ki: "Ordularımızın karşılaşmasını istersem, Tanrı kimi isterse, galip odur. Ama kavgamıza sıradan insanlar karışırsa, bu işin sonu nereye varır?" Mahmud dedeme hak vermiş, vatandaşlarını cezalandırmış, silah taşımalarını yasaklamış, savaştan doğan zararları onlara altınla ödettirmiş. Belh halkı için geçerli olan, asi mizaçlı Semerkant'lılar için de geçerlidir ve benim kurtuluşum kentlilere kalacaksa, tek başıma, silahsız gider Alp Aslan'a teslim olurum.

Subaylar Nasır Han'ı haklı bularak halkı yatıştırma sözü verdiler. Bir kez daha sadakatlerini yenileyerek, yaralı hayvanlar gibi savaşacaklarını söylediler. Bunlar sırf laf olsun diye söylenmiş sözler değildi. Maveraünnehir ordusu, Selçuklu ordusu kadar değerli idi. Alp Aslan, sayıca üstündü ve Han'dan yaşlı idi. Tabii ki kendi yaşı değil, ama hanedanının yaşı daha fazlaydı. Alp Aslan, kuruluş heyecanını yitirmemiş ikinci kuşağa aitti. Nasır ise, yayılmaktan çok eldekini tutmak kaygısı içinde, soyunun beşinci sırasında yer alıyordu.

Bu karışık günlerde, Hayyam kentten uzak kalmak istedi. Tabii ara sıra Saraya ya da Kadı'ya görünmezlik etmiyordu, yoksa böyle bir zamanda kaçmış olduğunu sanabilirlerdi. Ama çoğunlukla evden çıkmıyor, çalışmalarına ya da gizli defterinin sayfalarına dalıyor, durmadan dört elle yazıyordu. Onun için savaş sanki, ona ilham veren sağduyu aracılığı ile vardı sadece.

Çevresindeki acı gerçeği ona hatırlatan, bir tek Cihan idi. Her akşam cephedeki, saraydaki haberleri getiriyor, Ömer de hiçbir heyecan belirtisi göstermeden onu dinliyordu.

Alp Aslan yavaş yavaş ilerliyordu. Çok kalabalık, disiplini gevşek, hastası çok bir ordunun bataklıkları geçerken gösterdiği yavaşlıktı onunkisi. Bazen, büyük bir direnişle karşılaştığı için yavaştı. Nehrin yakınlarındaki kalelerden birinin komutanı, Sultan'ın gününü karartanlardan biriydi. Gerçi ordu, kaleyi kuşatır ve yoluna devam edebilirdi ama bu, geriyi görevsiz kılar, geri çekilme halinde tehlike yaratabilirdi. Bu nedenle kale komutanının işini bitirmek gerekiyordu ve Alp Aslan, on gün önce bu kararı vereli, çatışmalar şiddetlenmişti.

Çatışmalar Semerkant'tan izlenebiliyordu. Üç günde bir, kaleden uçurulan bir güvercin geliyordu. Gönderilen haber asla bir yardım çağrısı değildi, insanlar ve yiyecekler tükeniyor diye bir sızlanma da değildi; sadece karşıdakilerin kayıplarından söz ediliyor, aralarında salgın hastalık söylentileri dolaştığı belirtiliyordu. Harzemli Yusuf, bir günde Maveaünnehir'in kahramanı haline gelmişti.

Ne var ki bir avuç savunucunun dağıtıldığı, kalenin surlarının yıkıldığı, burçlarına tırmanılıp içeriye girildiği gün geldi. Yusuf yaralanıp esir düşmeden önce, sonuna kadar savaşmıştı. Bunca sıkıntıya neden olan Yusuf'u merak ettiği için, onu Sultanın huzuruna çıkardılar. İki dev yapılı er, iki kolunu sıkıca tutmuştu. O ise, başı dimdik Sultanın karşısında duruyordu. Alp Aslan, üzeri yastıklarla dolu ahşap bir kerevette oturmaktaydı. İki adam, birbirine meydan okurcasına bakıştı. Sultan buyurdu:

— Dört kazığa bağlansın, gerip parçalayın!

Yusuf küçümseyen bir bakış fırlattıktan sonra haykırdı:

— Erkekçe dövüşene bu ceza hak mı?

Alp Aslan cevap vermedi. Başını çevirdi. Yusuf ona seslendi:

— Sana söylüyorum, karı kılıklı!

Sultan, akrep sokmuşçasına yerinden sıçradı. Yanı başındaki yayını aldı. Okunu kertikledi. Askerlere, esiri bırakmalarını buyurdu. Eli bağlı bir adamı vurmak istemezdi. Zaten korkusu da yoktu. O güne dek, hedefi hiç ıskalamış değildi.

Sinirli oluşu, acele edişi, bunca kısa mesafeden ok atmaya kalkışı yüzünden midir nedir, Yusuf'u vuramadı. İkinci okunu çekemeden, esir üzerine saldırdı. Giysileri arasında saklı duran hançerini Sultana sapladı. Üzerine çullandılar, vücudunu paramparça ettiler. Suratında ölümün dondurduğu bir sırıtış vardı. Öcünü almıştı, Sultan da çok yaşamayacaktı.

Alp Aslan dört gün, dört gece can çekişti. O acılı dört gün boyunca, acı düşüncelere daldı. Söylediği sözleri, o dönem tarihçileri şöyle naklettiler:

"Geçen gün, yüksek bir yerden orduma bakıyordum. Ayaklarımın altındaki toprağın titrediğini hissettim. Kendi kendime Dünyanın hakimi benim! Benimle kim boy ölçüşebilir? dedim. Tanrı bana, insanların en sefilini gönderdi. O savaşta yenilmiş bir esir, bir mahkum. Benden güçlü çıkıp beni vurdu. Beni tahtımdan etti, beni canımdan etti."

Ömer Hayyam bu olayın ardından mı yazdı şu dörtlüğü?

Zaman zaman bu dünyada bir adam kalkar,
Şişinerek: İşte buradayım! der.
Kısa bir düş boyunca sürer zaferi,
Ölüm gelmiştir bile ve: İşte buradayım! der.

IX

Bayram sevinci yaşayan Semerkant'ta, bir kadın ağlama cüreti gösterebilmekteydi: O da, sevinci başına vurmuş Han'ın karısı idi. Çünkü hançerlenen sultan; onun babası idi. Gerçi kocası ona başsağlığı dilemiş, haremin yas tutmasını buyurmuş, sevincini çokça belli eden bir harem ağasını kırbaçlatmıştı ama, *Divan*'a döndüğünde: "Tanrı Semerkant'lıların duasını kabul etti" demekten kendini alamamıştı.

O çağda, bir kent ahalisi, bir Türk hükümdarına diğerini neden yeğ tutsun? denilebilir. Ama Semerkant'lılar yine de dua etmişlerdi çünkü ardından gelecek katliam, yağma ve çapulculuk nedeniyle sahip değiştirmekten korkuyorlardı. Bir başka hükümdarın, kendi hükümdarlarını yenmesini dilemeleri için, onun kendilerini korkunç bir vergi yükü altında ezmesi, süresiz huzursuz kılması gerekirdi. Oysa Nasır Han böyle bir hükümdar değildi. Belki en iyisi değildi ama, en kötüsü de sayılmazdı. Semerkant'lılar Nasır ile geçinmenin yolunu bulmuşlar, gerisini de Allah'a havale etmişlerdi.

Semerkant'ta, savaş önlendiği için bayram edilmekteydi. Koca Ras-el-Tak alanında, çığlıklar duyuluyor, dumanlar yükseliyordu. Duvar diplerine seyyar satıcılar dizilmiş, sokak lambalarının altını şarkıcılar ile çalgıcılar kapmıştı. Meddahların, falcıların, yılan oynatıcıların çevresi kâh kalabalık kâh tenha idi. Alanın tam ortalık yerinde, derme çatma bir kürsüye çıkan ozanlar, ele geçirilmeyen, fethedilmeyen, eşi bulunmayan Semerkant adına şiirler okumaktaydı. Halkın kararı anlıktır. Yükselen yıldızların yanı sıra, kayan yıldızlar da vardır. Aylardan aralık idi. Geceleri sert geçiyordu. Sarayda şarap testileri dolup boşalıyor, Han mutlu bir sarhoşluk yaşıyordu.

Nasır Han, ertesi günü camide sâlâ okuttuktan sonra, kayınbabasının ölümü nedeniyle taziyeleri kabul etti. Bir gün önce, onu güle oynaya kutlamaya gelenler, şimdi de yaşlı gözlerle üzüntülerini belirtiyorlardı. Bir kaç ayet okumuş olan Kadı, Ömer'e de aynı şeyi yapmasını işaret etti, sonra kulağına fısıldadı:

— Hiç şaşma. Gerçek, iki yüzlüdür. İnsanlar da öyle.

Nasır Han, aynı akşam Ebu Tahir'i çağırttı ve Semerkant'ı temsil eden taziye heyetine katılmasını istedi. Yüzyirmi kişilik heyette Ömer de vardı. Gittikleri yer, tam nehrin kıyısında, Selçuklu Ordusunun karargâhı idi. Çevrede binlerce çadır ve yurt görülüyordu. Maveraünnehir'in saygı değer temsilcileri, geçici olarak kurulmuş olan bu kentte, aşiretlerinin bağlılığını yenilemeye gelen askerlere kaygı ile bakıyorlardı. Onyedi yaşında, çocuk yüzlü bir deve benzeyen Melikşah, babasının düştüğü basamakta, ayakta duruyordu. Ondan bir iki adım geride, İmparatorluğun güçlü adamı, Melikşah'ın saygı belirtisi olarak "ata" diye çağırdığı, başkalarının ise takma adı ile andıkları Nizamülmülk duruyordu. Nizamülmülk, devlet düzeni anlamına gelmekteydi ve bu adı onun kadar hak eden bir başkası olamazdı. Ziyaretçilerinin her yaklaşışlarında, genç hükümdar bakışlarıyla ona danışıyor, kimsenin görüp anlamadığı bir işarete göre, ya saygılı, ya yakın, ya soğuk ya da ilgisiz davranıyordu.

Semerkant heyeti olduğu gibi Melikşahın ayağına kapanmıştı. Aralarından ileri gelen bir kaç kişi, kalkıp Nizam'a doğru gitti. Nizam kıpırdamadan duruyordu. Yardımcıları çevresinde dolanmaktaydı. Nizam, onları hiç kıpırdamadan dinliyordu. Onu, bağırıp çağıran bir amir olarak değil, nasıl davranılması gerektiğini hareketleri ile gösteren bir yönetici olarak görmek gerekir. Suskunluğu dillere destandı. Bir ziyaretçinin, onun huzurunda tek bir söz etmeden bir saat oturduğu görülmüştü. Çünkü o ziyaretçi sırf onunla konuşmak için değil; sevgisini sağlamak, kuşkularına son vermek, unutulmasını önlemek için gelmişti. Semerkant'lılardan oniki kişi, İmparatorluğu yöneten eli sıkma onuruna sahip oldu. Ömer, Kadı'nın yanı sıra Nizam'a yaklaşmış, o da başını kaldırıp, ellerini avucuna almış, sonra da alçak sesle kulağına:

— Gelecek yıl bu vakit İsfahan'a gel. Konuşalım, demişti.

Hayyam, doğru duyup duymadığından emin değildi. Karşısındaki adam gözünü korkutmuş, törenden etkilenmiş, ayrıca, ağlayıcıların bağrışmaları onu serseme çevirmişti. Bir doğrulama, bir onay bekler gibi durmuş ama ardındaki insan seli onu sürükleyip vezirden uzaklaştırmıştı.

Dönüş yolunda Hayyam sadece bunu düşünüyordu. Acaba bu

sözler yalnızca kendisine mi söylenmişti? Kendisini, başkasıyla karıştırmış olamaz mıydı? Sonra gerek zaman gerek yer bakımından neden bu kadar uzak bir buluşma?

Kadıya açılmaya karar verdi. Kadı, tam önünde durduğuna göre, bir şeyler görmüş, bir şeyler duymuş, bir şeyler hissetmiş olabilirdi. Ebu Tahir, Hayyam'ı dinledikten sonra alaycı bir tavırla:

— Vezirin sana bir şeyler fısıldadığını gördüm dedi. Ne dediğini duymadım. Ama kesinlikle şunu şöyleyebilirim ki, seni başkası ile karıştırmış değildir. Çevresindeki bütün o yardımcıları görmedin mi? Ne işe yarıyorlar sanıyorsun? Her heyet kimlerden oluşuyor, adları nedir, işleri nedir, bunlar hakkında bilgi verirler. Senin adını öğrendikten sonra, Nişapur'lu bilgin, gökbilimci Ömer Hayyam mı diye sordular. Kimliğin hakkında yanılgıları yok. Zaten Nizamülmülk'ün kendisi yaratmak istemedikçe, yanılgı söz konusu olamaz.

Taşlı bir yoldan gidiyorlardı. Sağda, ta uzaklarda, yüksek dağların tepeleri bir çizgi oluşturmuştu. Pamir'in kollarıydı bunlar. Hayyam ve Ebu Tahir yan yana at sürüyor, eyerleri birbirine sürtüp duruyordu.

— Peki benden ne isteyebilir?

— Bunu öğrenmek için bir yıl sabretmen gerekecek. O tarihe kadar tahminde bulunacağım diye kendini yorma, önünde çok zaman var, yorulursun. Bundan kimseye söz etme!

— Konuşkan olduğumu gördünüz mü hiç?

Hayyam'ın sesi sitemliydi. Kadı oralı olmadı:

— Dobraca söylemek gerekirse, o kadına bundan söz etme!

Ömer'in kuşkulanması gerekirdi aslında. Cihan'ın gidip gelmeleri günün birinde anlaşılacaktı. Ebu Tahir devam etti:

— Daha ilk buluşmanızda, muhafızlar haber verdiler. Onun ziyaretlerini meşru kılacak bir takım bahaneler uydurmak zorunda kaldım. Onu görmezlikten gelmelerini ve seni her sabah uyandırmalarını söyledim. Sakın telaşlanma, o ev hâlâ senin evindir, bunu bugün de yarın da böyle bil. Ama sana bu kadını anlatmalıyım.

Ömer bozuldu. Dostunun "bu kadın" deyiş biçimini sevmedi. Aşkını tartışmak niyetinde değildi. Kadı kendisinden büyük olduğu için karşılık vermedi ama yüzü asıldı.

— Sözlerimin seni kızdırdığını biliyorum. Ama ne diyeceksem, sonuna kadar söyleyeceğim. Gerçi dostluğumuz yeni ama, yaşım ve başım bana bu hakkı veriyor. Bu kadını sarayda ilk gördüğünde, ona tutkuyla baktın. Genç ve güzel bir kadın. Şiirleri hoşuna gitmiş, cesareti kanını alevlendirmiş olabilir. Ama gel gör ki, o bir tepsi altın karşısındaki davranışlarınız farklı idi. Senin iğrendiğin şeyi o, tıkabasa ağzına soktu. O bir saray şairi gibi, sen ise bir bilge gibi davrandınız. Ona bunu söyledin mi?

Ömer bir şey söylemedi ama Kadı, cevabın hayır olduğunu anladı. Devam etti:

— Genellikle bir ilişkinin başında hassas konulara değinilmez. Binbir zahmetle kurulan bu kırılgan yuvanın yıkılmasından korkulur. Ama bana kalırsa, seni o kadından farklı kılan şey, ciddi ve önemlidir. İşin özüdür. Hayata aynı bakışla bakmıyorsunuz.

— O bir kadın ve dahası bir dul. Bir efendiye bağlı olmadan yaşamaya çalışıyor. Bu cesaretine hayran olmamak elde değil. Şiirinin hak ettiği altını aldı diye, onu neden suçlamalı?

Ebu Tahir, Hayyam'ı bu tartışmaya sürüklemiş olmaktan memnun, devam etti:

— Kabul edelim. Ama sen de kabul et ki bu kadın, saraydaki kadınlardan farklı bir hayat süremez.

— Belki.

— Yine kabul et ki, sen saray hayatından nefret ediyorsun ve gerektiğinden bir saniye fazla kalamazsın.

Sıkıntılı bir sessizlik oldu. Ebu Tahir kısa kesti:

— Ben sana gerçek bir dosttan duyabileceğin şeyleri söyledim. Bundan sonra, sen açmadıkça benden tek söz işitemezsin!

X

Semerkant'a vardıklarında soğuktan, at sürmekten ve aralarındaki huzursuzluktan yorgun düşmüşlerdi. Ömer, attan iner inmez küçük köşküne gitti, yemek bile yemedi. Yol boyunca üç adet *rubai* yaratmıştı ve şimdi onları yüksek sesle on kez, yirmi kez tekrar ediyordu. Bu dörtlükleri, kitabının derinliklerine gömmeden önce, şurasını burasını düzeltiyor, ya da değiştiriyordu.

Her zamankinden erken gelen Cihan, aralık duran kapıdan süzüldü, çarşafını çıkardı. Ayaklarının ucuna basarak ilerledi. Ömer dalgındı. Çıplak kollarını aniden boynuna doladı, yanağını yanağına değdirdi, güzel kokan saçlarıyla yüzünü örttü.

Hayyam'ın bundan çok hoşnut olması gerekirdi. Kim, hangi sevgili, bundan daha sevecen bir saldırıya uğrayabilirdi? Şaşkınlığı geçtikten sonra, sevgilisini belinden yakalayıp, özlemin acısını çıkartması gerekmez miydi? Ama sanki Ömer, bu ziyaretten rahatsızdı. Kitabı önünde açık duruyordu. Keşke onu gizleyebilseydi. Cihan'ın geri çekilmesini önlemek istedi ama Cihan bu soğuk karşılayışı hemen hissetti. Nedenini anladı. Kuşkulu bakışlarını açık kitabın üzerinde gezdirdi. Sonra:

— Bağışla! dedi. Seni bir an önce görmek istiyordum. Seni rahatsız edebileceğimi düşünmemiştim.

Ağır bir sessizlik oldu. Ömer sessizliği bozdu:

— Bu kitabı sana göstermeyi hiç düşünmedim. Onu senden hep sakladım. Onu bana hediye eden, gizlememi tembih etmişti.

Kitabı uzattı. Cihan bir kaç sayfasını çevirdi. Bir sürü boş sayfa arasında karalanmış bir kaç sayfaya ilgisiz gözlerle baktı. Sonra:

— Neden gösteriyorsun ki? dedi. İstemedim ki... Zaten okuma bilmem. Öğrenmedim. Bildiğim ne varsa, kulaktan dolma,

Ömer şaşmadı. O tarihte nice iyi şairin okuma yazma bilmemesi olağandı; üstelik kadınların hepsi cahildi.

— Bu kitapta ne gizli? Simyacılık formülleri mi?

— Ara sıra yazdığım şiirler.

— Yasaklanmış şiirler mi? Din dışı? Mezhep dışı? Kışkırtıcı?

Cihan kuşkulu bakışlarla bakıyordu. Ömer gülerek kendini savundu:

— Yok canım, nereden aklına geldi? Hiç komplocuya benzeyen bir yanım var mı? Bunlar şaraba, yaşamın güzelliklerine ve hayatın boşluğuna dair rubailer.

— Rubai mi? Sen mi?

Cihan'ın ağzından çıkan şaşkın çığlık aynı zamanda bir küçümsemenin de ifadesiydi. Rubailer, avam şairlerine özgü, hafif hatta bayağı, yazınsal değerleri olmayan şeyler sayılırdı. Ömer Hayyam gibi bir bilginin, ara sıra bir dörtlük yazması, oyalanmak diye nitelendirilebilirdi ama, yazdıklarını son derece ciddi bir biçimde, sır perdesine bürünmüş bir kitapta saklaması, bu kıstaslara önem veren bir kadın şairi şaşırtacak bir işti. Ömer utanmış gibiydi. Cihan ise meraklanmıştı:

— Bana bir kaç satır okur musun?

Hayyam'ın daha ileri gitmeye niyeti yoktu.

— Günü geldiğinde hepsini okurum, dedi.

Cihan daha fazla üzerinde durmadı. Başka soru sormadı. Ama fazla alaycı görünmemeye çalışarak:

— Bu kitap bittiğinde sakın Nasır Han'a verme dedi. *Rubaiyat* yazarlarına pek saygı göstermez. Seni, bundan sonra bir daha yanı başına oturtmaz.

— Bu kitabı kimseye sunmak niyetinde değilim. Bundan bir kazanç beklemiyorum. Saray şairlerinin hırsı bende yoktur.

Cihan Hayyam'ı, Hayyam da Cihan'ı yaralamıştı işte. Aralarındaki sessizlikte, her ikisi de çok ileri gidip gitmediklerini, geriye bir şeyler kalmışsa, onları kurtarmanın şimdi sırası olup olmadığını düşündüler. Hayyam, şu anda Cihan'a değil, Kadı'ya kızıyordu. Onu konuşturmuş olmaktan pişmandı. Söylediklerinden dolayı, sevgilisine başka gözlerle bakıp bakmadığını bilemiyordu. O güne dek, büyük bir saflık ve umursamazlık içinde, onları birbirlerinden ayırabilecek şeyleri akla getirmeme isteği ile yaşıyorlardı. Hayyam: "Acaba Kadı gözlerimi mi açtı, yoksa sadece mutluluğunu mu gölgeledi" diye düşünmekten kendini alamadı.

— Değiştin Ömer. Nasıl değiştiğini söyleyemem ama, bana bakışın, konuşuş biçimin, tanıyamayacağım bir şekil aldı. Sanki, kötü bir şey yapmışım da benden kuşkulanıyorsun, sanki bir nedenden ötürü bana kızıyormuşsun gibi. Anlamıyorum ama birdenbire içimi hüzün kapladı.

Ömer, onu kollarına almaya çalıştı. Cihan hızla geri çekildi.

— Beni bu biçimde yatıştıramazsın. Ne oldu? Söyle bana.

— Cihan; gel yarına kadar konuşmamayı kararlaştıralım.

— Yarın burada olmayacağım. Nasır Han, şafak vakti Semerkant'dan ayrılıyor.

— Nereye gidiyor?

— Kiş, Buhara, Tirmiz, ne bileyim? Bütün saray peşinden, tabii bu arada ben de...

— Semerkant'da, yeğeninde kalamaz mısın?

— İş, bahane yaratmaktan ibaret olsaydı! Sarayda bir mevkim var. Bunu elde edinceye kadar, on erkek gücüyle savaştım. Ebu Tahir'in bahçesinde eğlenmek için bu yeri yitirecek değilim.

Ömer, düşünmeden atıldı:

— Eğlenmek için değil. Hayatımı paylaşmak istemez misin?

— Hayatını paylaşmak mı? Paylaşacak bir şey yok!

Cihan hiç öfke belirtisi göstermeden bu sözleri söylemişti. Bir gözlemde bulunuyordu ve sevgisini yitirmiş değildi. Ömer'in dehşete düşmüş yüzünü görünce, yalvarmaya ve ağlamaya başladı:

— Bu akşam ağlayacağımı biliyordum. Ama bu yüzden değil. Birbirimizden uzun süre, hatta sonsuza kadar ayrılacağımızı biliyordum ama bu sözler, bu bakışlarla değil. Yaşadığım en güzel aşktan bu bakışları, bir yabancıya aitmiş gibi olan bu bakışları götürmek istemiyorum belleğimde. Bana son kez bak Ömer! Senin sevgilin olduğumu anımsa. Beni sevdin, ben seni sevdim. Beni tanıdın mı?

Hayyam sevgi ile kolunu beline doladı. İçini çekti:

— Keşke içimizi dökmeye, açıklama yapmaya zamanımız olsaydı. Bu budalaca kavga yok oluverirdi. Ama zaman çabuk geçiyor. Bu karmaşık saniyelerde, geleceğimiz ile oynamamız için bizi zorluyor.

Ömer de bir damla gözyaşının döküldüğünü hissetti. Gözyaşlarını saklamaya çalışırken, Cihan onu durdurdu. Hızla kollarını boynuna doladı, yüzünü yüzüne dayadı:

— Yazılarını saklayabilirsin ama gözyaşlarını saklayamazsın. Onları görmek, onlara dokunmak, kendileriminkilere katmak, izlerini yanaklarımda hissetmek, tuzlu tadını dilimde tutmak istiyorum.

Sanki birbirleriyle didişmek, boğuşmak, birbirlerini yok etmek ister gibiydiler. Elleri delirmiş, giysileri uçuşmuş halde, yakıcı gözyaşları ile alevlenen bedenlerinin, bir benzeri olmayan aşk gecesine dalışı idi yaşadıkları. Ateş yayılıyor, onları sarıyor, çevreliyor, mest ediyor, coşturuyor, zevkin doruğuna dek, eti etin içinde eritircesine birleştiriyordu. Masanın üzerindeki kum saati, damla damla zamanı eritiyordu. Ateş hafiflemiş, titremeye başlamış, sönmeye yüz tutmuştu. Soluk soluğa bir gülümseyişin habercisi gibiydi. Birbirlerini uzun süre içlerine çektiler. Ömer, ona ya da meydan okuduğu kadere seslendi usulca:

— Kavgamız yeni başlıyor!

Cihan, gözleri kapalı, ona sarıldı:

— Gün doğana kadar beni uyutma!

Ertesi gün, Hayyam'ın elyazması kitabında iki yeni mısra yer alıyordu. El yazısı titrek, çekingen ve bozuktu:

Hayyam, yalnızdın sevgilinin yanında!
Şimdi gitti, artık ona sığınabilirsin.

XI

İpek Yolu'nun üzerinde, Tuz Çölü'nün berisinde, alçak konutlardan oluşan bir uğrak yeridir Kâşan. Kervanlar, İsfahan varoşlarını haraca kesen haydutların sığınağı, uğursuz Akbaba Dağı'na tırmanmadan önce, orada soluklanırlardı.

Kâşan bir kil ve çamur kentiydi. Oraya varan, doğru dürüst bir duvar, süslü bir bina cephesi bulma ümidini boş yere beslerdi. Semerkant'tan Bağdat'a binlerce camiyi, sarayı, medreseyi yeşile ve altına boğan o ünlü cilalı tuğlalar bu kentte yapılmaktaydı. Doğu'daki İslam aleminde fayansın adı Kâşî ya da Kâşanî idi. Tıpkı porselenin Acemce ve İngilizce, Çin'e atfen Çinî adını taşıması gibi!

Kentin dışında, dut ağaçlarının gölgesinde bir kervansaray vardı. Dikdörtgen surları, gözetleme kuleleri, hayvanlar ve yükler için bir dış avlusu, odacıklarla çevrili bir iç avlusu vardı. Ömer, bu odalardan birini tutmak istedi ama han sahibi üzgündü. Hiçbiri boş değildi, İsfahan'lı zengin tüccarlar, oğulları ve hizmetkârları ile gelmişlerdi. Bunun doğru olduğunu anlamak için, han defterine bakmaya gerek yoktu. Her yan, gürültücü satıcılar ve semiz hayvanlarla doluydu. Kışın ilk günleri olduğu halde, Ömer açık havada yatabilirdi ama, Kâşan'ın akrepleri, çinileri kadar ünlüydü.

— Sabaha kadar kıvrılacağım en ufak bir köşe de mi yok?

Adam kafasını kaşıdı. Karanlık basmıştı. Bir Müslümanı geri çevirmek olmazdı:

— Ufacık bir oda var. Bir öğrenci kalıyor. Söyle de sana yer açsın, dedi.

Odaya yöneldiler. Kapısı kapalıydı. Hancı, kapıya vurmak gereğini duymadan açtı, titrek bir mum ışığının önünde bir kitap hızla kapandı.

— Bu saygı değer yolcu üç ay önce Semerkant'dan yola çıkmış. Senin odanı paylaşabileceğini düşündüm.

Genç adam sıkıldıysa da belli etmedi. Nazik ama hareketsiz durdu.

Hayyam içeriye girdi, selam verdi. Kendini ihtiyatla tanıttı:

— Nişâpuŕ'lu Ömer.

Karşısındakinin gözlerinde bir ışık yanıp söndü. O da kendini tanıttı:

— Ali Sabbah'ın oğlu Hasan. Kum doğumlu, Rey'de öğrencı, İsfahan yolcusu.

Bu ayrıntılı tanıtış Hayyam'ı huzursuz etti. Bu, kendi hakkında daha fazla bilgi vermesi için bir çağrı idi. Buna bir neden görmüyor, bunu yapmaktan çekiniyordu. Sustu. Yerine oturdu. Sırtını duvara dayadı ve ufak tefek, esmer, kadidi çıkmış delikanlıyı incelemeye başladı. Yedi günlük sakalı, simsiyah sarığı, yerinden fırlamış gözleri birbirine hiç uymuyordu. Delikanlı gülümseyerek ona baktı ve:

— İnsanın adı Ömer olunca, Kâşan çevresinde dolaşmak tehlikelidir, dedi.

Hayyam, büyük bir şaşkınlık gösterir gibi yaptı. Oysa atılan taşı anlamıştı. Adını, Peygamberin İkinci halifesi Ömer'den almıştı. Halife Ömer, Ali'den yana olan Şiilerce sevilmezdi. İran nüfusunun çoğunluğu Sünni olduğu halde, özellikle Kum ve Kâşan kentleri, Şiilerin çoğunlukta oldukları yerlerdi ve buralarda bir takım garip âdetler türemişti. Her yıl, Halife Ömer'in katlinin yıldönümünde, kutlamalar yapılmaktaydı. Kadınlar süslenir, tatlılar, fıstık kavurmaları yapar, çocuklar evlerinin önünden geçenlerin üzerine: "Allah Ömer'in belasını versin!" diyerek su dökerlerdi. Halifeye benzettikleri bir kukla yaparlar, eline tezekten yapılan bir tespih takarlar ve mahalle mahalle dolaşarak şöyle bağırırlardı: "Sen Ömer, cehennemliksin. Sen hainsin, sen gasıpsın." Kum ve Kâşan'ın ayakkabıcıları, yaptıkları kunduraların tabanına "Ömer" diye yazarlar, katırcılar hayvanlarını "Ömer" diye çağırırlar ve her sopa vuruşta bu adı keyifle tekrarlarlardı. Avcılar, sonuncu oklarını atarken "Bu da Ömer'in kalbine" diye bağırırlardı.

Hasan, bütün bu âdetleri birkaç kelime ile anlatıverdi, ayrıntıya girmedi. Ömer ona dik dik baktıktan sonra, tok bir sesle şunları dedi:

— Adım yüzünden yolumu, yolum yüzünden adımı değiştirecek değilim.

Uzun süren bir sessizlik oldu. Birbirlerinden bakışlarını kaçırdılar. Ömer ayakkabılarını çıkartarak, uykuya dalmak için uzandı. Hasan tekrar konuştu:

— Bunları anlatmakla belki de seni incittim. Sadece, buralarda adını söylerken dikkatli olmanı istedim. Niyetimi yanlış anlama.

Çocukken, Kum'da bu şenliklere ben de katılırdım. Büyüdükten sonra bunlara başka gözle bakmaya başladım. Bu gibi taşkınlıkların, bir bilgine yakışmayacağını düşündüm. Peygamberin öğrettiklerine de uymuyordu. Öte yandan, müezzinler, Kâşan işi minarelerden "Ali'nin lânet olası mezhepçileri" diye bağırdıklarında, bu da Peygamberin öğrettiklerine uymuyor, diye düşünüyorum. Ömer hafifçe doğruldu:

— İşte akıllı bir adamın sözleri, dedi.

— Akıllı olmasını da, deli olmasını da bilirim. Sevimli olmayı da, itici olmayı da. Ama, kendini tanıtma zahmetine bile katlanmayan biri ile odamı nasıl paylaşabilirim?

— Bana tatsız şeyler söylemen için, adımı söylemem yetti. Ya bir de kimliğimi açıklamış olsaydım?

— Belki o zaman bunlardan hiçbirini söylemezdim. Halife Ömer'den nefret edilebilir de, hendeseci Ömer, gökbilimci Ömer ya da feylesof Ömer sevilebilir.

Hayyam ayağa kalktı. Hasan kazanmıştı.

— İnsanların kim oldukları sade adlarından mı anlaşılır sanıyorsun? Bakışlarından, yürüyüşlerinden, konuşma biçimlerinden de anlaşılır. Daha sen içeriye girer girmez, bilgili bir adam olduğunu, şana da şerefe de yabancı olmadığını, ama aynı zamanda ünü de unvanı da önemsemediğini, yolunu sormadan bulanlardan olduğunu anladım. Adını söyler söylemez iyice emin oldum. Ben, tek bir Nişapurlu Ömer bilirim.

— Beni etkilemeye çalışıyorsan, başardın. Ya sen kimsin?

— Sana adımı söyledim ama bir şey ifade etmedi. Ben, Kum'lu Hasan Sabbah'ım. Hiçbir şeyle övünmüyorum ancak onyedi yaşımdayken din, felsefe, tarih ve yıldızlar hakkında ne varsa okudum.

— Her şeyi okumak asla olası değildir. Her gün öğrenilecek nice yeni şeyler vardır.

— Sına beni.

Ömer, oyun oynar gibi, karşısındakine bir kaç soru sordu. Eflatun, Euklides, Porphyrios, Ptolemaios, Dioscorides, Galenos ve İbn-i Sina hakkında. Sonra Şeriatın yorumlanması konusunda. Arkadaşının yanıtı her seferinde doğru, kesin ve kusursuzdu. Gün ağarırken, ne biri ne de diğeri uyumuştu. Vaktin nasıl geçtiğini anlamamışlardı. Hasan sevinçliydi, Ömer ise etkilenmişti.

— Bunca şey bilene bugüne kadar rastlamadım, diye itiraf etti. Tüm bu birikimle ne yapmak niyetindesin?

Hasan önce sitemle, ruhunun derinliklerinden bir sırrı çalmışlarcasına baktı, hemen sonra gevşedi, gözlerini yere indirerek:

— Nizamülmülk'ün yanına gitmek istiyorum, dedi. Belki bana vereceği bir iş vardır.

Hayyam, kendisinin de büyük vezirin yanına gittiğini söylemekten son anda vazgeçti. İçinin ta derinliklerinde yok olmamış kuşkusu, onu alıkoymuştu.

İki gün sonra tüccarlar kervanına katıldılar. Yanyana yürüyor, Farsça veya Arapça şiirleri ezbere okuyorlardı. Arasıra tartışıyorlar, hemen ardından tartışmayı kesiyorlardı. Hasan "kesin doğrulardan", "tartışılmaz gerçeklerden" söz ederken bile, Ömer kuşkulu bekliyor, düşüncelerini belirtmede aceleci davranmıyor, nadiren tercihte bulunuyor, bilmediği bir şey olursa bilgisizliğini içtenlikte söylüyordu. Ama tekrarladığı sözler hep şunlardı: "Ne söyleyeyim istiyorsun? Bu şeyler örtülü. Sen ve ben, her ikimiz de örtünün bu yanındayız. Örtü kalktığında, artık burada olmayacağız."

Bir haftalık yoldan sonra, İsfahan'a vardılar.

XII

İsfahan, nısf-ı Cihan! Acemler, böyle derler. Yani: "İsfahan, dünyanın yarısı". Bu deyim, Hayyam'dan çok sonra ortaya çıkmış ama daha 1074'de, kenti övmek için neler söylenmemiş: "Taşları cevher, sinekleri arı, otu safran!" "Havası mis, ambarları kurtsuz, etleri dayanıklı!" Beşbin ayak yükseklikte kurulduğu bir gerçek! Ama yine de altmış kervansaray, ikiyüz banker ve sarraf, bir o kadar da çarşısı vardır. Atölyelerinde ipek ve pamuk dokunur. Halıları, kumaşları, kilitli çekmeceleri uzak ülkelere ihraç edilir. Zenginliği dillere destan! Acem ülkesinin bu en kalabalık kenti, iktidar, servet ya da bilgi arayanları kendine çeker.

Bu kent dediysem de, tam anlamı ile kent sayılmaz. Rey'den gelen bir yolcunun öyküsü anlatılıp durur. Adam, İsfahan'ı görmek için öyle acele etmiş ki, kervanından ayrılıp tek başına at sürmüş. Birkaç saat sonra kendini, "hayat veren ırmak" anlamına gelen Zende-Ru'nun kıyısında bulmuş. Kıyı boyunca gidip, kerpiçten yapılma bir kalenin önüne varmış. Gerçi orası da kalabalıkmış ama, geldiği yer olan Rey'in eline su dökemezmiş. Kapıya gelince, muhafızlara sormuş:

— Burası Cay kentidir demişler.

İçeriye girmeyi değer bulmayıp batıya yönelmiş. Atı yorgun düşmüş. Sonunda bir başka kentin kapısına varmış. Yaşlı bir adama sormuş:

— Burası Yahudiye'dir diye yanıtlamış yaşlı adam. Yahudi kenti.

— Bu ülkede o kadar çok Yahudi mi var?

— Bir kaç aile var. Oturanların çoğu, senin benim gibi Müslümandır. Buraya Yahudiye derler, çünkü Kral Nabukodonozor, Kudüs'ten getirdiği Yahudileri yerleştirmiş. Bazıları da der ki: Bir Acem Şahı ile evli olan Yahudi bir kadın, kendi ırkından gelenleri, daha İslam'dan önce buralara yerleştirmiş. Hangisi doğrudur, onu Allah bilir.

60

Yolcumuz oradan da dönmüş, yoluna devam etmek istemiş ama, atı yıkılır gibi olmuş. İhtiyar adam sormuş:

— Böyle nereye gidiyorsun oğul?

— İsfahan'a!

Adam kahkahayı basmış.

— Sana İsfahan diye bir yer yoktur diyen olmadı mı?

— Nasıl olur? O, İran'ın en güzel, en büyük kenti değil mi? Çok eski zamanlarda Part Kralı Artaban'ın başkenti değil miydi? Kitaplarda güzellikleri ile övülmedi mi?

— Kitaplar ne diyor bilemem, ama ben burada doğdum. Tam yetmiş yıl önce. Sadece yabancılar İsfahan'dan söz eder. Ama onu bugüne dek görmedim.

İhtiyar, pek o kadar abartmamıştı. İsfahan adı, ne zamandan beri tek bir kentin adı değil, birbirinden bir saat mesafede, biri Cay diğeri Yahudiye olmak üzere iki ayrı kentten oluşan bir mahallin adı idi. Bu iki kentin ve çevresindeki köylerin gerçek bir kente dönüşmesi için, XVI. yüzyılı beklemek gerekecekti. Hayyam'ın zamanında henüz kurulmamıştı ama, on iki millik kale surları tüm bu yöreyi çepeçevre korumak üzere yapılmıştı.

Ömer ile Hasan geç vakit kente girdiler. Tirah Kapısına yakın bir kervansarayda yatacak yer bulmuşlardı. Buraya gelir gelmez, tek kelime bile konuşmadan, yatıp derin bir uykuya daldılar.

Ertesi gün Hayyam, Büyük Vezire gitti. Sarraflar Meydanında, gezginin ve satıcının her türlüsü vardı. Andaluzlu, Çinli, Yunanlı, hepsi sarrafların çevresinde toplanmış, onlar da terazilerinin başına geçmiş Kirman'dan, Nişapur'dan, Sevilla'dan gelen bir *dinarı* tırnakları ile kazımakta, Delhi'den gelen bir *tanka*'yı koklamakta, ya da değeri yeni düşürülmüş olan bir Konstantiniye *nomisma*'sına yüz buruşturmaktaydılar. Hükümet Konağı ve Nizamülmülk'ün resmi konutu olan *Divan* Kapısı, hemen oracıktaydı. Günde üç ya da beş kez Büyük Vezirin onuruna borazan çalınmaktaydı ama bu şatafata karşın dileyen kapıdan rahatça girip çıkmaktaydı. Büyük toplantı odasına gidip, İmparatorluğun en güçlü adamına yaklaşmaları ve gözyaşı dökmeleri ya da bir istekle bulunabilmeleri zor değildi. Ancak burada, nizam'ın çevresinde duran muhafızlar, gelenleri sorguya çekip, can sıkıcıları uzaklaştırmaktaydılar.

Ömer, kapının eşiğinde durdu. Odayı, çıplak duvarları, üç katlı yer halılarını inceledi. Orada bulunanlara çekingen bir selam verdi. Nizam'ın çevresinde her türlü insan vardı. Nizam ise bir Türk subayı ile konuşuyordu. Nizam göz ucuyla, yeni geleni gördü, dostça gülümsedi, oturmasını işaret etti. Beş dakika sonra Ömer'e yaklaşıp, iki yanağından ve alnından öptü.

— Seni bekliyordum dedi. Vaktinde geleceğini biliyordum. Sana o kadar anlatacaklarım var ki...

Sonra Ömer'i elinden tuttu, yalnız kalabilecekleri küçük bir odaya götürdü. Yerde duran koca bir minderin üzerine yanyana oturdular.

— Bazı söyleyeceklerim belki seni şaşırtacaktır ama umarım sonunda davetimi kabul ettiğin için pişman olmayacaksın.

— Hiç Nizamülmülk'ün kapısından giren, pişman olmuş mudur?

Vezir acı bir gülümseme ile:

— Olmuştur, dedi. Kimilerini gökyüzüne kadar yükselttim, kimilerini yerle bir ettim. Her gün hayat ve ölüm dağıtıyorum. Tanrı beni, niyetime göre yargılayacaktır. Her kudretin kaynağında O vardır. En yüce iktidarı bir Arap halifesine devreden O'dur. Halife de onu bir Türk Sultanına, Sultan da bir Acem vezire vermiştir. Başkalarının bu iktidara boyun eğmesini istiyorum. Senden ise Hâce Ömer, düşlerime saygı göstermeni istiyorum. Evet, önünde uzanıp giden bu muazzam topraklar üzerinde en güzel, en zengin, en istikrarlı, en iyi korunan devleti kurmak istiyorum. Her eyaletin, her kentin, içinde Allah korkusu olan, adil, vatandaşlarının şikâyetlerine kulak veren yöneticilerce yönetilmesini istiyorum. Kurt ile kuzunun yanyana su içebilecekleri bir devlet düşlüyorum. Ama düşlemekle kalmıyor, o devleti inşa ediyorum. Yarın İsfahan mahallelerinde bir dolaş. Bir alay işçinin temel atıp bina yaptığını, bir sürü sanatkârın arı gibi çalıştığını göreceksin. Her yanda imarethaneler, camiler, kervansaraylar, kaleler, saraylar yükseliyor. Yakında her önemli kentte bir büyük okul bulunacak. Adına "Nizamiye Medresesi" denilecek. Bağdat'daki açıldı bile. Planlarını ellerimle çizdim, tedrisat programını ben hazırladım, en iyi öğretmenleri seçtim. Her öğrenciye burs verdim. Gördüğün gibi, bu imparatorluk muazzam bir şantiye, yükseliyor, genişliyor, zenginleşiyor. Tanrı bize, yaşanmaya değer bir devir bahşetti.

Kumral bir uşak içeriye girdi, eğildi, gümüş tepsinin üzerindeki buz gibi gül şerbetlerini sundu. Ömer birini aldı. Dudaklarına değdirdi. Niyeti, şerbetin keyfini yavaş yavaş çıkartmaktı. Nizam ise bardağını bir yudumda dikmişti. Konuşmasını sürdürdü:

— Burada olmandan çok memnunum ve çok onurlandım.

Hayyam karşılık vermek istedi ama Nizam onu durdurdu:

— Seni pohpohladığımı sanma. Ben ancak Tanrı'yı övecek kadar güçlüyüm. Ama biliyorsun Hoca Ömer, bir imparatorluk istediği kadar büyük, kalabalık ve zengin olsun, daima adam yokluğu çekilir. Uzaktan baktığında bir sürü yaratık, bir dizi kalabalık, bir yumak kitle! Oysa, dört bir yana dağılmış orduma, ezan okunduğunda camiye gelenlere, çarşıyı dolduranlara, hatta divanıma baktığımda, bu adamlardan tek birinde acaba ussallık, bilgelik, bağlılık, doğruluk var mıdır diye sorarım. Bunun cevabını bulmak için, önce kalabalığın seyrekleştiğini sonra geriye kalanların eriyip bittiğini görmek zorunda kalırım. Yalnız bir adamım ben Ömer, umutsuzca yalnız! Divanım boş, sarayım da öyle. Bu kent de boş, bu imparatorluk da! Alkışlayacaksam, hep bir elim arkada alkışlamak zorunda kalacakmışım gibi geliyor. Senin gibileri Semerkant'dan getirtmek bir yana, gelmeleri için ayaklarına gitmeye hazırım.

Ömer, mahcup, "Estağfurullah!" gibilerden bir şeyler mırıldanacak oldu, Vezir sözünü kesti:

— İşte benim düşlerim ve kaygılarım bunlar. Günler ve geceler boyu, bunları anlatmaktan usanmam ama seni dinlemek istiyorum. Bunlar seni etkiledi mi? Bunları gerçekleştirmek için yanımda olmak ister misin?

— Tasarıların heyecan verici, güvenin ise onurlandırıcı!

— Benimle çalışmak için ne istersin? Açık söyle. Ben seninle nasıl konuştuysam, sen de öyle davran. Ne istersen, verilecektir. Sakın çekinme, çılgınca cömertliğimden yaralanmaya bak.

Vezir güldü, Hayyam ise gülümsemeyle yetindi.

— Yokluk çekmeden çalışmalarımı sürdüreyim, bana yeter, dedi. Yiyip içeceğim, barınacağım olsun yeter. Daha çoğunu istemem.

— Barınman için sana İsfahan'ın en güzel evlerinden birini vereceğim. Sarayım yapılana kadar benim oturduğum evdi. Bahçeleri, bostanları, halıları, uşakları, odalıkları, cariyeleri ile senindir. Harcamaların için on bin dinarın olacak. Bu para, ben yaşadıkça, her yılın başında sana ödenecektir. Yeterli olur mu?

— Artar bile. Bu kadar para ile ne yapacağımı bilemem.

Hayyam içtenliklidir ama Vezir kızmıştır:

— Ne yapacağını bilemez misin? İstediğin bütün kitapları satın alır, tüm şarap testilerini doldurur, bütün sevgililerini mücevhere boğar, kalanı da fakirlere sadaka diye dağıtır, Mekke kervanlarına yardım eder, adına bir de cami yaptırsın.

Tokgözlülüğünün ve alçak gönüllülüğünün, ev sahibinin hoşuna gitmediğini anlayan Hayyam, heyecanla atıldı:

— En büyük emelim bir rasathane kurmaktır. Güneş yılının uzunluğunu tam olarak ölçmek istiyorum.

— Kolay! Gelecek haftadan sonra, bu konuda ödenek alırsın. Rasathanenin yerini seçersin, bir kaç ay içinde yapılmış olur. Ama söyle bana, istediğin başka bir şey yok mu?.

— Tanrım! Başka ne isteyebilirim ki?

— O zaman belki ben de senden bir şey isteyebilirim?

— Bana verdiklerinden sonra, ne kadar minnet duyduğumu göstermenin bir yolunu bulursam, ne mutlu bana!

Nizam uzatmadı:

— Sır sakladığını, az konuştuğunu, bilge bir insan olduğunu, dürüstlüğünü, adil olduğunu, her konuda doğru ile yanlışı ayırabildiğini, sana güvenilebileceğini bilirim. Senden çok hassas bir görev yapmanı isteyeceğim.

Ömer en kötüsünü beklerken, en kötüsü onu bekliyordu.

— Seni *Sahib-i Haber* olarak atayacağım.

— *Sahib-i Haber mi?* Ben mi? Casusların başı yani?

— İmparatorluğun İstihbarat Teşkilatının başkanı. Hemen cevap verme. Senden beklediğim, iyi insanları ihbar etmen, müminlerin evlerini dinletmen değil. Söz konusu olan, herkesin huzurlu yaşamasını sağlamak. Bir ülkede, en basit yolsuzluk, en ufak haksızlık hükümdar tarafından bilinmeli ve suçlu, kim olduğuna bakılmaksızın, cezasını bulmalıdır. Şu ya da bu eyaletin kadısı ya da valisi, yoksulun sırtından küpünü dolduruyor mu diye nasıl bileceğiz? Adamlarımız aracılığı ile! Çünkü zarara uğrayanlar korkularından şikâyet edemezler!

— Ama bu adamların, kadılar ya da valiler tarafından satın alınmamaları, suç ortakları olmamaları gerekir!

— *Sahib-i Haber*'in görevi, işte bu yoldan çıkmışları bulup, onları azletmektir.

— Böyle namussuzlar varsa, işin doğrusu bunları kadı ya da vali yapmamak değil mi?

Hayyam bunu safiyetle söylemişti ama Nizam bunu alay gibi aldı. Aniden ayağa kalktı:

— Tartışacak değilim, dedi. Sana ne verebileceğimi ve senden ne beklediğimi söyledim. Git, önerimi düşün. Eğrisini doğrusunu tart. Cevabını yarın getirirsin.

XIII

Düşünmek, tartmak, değerlendirmek, bir karara varmak, Hayyam'ın o gün yapamayacağı şeylerdi. Divan'dan çıkar çıkmaz, çarşının dar ve dolambaçlı yollarına daldı. Her adımda, sokak biraz daha kararıyor, kalabalık daha yavaş hareket ediyor, konuşmalar ve küfürler birer fısıltı gibi çıkıyor, satıcılar ve dükkân sahipleri sanki birer maskeli oyuncu, birer uyurgezer raksçı oluveriyordu. Ömer, bir sağa bir sola yalpa vura vura ilerliyordu. Birden, ormanlıktaki düzlük misali, aydınlık bir meydancığa çıkıverdi. Güneş gözlerini kamaştırdı, doğruldu. Nefes aldı. Ona ne oluyordu böyle? Sanki cehenneme zincirlenmiş bir cennet sunmuşlardı. Nasıl evet desin, nasıl hayır desin? Büyük vezirin huzuruna hangi yüzle çıksın, kenti hangi yüzle terketsin?

Sağ tarafında açık bir meyhane kapısı gördü. Kapıyı itti, birkaç tozlu basamaktan indi, alçak tavanlı, loş bir yere vardı. Zemin nemli topraktı, oturma yeri var mı yok mu belli değildi, masalar da pisti. Kum şarabı istedi. Pürtüklü bir testi içinde getirdiler. Uzun süre, gözleri kapalı, şarabı koklayıp, içine çekti.

> Genç, gençliğimin güzel günleri,
> Unutmak için içerim şarabı.
> Acı mı? Öylesi gider hoşuma,
> Bu acılıktır ömrümün tadı.

Birden aklına bir şey geldi. Bunu akıl etmek için, meyhane diplerine gitmesi gerekiyormuş meğerse! Burada, bu pis masada, üçüncü ya da dördüncü kadehten sonra aklına gelecekmiş meğerse! Hesabı çarçabuk ödedi, hatırı sayılır bir bahşiş bıraktı, kendini dışarıya attı. Gece olmuş, herkes dağılmıştı. Çarşının han sokağı ağır bir cümle kapısı ile korunuyordu. Ömer'in, kervansaraya varmak için dolaşması gerekti.

Ayaklarının ucuna basarak odasına girdiğinde, Hasan çoktan

uyumuştu. Ömer, bu ciddi ve acılı yüzü uzun süre incelendi. Aklına bin çeşit soru geldi. Cevaplarını aramak zahmetine katlanmadan, her birini defetti. Kararını vermişti, kimse bu kararı değiştiremezdi.

Kitaplarda yer almış bir öyküdür. Üç arkadaştan söz eder. Derler ki: Binli yılların başlarında çağı etkilemiş üç İranlı vardır: Dünyayı gözlemlemiş olan Ömer Hayyam, dünyaya hükmetmiş olan Nizamülmülk ve dünyayı titretmiş olan Hasan Sabbah.

Derler ki, her üçü de Nişapur'da okumuştur. Ama doğru değildir bu! Nizam, Ömer'den otuz yaş büyüktü, Hasan da tahsilini Nişapur'da değil, Rey'de ve doğduğu kent olan Kum'da yapmıştır.

Gerçek, Hayyam'ın elyazması kitabında yer alıyor mu? Derler ki bu üç adam ilk kez İsfahan'da, Büyük Vezir'in Divanında buluşmuştur ve kaderin cilvesine bakın ki bu buluşma Hayyam'ın çabalarıyla gerçekleşmiştir.

Nizam, küçük odasına çekilmişti. Kapı aralığından Ömer'in yüzünü görür görmez, cevabının olumsuz olacağını anladı.

— Demek ki tasarılarım seni ilgilendirmiyor.

Hayyam sıkılarak ama kararlı bir biçimde cevap verdi:

— Çok yüce olan düşlerinin gerçekleşmesini dilerim. Ama benim katkım, senin önerdiğin biçimde olamaz. Giz ile gizi açığa çıkaran arasında, ben gizden yanayım. Bana bir konuşmayı nakletmeye gelen muhbire söyleyeceğim ilk söz, "Onu kendine sakla, sus konuşma. Anlatacakların ne seni ne de beni ilgilendirir. Bir daha da evime gelme" olur. Ben insanlarla ve olaylarla başka açıdan ilgilenirim.

— Kararını saygı ile karşılıyorum. Devletin, salt bilim ile uğraşanlara da ihtiyacı vardır. Sana vaat ettiğim ev de, altın da, rasathane de senindir. Gönül! rızası ile verdiğimi asla geri almam. Seni, yapacaklarıma ortak etmek istedim. Yine de, tarihçilerin, "Ömer Hayyam, Nizamülmülk ile aynı dönemde yaşadı. Büyük vezire, onun gözünden düşmeden hayır diyebilen ender kişilerdendi" diye yazmaları ile avunurum.

— Senin bu büyüklüğünü bir gün ödeyebilecek miyim bilmem?

Ömer sustu. Bir an duraksadı.

— Belki, olumsuz cevap verişimi, yeni karşılaştığım birini tanıştırmakla giderebilirim. Çok akıllı, çok bilgili, çok becerikli birini.

Sahib-i Haber görevi için biçilmiş kaftan gibi geldi bana. İsfahan'a, Rey'den yanında çalışmak ümidiyle geldiğini söyledi.

— Bir tutkulu, bir hırslı adam, diye söylendi Nizam. Benim kaderim de bu! Güvenilir birini buluyorsun, ihtirassız çıkıyor ve iktidarın gücünden çekiniyor. Verdiğim göreve atılmaya hazır biri çıktığında da, sabırsızlığı beni ürkütüyor.

Nizam bıkkın gibiydi:

— Peki bu adam kim?

— Hasan bin Ali Sabbah. Ama hemen uyarayım: Kum kentinde doğmuş.

— Yani bir Şii imam? Aldırmam. Bütün aşırılıklara karşı olsam da... Yardımcılarım arasında en iyilerinden bir kısmı Ali mezhebindendir, en iyi askerlerimden bazıları Ermeni'dir, veznedarlarım da Yahudi'dir. Onlardan güvenimi de himayemi de esirgemem. Bir tek İsmaililerden çekinirim. Arkadaşın İsmaili mezhebinden değildir, umarım?

— Bilmiyorum. Hasan buraya kadar benimle geldi. Dışarıda bekliyor. İznin olursa, onu çağırayım, kendin sorabilirsin.

Ömer, birkaç saniye yok oldu, sonra arkadaşı ile geri geldi. Hasan, hiç de etkilenmiş görünmüyordu. Yine de sakalının altında, çenesinin titrediğini farketti Hayyam.

— Hasan Sabbah'ı takdim ediyorum. Böylesine sıkı sarılmış bir sarığın altında bu denli bilgi bulunması, görülmüş şey değildir.

Nizam gülümsedi:

— Demek çevremi bilginler almış. Bilginlerle düşüp kalkan hükümdar, hükümdarların en iyisidir denir. Öyle değil mi?

Bunu Hasan yanıtladı:

— Yine denir ki: hükümdarlarla düşüp kalkan bilginler, bilginlerin en kötüsüdür.

Büyük bir kahkaha sesi duyuldu. Kısa ama içten olan bu gülüş, onları bir an için yakınlaştırdı. Ama Nizam, kaşlarını çatmış, ciddileşmişti. Her türlü Acem palavrasını içeren laf ebeliğinden bir an önce kurtulup, Hasan'a ondan beklediklerini anlatmak için sabırsızlanıyordu. Daha ilk sözcüklerden itibaren, kanları kaynaştı, Ömer'e sessizce çekilmekten başka yapacak iş kalmadı.

Böylece, Hasan Sabbah, Büyük Vezir'in vazgeçemediği yardımcılarından biri oluverdi. Sahte tüccardan, sahte dervişten, sahte hacılardan oluşan ve Selçuklu İmparatorluğunu baştan aşağı dolaşan bir muhbirler şebekesini kısa zamanda kurmuştu ve her sarayda, her çarşıda, her evde kulağı vardı. Komplolar, dedikodular, söylentiler rapor ediliyor, açığa çıkarılıyor, oyunlar bozuluyordu.

Nizam, ilk günler çok memnundu. Bu korkunç şebekenin ipleri kendi elindeydi. O güne dek; bu işe soğuk bakan Melikşah'a varıp, övüneceği sonuçlar sunuyordu. Aslında, Melikşah huzursuzdu. Babası Alpaslan, böyle bir siyaset gütmemeyi tavsiye etmemiş miydi? "Dört bir yana muhbir yerleştirecek olursan, sana sadık olan gerçek dostların bundan kuşkulanmayacak, düşmanların ise tetikte, önlemlerini almış olacaklardır. Zaman geçtikçe, muhbirleri etkilemeye çalışacaklar, gün gelecek dostlarının aleyhine, düşmanlarının lehine raporlar almaya başlayacaksın. İyi olsunlar, kötü olsunlar, sözler birer ok gibidirler. Bir kaçını bir arada fırlattın mı, biri mutlaka hedefi bulur. Sonunda, kalbini dostlarına kapatır, düşmanlarına açarsın. Yanına gelip kurulanlar, düşmanların olur. O zaman, gücünden geriye ne kalır?"

Ama Melikşah'ın muhbir kullanmanın yararı konusundaki kuşkuları, hareminde onu zehirlemek istiyen bir kadının yakalanması ile yok oldu. Hasan Sabbah, Melikşah'ın yanından ayıramadığı adamı haline geldi. Sultan ile Hasan arasındaki bu sıkıfıkılık, Nizam'ın hiç hoşuna gitmiyordu. Bir kere, her ikisi de gençti. Cuma günleri düzenlenen şölen sırasında, iki delikanlı, Veziri ihmal ederek eğleniyorlardı.

Bu şölenlerin birinci kısmı, resmi ve ciddi bir biçimde cereyan ederdi. Nizam, Melikşah'ın sağında otururdu. Okuma yazması olanlar, bilginler, çepeçevre dizilir, Hint ya da Yemen kılıçlarını methederler, Aristo'nun yazdıklarına kadar her konuda tartışırlardı. Sultan bir süre bu konulara ilgi duyar, sonra bakışları donuklaşırdı. İşte o zaman Vezir, gitme vaktinin geldiğini anlar, diğerleri de onu izlerdi. Onların yerini sazcılar, rakkaseler, oyuncular alır, şarap testileri dolar, içki sofrası da, hakanın keyfine göre uzun ya da kısa sürerdi. Güçlü vezirinden vazgeçmeyen Sultan öcünü eğlenmekle almış olurdu. Günü geldiğinde "baba"sını nasıl vuracağını tahmin etmek için, çocuksu bir taşkınlıkla ellerini nasıl çırptığını izlemek yeterliydi.

Hasan, Sultan'ın Vezir'den nefret etmesi için elinden geleni yapmaktaydı. Nizam hangi konularda erişilmez sayılıyordu? Bilgisi ile mi? Ussallığı ile mi? Tanrı ve İmparatorluğu savunma yeteneği ile mi? Hasan, kısa bir sürede benzeri bir yetenek sergiliyordu. Vezirin sadakati mi söz konusuydu? Sadık olduğunu göstermek ten kolayı yoktu. Sadakat, yalancı ağızlardaki kadar doğru olamaz.

Hasan, Melikşah'ın dillere destan pintiliğini harekete geçirmeyi de iyi biliyordu. Sürekli biçimde Vezir'in yaptığı harcamalardan söz ediyor, aldığı yeni giysileri, Vezir'in yakınlarının aldıkları eşyaları anlatıyordu. Nizamın iktidarı ve şatafatı sevdiği bir gerçekti. Hasan ise sadece iktidarı seviyordu. Dünya nimetlerinden el etek çekmiş biri olarak görünmeyi iyi beceriyordu.

Melikşahı iyice körükledikten sonra, ateşi yakmayı kararlaştırdı. Olay, bir cumartesi günü, taht odasında meydana geldi. Sultan, öğleye doğru, baş ağrısı ile uyanmıştı. Canı son derece sıkkındı. Vezirinin, Ermenilerden oluşan muhafızlarına altmış bin altın dağıttığını öğrenmiş, fena içerlemişti. Haber, tabii ki, Hasan ve şebekesi aracılığı ile kendine ulaşmıştı. Nizam, sabırla, ayaklanmayı önlemek için birlikleri beslemek gerektiğini en ufak bir ayaklanmada, harcamanın on misli fazlasını harcamak gerekeceğini anlatıyordu. Melikşah ise, avuç dolusu altın saçmakla, sonunda maaş verilemeyecek duruma düşüleceğini, ayaklanmanın işte o zaman başlayacağını söylüyordu. İyi bir hükümet, altınını, ihtiyaç duyulacak günler için saklamamalı mıydı?

Nizam'ın on iki oğlundan biri, söze karışmanın yerinde olacağını düşündü:

— İslam'ın ilk günlerinde Halife Ömer, fetihlerde sağlanan altınları saçmakla suçlandığında şöyle demişti: "Bu altın bize Tanrı'nın lütfu değil mi? Tanrı'nın daha fazlasını bahşedeceğine inanmıyorsanız, hiçbir şey sarfetmeyiniz. Bana gelince, Allah'ın cömertliğine inanıyorum. Müslümanların iyiliği için sarfedebileceğim altından bir tekini bile kasamda tutmam."

Melikşah'ın böyle bir davranışta bulunmaya hiç niyeti yoktu. Hasan'ın kafasına soktuğu bir düşünce, nicedir içini kemiriyordu. Emrini verdi:

— Hazineme giren her bir kuruşun ve sarfedilen her bir akçenin ayrıntılı hesabını istiyorum. Sonuç ne zaman hazır olur?

Nizam çökmüş gibiydi.

— Bu hesabı verebilirim ama, zaman alır, dedi.

— Ne kadar zaman, hoca?

Sultan'ın "Ata" değil de "Hoca" demesi dikkati çekti. Gerçi saygılı bir sesleniş biçimiydi ama, gözden düşmenin işareti de sayılabilirdi. Nizam, şaşırmış, anlatmaya çalışıyordu:

— Her eyalete bir muhasip göndermek ve uzun hesaplar yapmak gerekecek. Tanrı'nın inayeti ile, geniş bir imparatorluğa sahibiz. Böyle bir çalışmanın sonucunu iki yıldan önce almamız zordur.

Hasan, saygılı bir biçimde yaklaştı:

— Efendimiz, dedi. Olanak verilir ve Divan'ın bütün evrakının verilmesi emredilirse, böyle bir çalışmayı kırk gün içinde tamamlarım.

Nizam cevap vermek istediyse de, Sultan ayağa kalkmıştı. Büyük adımlarla kapıya gitti ve:

— Pekâlâ, dedi. Hasan, Divan'a girecektir. Divan kalemi onun emrinde olacak. Onun izni olmadan hiç kimse kaleme giremeyecek. Kırk gün sonra bu iş bitmiş olacak.

XIV

O günden sonra, bütün imparatorluk büyük bir telaşa düştü, idari kesimlerde çalışma yürümez oldu, birliklerin ayaklanacağı haberleri gelmeye başladı, iç savaştan söz edilir oldu. Nizam'ın İsfahan'ın bazı mahallelerini silahlandırdığı söyleniyordu. Çarşıda esnaf malını gizler olmuş, belli başlı çarşıların kapıları kapatılmış, özellikle kuyumcular dükkânlarını öğleden sonraları açmaz olmuşlardı. Divan'da gerginlik büyüktü. Koca Vezir kalemini Hasan'a bırakmak zorunda kalmıştı ama, ikameti hemen yanı başındaydı. Arada sadece küçük bir bahçe vardı. Ancak bu küçük bahçe, gerçek bir karargâha dönüşmüştü. Nizamın kişisel korumaları, tepeden tırnağa silahlı olarak kol geziyorlardı.

Ömer son derece sıkkındı. Ortalığı yatıştırmak için araya girmek istiyor, uzlaşma yolları arıyordu. Nizam onu kabul etmeye devam ediyordu ama "zehirli hediyesi" için sitem etmekten kendini alamıyordu. Hasan'a gelince, evrakların içinde kaybolmuştu ve Sultana sunacağı sonucun telaşı içindeydi. Hasan geceleri, bir avuç adamının ortasında, Divan'ın toplandığı odanın halısından başka yere yatmıyordu. Kader gününden üç gün önce, Hayyam son bir girişimde bulunmak istedi. Hasan'ın yanına gitti, onu görmek için diretti. Ancak *Sahib-i Haber* toplantıda olduğu için, bir saat sonra gelmesi söylendi. Kapıdan çıkacağı sırada, tepeden tırnağa kırmızılar içinde bir harem ağası yanına gelip:

— Hoca Ömer beni izlemek lütfunda bulunurlar mı? diye sordu. Bekleniyorsunuz.

Adam onu çapraşık yollardan, bir takım merdivenlerden geçirdikten sonra, bir bahçeye soktu. Hayyam, böyle bir bahçenin olabileceğini aklına bile getirmemişti. Tavus kuşları serbestçe dolaşıyordu. Kayısı ağaçları çiçek açmıştı. Bahçedeki çeşmenin arka tarafından geçip sedef işlemeli bir kapının önüne geldiler. Ağa kapıyı açtı. Ömer'i buyur etti.

Burası, duvarları ipek kumaşla kaplı geniş bir odaydı. Dip tarafta, bir perdenin örttüğü, tonozlu bir girinti göze çarpıyordu. Perde kıpırdadı, orada birinin durduğu açıktı. Hayyam içeri girince, hafif bir kapı tıkırtısı duymuştu. Bir kaç saniye bekledi. Sonra bir kadın sesi duydu. Ses yabancıydı ve Türkçe konuşuluyordu. Ses kısıktı ama sözler kaya gibi sertti. Hayyam ne söylendiğini anlamadı, konuşanın sözünü kesmek istedi, Farsça konuşulmasını rica etti, ya da Arapça, ya da daha tane tane konuşulmasını... Ama bir perdenin ardına gizlenmiş bir kadınla konuşmak kolay değildi. Kadının sözlerini bitirmesi için bekledi. Ardından bir başka ses:

— Sultanımızın eşi, hanımım Terken Hatun, buraya geldiğin için sana teşekkür ediyor, dedi.

Bu kez Farsça konuşulmuştu. Ömer sesi tanıdı. Bağırmak istedi ama ağzından sevinçli bir mırıltı döküldü:

— Cihan!

Kadın örtüyü kaldırdı, peçesini açtı ve gülümsedi ama Ömer'in yaklaşmasını elinin bir hareketiyle önledi:

— Hatun, Divan'daki kavgadan endişe duyuyor. Huzursuzluk artıyor. Kan dökülecek. Hakanımız dahi çok kaygılı, yanına yaklaşılmaz oldu. Harem, Hakanın öfkeli bağırmaları ile titriyor. Bu durum böyle süremez. Terken Hatun iki tarafı barıştırmak için, senin büyük çaba sarfettiğini biliyor. Senin başarılı olmanı çok istiyor ama pek ümidi yok.

Hayyam başıyla onayladı. Cihan devam etti:

— Terken Hatun, iş bu noktaya vardığına göre, iki rakibi saf dışı bırakıp, yönetimi huzur sağlayacak birine vermenin daha doğru olacağını düşünüyor. Sultanın, çevresini sarmış entrikacılara değil, akıllı, bilgili, çıkarcı olmayan, mantıklı birine ihtiyacı olduğunu düşünüyor. Hakanımız seni çok takdir ettiği için, Büyük Vezir olarak senin atanmanı önermek istiyor. Sen atanırsan bütün ülke rahatlayacak. Ama böyle bir öneride bulunmadan önce, senin onayını almak istedi.

Ömer, kendisinden bekleneni bir süre kavrayamadı. Sonra haykırdı:

— Tanrı aşkına, Cihan, beni mahvetmek mi istiyorsun? Beni, imparatorluğun ordularına kumanda ederken, bir emirin kellesini uçururken, bir köle ayaklanmasını bastırırken görebiliyor musun? Beni yıldızlarımla başbaşa bırak.

— Dinle beni Ömer. İşleri yönetmeye niyetin olmadığını biliyorum. Sen sadece orada bulunacaksın. Kararları başkaları verip uygulayacak!

— Yeni gerçek vezir sen olacaksın, hanımın da gerçek Sultan. İstediğin bu, öyle değil mi?

— Bundan niçin rahatsızlık duyuyorsun? Onuru sana, tasası bize ait olacak. Bundan iyisi can sağlığı!

Terken Hatun, öneriyi yumuşatmak için araya girdi, Cihan söylediklerini çevirdi:

— Hanımım diyor ki: Senin gibi adamlar siyasete sırt çevirdikleri için, bu kadar kötü yönetilmekteyiz. Çok iyi bir vezir olabilecek bütün niteliklere sahip olduğunu söylüyor.

— Ona de ki: Yönetmek için gerekli olan nitelikler ile, iş başına gelmek için gerekli olan nitelikler arasında fark vardır. İşleri iyi yönetmek için, kendi işlerini unutup sadece başkalarına, özellikle en yoksul olanlara bakacaksın; iktidara gelmek içinse, insanların en aç gözlüsü, en bencili, kendi dostlarının bile gözünün yaşına bakmayanı olacaksın. Ben ise kimseyi incitemem!

İki kadının tasarısı öylece yarım kaldı.

Ömer önerilerini red etti. Zaten bir işe de yaramazdı. Nizam ile Hasan'ın karşı karşıya gelmeleri önlenemez olmuştu.

O gün kabul odası bir arenaya benziyordu. Orada bulunan onbeş kişi, birbirinin hareketini gözlemekteydi. Her zaman taşkın mizacı ile tanınan Melikşah bile alçak sesle konuşuyor ve her zamanki gibi bıyığını çekiştirip duruyordu. Arada bir, iki gladyatöre bir bakış fırlatıyordu. Hasan, siyah buruşuk giysileri, siyah sarığı ile ayakta duruyordu. Sakalı sanki her zamankinden daha uzundu, avurtları çökmüş, gözleri Nizam'ınkilerle karşılaşmaya hazır ama uykusuzluktan ve yorgunluktan kıpkırmızı idi. Arkasında bir kâtip, geniş bir kurdele ile bağlanmış bir sürü evrak taşıyordu.

Büyük Vezir, kıdemine duyulan saygıdan ötürü, oturmaktaydı. Giysileri beyaz, sakalı kır, alnı kırışıktı. Sadece gözleri genç, hareketli ve parlaktı. Oğullarından ikisi yanında duruyordu. Çevrelerine kinci bakışlar fırlatıyorlardı.

Sultan'ın hemen yanında duran Ömer bitkin ve kaygılı idi. Kafasının içinde, herhalde söylemeğe hiç fırsat bulamayacağı sözleri tasarlayıp duruyordu.

Melikşah:

— Hazinemizin durumu hakkında bugün bilgi verme vaadinde bulunulmuştu. Hazır mı? diye sordu.

Hasan eğilerek selam verdi.

— Sözümü tuttum. Her şey hazır, dedi.

Kâtibine döndü, adam yanına geldi ve ona evrakı verdi. Sabbah okumaya başladı. İlk sayfalar, uzun teşekkürler, hayır duaları, bilgece söylenmiş cümlelerle doluydu. Âdet böyle idi. Orada bulunanlar daha fazlasını bekliyorlardı. Sonunda iş oraya da geldi. Hasan:

— Her eyaletin, her ünlü ve büyük kentin, Sultanımızın Hazinesine ne verdiğini tam olarak hesap ettim. Düşmandan elde edilen ganimeti de değerlendirdim. Bu paraların nasıl sarfedildiğini artık biliyorum, dedi.

Boğazını temizledi, okuduğu sayfaları kâtibine uzattı, diğerini aldı. Okumak üzere gözlerinin hizasına getirdi, dudakları aralandı, sonra kısıldı. Sayfayı uzaklaştırdı, diğer sayfalara baktı, kızgın bir biçimde evrakı karıştırmaya başladı. Kimseden ses çıkmıyordu. Sonunda Hakan sabırsızlandı:

— Ne oluyor? Seni dinliyoruz, dedi.

— Efendimiz, gerisini bulamıyorum. Sayfaları sıraya koymuştum, ama aradığım kâğıt aradan kaymış olacak. Onu bulacağım.

Aramaya devam etti. Durumdan yararlanan Nizam, üst perdeden konuşmaya başladı:

— Herkesin başına gelebilir. Genç dostumuza bu yüzden kızmamalı. Böyle bekleyip duracağımıza gerisini dinleyelim.

— Haklısın *ata*, gerisini dinleyelim.

Herkes, Hakanın Vezirine yeni baştan "ata" dediğini farketmişti. Bu yeniden göze girdiğine işaret mi sayılmalıydı? Hasan utançtan kıvranırken Vezir, lehindeki durumu daha da sağlama bağlamak istedi:

— Kaybolan sayfayı unutalım. Hakanımızı bekletmek yerine, kardeşimiz Hasan'ın bazı önemli kent ve eyaletlere ait rakamları vermesini öneriyorum.

Hakan onayladı. Nizam devam etti:

— Örneğin, aramızda bulunan Ömer Hayyam'ın memleketi Nişapur'u ele alalım. Bu kent ve eyalet, acaba hazineye ne getirmiş?

Hasan:

— Hemen sunayım, dedi.

Ayaklarına kapanmak ister bir hali vardı. Alışkın bir biçimde dosyaya el attı. Otuzdördüncü sayfayı çıkartmak istedi. Nişapur'a ait ne varsa, bu sayfaya yazdığını biliyordu. Boşuna.

— Sayfa yok, kaybolmuş... diyebildi. Çalmışlar... Kâğıtlarımı karıştırmışlar.

Nizam ayağa kalktı. Melikşah'ın yanına vardı ve kulağına:

— Efendimiz en yetenekli hizmetkârlarına, işlerin zorluklarını bilen ve oluru olmazdan ayırabilenlere güven duymazsa, sonunda ya bir deli, ya bir şarlatan ya da bir cahil tarafından işte böyle hakarete uğrar, diye fısıldadı.

Melikşah, müthiş bir oyuna getirildiğine, bir saniye olsun, kuşku duymuyordu. Tarihçilerin belirttiklerine göre, Nizamülmülk Haşan'ın kâtibini satın almış, bazı sayfaları yok etmesini, bazılarının yerini değiştirmesini emretmiş ve böylece rakibinin sabırla ve özenle yaptığı çalışmaları boşa çıkartmıştı. O istediği kadar komplo yapıldığını söylesin, çevresindeki gürültü sesini bastırıyor, Sultan da oyuna getirilişinin, dahası vezirinin vesayetinden kurtulma girişiminin başarısızlıkla sonuçlanmasının kusurunu Hasan'da buluyordu. Askerlerine onu tutuklamalarını söylemiş ve anında idamını emretmişti.

Ömer ilk kez söz aldı:

— Efendimiz merhamet etsinler. Sabbah belki kusur işlemiştir, belki çok aceleci ve çok işgüzar olmakla günah işlemiştir, ki bu yüzden kovulması gerekir, ama kimseye büyük bir kötülüğü dokunmamıştır.

— Öyleyse gözlerine mil çekilsin. Demiri kızdırın.

Hasan ses çıkarmıyordu. Ömer yeniden söz aldı. Kendisinin işe soktuğu bir adamın öldürülmesine ya da gözlerine mil çekilmesine gönlü razı olamazdı:

— Efendimiz diye yalvardı. Genç, gözden düşmüş olmanın tesellisini okumada bulacak bir adama, bu cezayı uygun görmeyin.

Bunun üzerine Melikşah:

— İnsanların en bilge olanı, en saf yürekli olan senin için Hoca Ömer, kararımdan vazgeçiyorum. Hasan Sabbah sürgün edilecek ve ömrünün sonuna kadar uzak beldelerden birinde yaşayacaktır. İmparatorluk topraklarına bir daha asla ayak basmayacaktır, dedi.

Ama Kum kentinin adamı geri gelecek ve görülmemiş bir intikam alacaktır.

İKİNCİ KİTAP
HAŞHAŞİLER[1] CENNETİ

Cennet de cehennem de senin içinde.

Ömer Hayyam

---

1) Başlığın aslı: "Paradis des Assassins", yani "Caniler Cenneti" dir. Ancak, 1090 yı-
lında Hasan Sabbah tarafından kurulan ve haşhaş kullanmalarından ötürü *Haş-
haşin* (Haşhaşiler) adı verilen gizli örgüt, Fransızca *Assassins* (Caniler) sözcüğü-
nün kökeni olarak bilinir. Konumuz dolayısı ile Cani yerine Haşhaşi sözcüğü
daha uygun görülmüştür. (Ç.N.)

XV

Aradan yedi yıl geçti. Gerek Hayyam, gerek İmparatorluk için görkemli yedi yıl! Son barış yılları!

Üzerinde asma yaprakları olan çardakta sofra kurulmuş, üzerine Şiraz'ın, kokusu kıvamında, en iyi beyaz şarabı konmuş, sürahinin çevresinde binlerce pırıltısı olan kâseler dizilmişti. İşte haziran akşamları, Ömer'in kameriyesinde görülegelen manzara! Önce hafif olandan başlamalı. Şarap ve çerez. Sonra karışık olanı tatmalı: yaprak dolmaları, ayva tatlıları. Hafif esinti, Sarı Dağları aşıp, çiçekli meyve bahçelerinden gelir. Elinde udu ile Cihan, hafiften tıngırdatır. Rüzgâra eşlik eder udunun sesi. Ömer kadehini kaldırdı, uzun uzun içine çekti. Cihan onu izliyordu. En büyük, en kaygan, en koyu renkli pestili seçti, erkeğine verdi. Bu, meyveler dili ile "Hemencecik bir öpücük" demekti. Ömer eğildi, dudakları birbirine değdi, kaçtı, yeniden buluştu, ayrıldı, birleşti. Parmakları dolandı. Hizmetçi kız geldiğinde, acele etmeksizin ayrıldılar, her biri kendi kadehine döndü. Cihan gülümseyerek mırıldandı:

— Yedi yaşamım olsaydı, birini mutlaka burada geçirir, şu kerevete uzanır, şu şarabı içer, parmaklarımı şu kâseye daldırır, mutluluğu şu tekdüzelikte bulurdum.

Ömer:

— Bir, ya da üç, ya da yedi yaşamım olsaydı, her birini burada geçirir, elim saçlarında şuraya uzanırdım, diye yanıtladı.

Birlikte ama birbirlerinden değişik idiler. Dokuz yıllık sevgili, dört yıllık karı koca idiler ama düşleri aynı çatı altında değildi. Cihan zamanı yutuyor, Ömer yudum yudum tadına varıyordu. Cihan'ın arzusu, dünyaya egemen olmaktı. Hanımının kulağı idi, hanımı da Sultan'ın kulağı! Gündüzleri Sultanın haremine düzenler kuruyor, tüm haberlere el koyuyor, yatak odası dedikodularına kulak kesiliyor, zehirleme kuşkularından haberdar oluyordu. Heyecanlı, hareketli, coşkulu idi. Akşamları ise kendisini aşkın mut-

79

luluğuna kaptırıveriyordu. Ömer açısından durum farklıydı . Bilimin zevkine, zevkin bilimine varıyordu. Geç kalkıyor, aç karnına bir kadeh sabah içkisini içiyor, daha sonra çalışma masasına geçerek yazıyor, hesap yapıyor, çizgiler ve resimler çiziyor, yine yazmaya koyuluyor, sonra gizli kitabına bir kaç satır şiir döktürüyordu.

Gece olduğunda, evinin üst katına yaptırdığı gözlem kulesine çıkıyordu. Sevdiği, elleriyle bakıp onardığı aletlerine kavuşması için bahçeden geçmesi yeterliydi. Arasıra, kentten gelip geçmekte olan bir bilgin olurdu yanında. İsfahan'da bulunduğu ilk üç yılını, rasathaneyi kurmakla geçirmişti. Yapı, gereçler, birer birer denetiminden geçmişti. Ömer, 21 Mart 1079'da büyük törenlerle ilan edilen yeni Celali takvimini hazırlamak için de, büyük emek sarfetmişti. Onun yaptığı hesaplamalar sonucu kutsal Nevruz bayramının tarihinde bir takım değişiklikler olduğunu, Balık burcunun ortasına rastgelen yeni yılın Koç burcunun başlangıcına kaydırıldığını, bu değişiklikten sonra İran ay adlarının burç adı aldıklarını ve böylece Favardin'in Koç ayı, Esfand'ın Balık ayı diye çağrıldığını hangi İranlı unutabilir? 1081 yılının Haziran'ında İsfahan'da ve bütün İmparatorluk topraklarında oturanlar, yeni takvimin üçüncü yılını yaşamaktaydılar. Bu takvim resmi olarak Sultan'ın adını taşısa da, halk arasında "Ömer Hayyam Takvimi" olarak biliniyordu. Kim, sağlığında böyle bir onura sahip olabilir? Kısacası, Hayyam otuzüç yaşına geldiğinde, tanınan ve sevilen bir insan olmuştu. Onun, şiddetten ve hükmetmekten nefret ettiğini bilmeyenler için de, çekinilen ve korkulan bir insan...

Bütün bunlara karşın, onu Cihan'a yaklaştıran neydi? Bir ayrıntı ama önemli bir ayrıntı: ikisi de çocuk istemiyordu. Cihan, ardında bırakacağı bir varlığın yükünü kesinlikle taşımak niyetinde değildi. Hayyam da, hayranı olduğu Suriye'li şair Ebu'l-Alâ'nın sözlerini aynen benimsemişti: "Beni döllendirenin günahını çekiyorum, kimse benim günahımı çekmeyecek."

Bu tutumu bizi yanıltmamalı, Hayyam hiç de kötümser biri değildi. Şu satırları yazan o değil midir?: "Acın sonsuz olduğunda, dünyanın kararmasını istiyecek olduğunda, yağmurdan sonra parıldayan yeşilliği, bir çocuğun uykudan uyanışını düşün." Ömer çocuk sahibi olmak istemiyorsa, yaşamın güçlüğünü düşündüğü içindir. "Dünyaya hiç gelmemiş olana ne mutlu!" deyip dururdu.

Görüldüğü gibi, ikisinin çocuk yapmak istemeyiş nedenleri

aynı değildi. Cihan ihtiraslı olduğu, Ömer de ihtirassız olduğu için çocuk istemiyordu. Ama bir erkek ve bir kadın olarak, İran'daki bütün erkeklerin ve bütün kadınların kınadıkları bir davranışla, birbirlerine bağlı idiler ve birinin ya da diğerinin kısır olduğu söylentisine aldırmadan aralarında müthiş bir ortaklık kurmuşlardı.

Ama bu, yine de sınırları olan bir suç ortaklığı idi. Cihan, hiç bir ihtirası olmayan bir insan olan Ömer'den değerli fikirler alıyor ama kendi yaptıkları hakkında ona asla bilgi vermiyordu. Yaptıklarını Ömer'in onaylamayacağını biliyordu. Bitmeyen kavgalar yaratmak kime yarardı? Gerçi Hayyam Saraya uzak bir insan değildi. Saray hayatını, dalaverelerini ne kadar küçümsese de, bazı kaçınılmaz yükümlülükleri olduğunu biliyordu. Arasıra Cuma yemeklerine girmesi, bazı hasta Emirleri muayene etmesi, Melikşah'a takvimi hakkında bilgi vermesi ve yıldız falına bakması gerekiyordu. Melikşah da herkes gibi, ne yapması ve ne yapmaması gerektiği konusunda yıldız falına danışırdı. "Ayın 5'inde seni gözleyen bir yıldız var, Saray'dan dışarı çıkma, Ayın 7'sinde, hiçbir biçimde kan aldırma, ilaç içme. Ayın 10'unda sarığını tersinden sardır. Ayın 13'ünde kadınlarından hiçbirine yanaşma." Sultan, bu söylenenlere karşı çıkmayı asla düşünmezdi. Ömer'in elinden kendi yıldız falını alan Nizam da, iyice inceler ve harfiyen uyardı. Yavaş yavaş başkaları da, bu ayrıcalıktan yararlanmaya başladı; mabeyinci, İsfahan'ın büyük kadısı, hazinedarlar, bazı amirler, bir takım zengin tüccarlar sıraya girdi; bu da Ömer için bir hayli iş demekti, özellikle ayın son on günü ve gecesi! İnsanlar fala öylesine düşkündüler ki... talihli olanlar Ömer'e baktırabiliyor, diğerleri daha az tanınan gökbilimcilere başvuruyordu. Genellikle de bir din adamına gidiliyor, o da Kur'an'ın bir sayfasını rasgele açarak bir ayet okuyordu. Meraklarının cevabını bu ayette bulmak kalıyordu onlara! Bir karar öncesinde olan yoksul kadınlar ise, çarşıya gidip ilk duydukları sözcükten bir anlam çıkartmaya çalışıyorlardı.

O gece Cihan:

— Terken Hatun, Tir ayı için falının hazır olup olmadığını sordu, dedi. Ömer dalgındı.

— Bu gece hazırlarım. Gökyüzü berrak, yıldızlar gizlenmiyor, rasathaneye gitme vakti, diye yanıtladı.

Kalkacağı sırada içeriye bir hizmetçi girdi ve:

— Kapıda bir derviş var dedi. Geceyi geçirmek için konukseverliğinize sığınmak istiyor.

Ömer:

— Gelsin, diye izin verdi. Merdiven altındaki küçük odayı ver, sonra söyle bizimle yemeğe otursun.

Cihan, yabancının girmesine olanak tanımak için başını örttü, ama hizmetçi yalnız döndü:

— Odasında dua etmeyi tercih ediyor. Bu mektubu size vermemi istedi.

Ömer kâğıdı okudu, sarardı. Bir robot gibi ayağa kalktı. Cihan meraklandı:

— Kim bu adam?

— Birazdan dönerim.

Kâğıdı bin parçaya ayırdıktan sonra, hızlı adımlarla çıkıp küçük odaya yöneldi, içeri girip kapıyı kapattı. Bir an durdu, sonra bir kucaklaşma ve bir sitem:

— İsfahan'da işin ne? Nizamülmülk'ün bütün adamları seni arıyor.

— Seni ayartmaya geldim.

Ömer yüzüne baktı, adamın aklının başında olup olmadığından emin olmak istiyordu. Ama Hasan güldü, tıpkı Hayyam'la karşılaştıkları kervansaray odasında güldüğü gibi:

— Merak etme. Mezhep değiştirtmeyi düşüneceğim en son insan sensin. Ama saklanmam gerekiyor. Sultan'ın müneccimi, Vezir'in danışmanı Ömer Hayyam'ın evinden daha güvenli sığınak mı var?

— Sana duydukları nefret, bana duydukları sevgiden büyük. Evime hoş geldin ama burada olduğundan kuşkulanırlarsa, seni kurtarabileceğimi sanma.

— Yarın uzaklara gitmiş olacağım.

Ömer kuşkulandı:

— Öç almaya mı geldin?

Ama öteki, onuruna dokunulmuşçasına sıçradı:

— Ben kişisel bir öç peşinde değilim, benim peşinde olduğum, Türk egemenliğini yıkmak!

Ömer arkadaşına baktı, siyah sarık yerine şimdi beyaz sarıklıydı ama her yanı kuma bulanmıştı giysileri kaba ve eskiydi.

— Kendinden pek emin görünüyorsun; oysa bana göre, sürgün edilmiş, izi sürülen, evden eve gizlenen ve tüm silahı şu çıkın ile şu sarıktan ibaret olan bir adamsın. Bir de kalkmış, Doğu'dan Batı'ya uzanan bir İmparatorlukla boy ölçüşmeğe kalkışıyorsun.

— Sen olandan söz ediyorsun, ben olacaktan. Selçuklu İmparatorluğunun karşısına Fedailer dikilecek. Örgütlü, korkunç bir güç olarak! Sultanları ve vezirleri korkudan titretecek. Sen ve ben doğduğumuz vakit, yani aradan çok zaman geçmedi, İsfahan Acemlerin ve Şiilerin elindeydi ve Bağdat'taki halifeye hükmünü geçiriyordu. Bugün ise, Acemler Türklerin uşağı durumunda ve Nizamülmülk bu uşakların en aşağılık olanı. Dün nasıl idiyse, yarın da öyle olamaz mı?

— Zaman değişti Hasan, şimdi güç Türklerde, İranlılar yenik düştü. Bazıları, Nizam'ın yaptığı gibi, güçlülerle uzlaşmaya çalışıyor; diğerleri, benim yaptığım gibi, kitaplara sığınmaya bakıyor.

— Başkaları da savaşıyor. Belki henüz bir avuç insan, ama yarın sayıları binleri bulacak, kalabalık, kararlı, yenilmez bir ordu olacak. Ben, Yeni Görüş'ün havarisiyim. Hiç ara vermeden, ülkeyi boydan boya katedeceğim, hem ikna hem zor yoluna başvuracağım ve Yüce Tanrı'nın inayeti ile kokuşmuş iktidarı yerle bir edeceğim. Hayatımı kurtarmış olan sana söylüyorum Ömer: pek yakında dünya, anlamını pek az kişinin kavrayabileceği olaylara tanık olacak. Sen anlayacaksın, ne olup bittiğini kavrayacaksın, bu dünyayı kimin sarstığını, bu kargaşanın nasıl son bulacağını bileceksin.

— İnandığın şeylerden kuşku duymuyorum ama, Melikşah'ın Sarayında Türk olan Sultanın gözüne girebilmek için Nizamülmülk ile rekabete giriştiğini anımsıyorum.

— Yanılıyorsun. Ben, artık ima ettiğin o aşağılık adam değilim,

— Benim bir şey ima ettiğim yok, sadece birkaç tutarsızlığa değiniyorum.

— Bu tutarsızlıklar, geçmişimi bilmenden kaynaklanıyor. Görünüşe bakarak hükme varmanı eleştirmiyorum ama, sana gerçek öykümü anlattığımda olaylara başka türlü bakacaksın. Ben eski bir Şii ailesindenim. Bana her zaman, İsmaililerin mezhep sapkını oldukları söylendi. Ta ki günün birinde bir dervişe rastlayana kadar... Benimle tartıştı, inancımı sarstı. Ona boyun eğerim korkusuyla konuşmamaya karar verdiğimde hastalandım. Öylesine hastalandım ki, son saatimin geldiğini sandım. Bunda bir hikmet var dedim, Yüce Tanrı'dan bir işaret! Yaşarsam, İsmailiye mezhebine girmeğe ahdettim. Ertesi gün iyileşmiştim. Ailemde, bu kadar çabuk iyileştiğime kimse inanmadı, bir anlam veremedi. Tabii verdiğim sözü tuttum ve and içtim. İki yıl sonra, bana bir görev verdiler. Nizamülmülk'ün yanına girecek, *Divan*'ında yer alacak ve zorda olan İsmaili kardeşlerimi koruyacaktım. Böylece Rey'den çıkıp İsfahan'a vardım ve yolda, Kâşan'da bir kervansarayda konakladım. Küçük odamda Nizam'ın yanına nasıl gireceğim diye düşünüp dururken, kapı açıldı. Kim girdi dersin? Hayyam! Büyük Hayyam, onu bana Allah göndermişti.

Ömer şaşkındı:

— Bir de Nizamülmülk bana, senin İsmailiye mezhebinden olup olmadığını sordu da, ben de "sanmam" dedim!

— Yalan söylemedin, bilmiyordun! Şimdi biliyorsun.

Hasan durdu, sonra:

— Beni yemeğe davet etmemiş miydin? dedi.

Ömer kapıyı açtı, hizmetçiye seslendi, yemek getirmesini söyledi, sonra soru sormayı sürdürdü:

— Yedi yıldır, böyle sufi kılığında mı dolanıp duruyorsun?

— Çok dolaştım. İsfahan'dan çıkınca, beni öldürmek istiyen Nizam'ın adamlarınca izlendim. Kum'da onlardan kurtuldum, arkadaşlarım beni sakladılar. Sonra Rey'in yolunu tuttum. Orada bir İsmaili Mısır'a, kendisinin de gitmiş olduğu medreseye gitmemi tavsiye etti. Daha önce, Şam'a gitmeden, Azerbaycan'a uğradım. Mısır'a kestirmeden gitmeyi tasarlıyordum ama Kudüs çevresinde Türkler ile Mağribiler arasında savaş vardı. Bu yüzden kıyıdan gidip, Beyrut, Saida, Tir ve Akra'dan geçmek zorunda kaldım. Orada bir gemiye binip İskenderiye'ye ulaştım. Orada Ebu Davut başkanlığında bir heyet tarafından karşılandım.

Hizmetçi içeri girdi. Yere bir kaç çanak koydu. Hasan dua eder gibi yaptı, hizmetçi çıkınca konuşmasına devam etti:

— Kahire'de iki yıl kaldım. Medrese'de kalabalıkçaydık ama aramızdan sadece bir avuç insan Fatımi ülkesinin dışında iş görmeye layık bulunmuştu.

Hasan fazla ayrıntıya girmek istemedi ama çeşitli kaynaklardan derslerin iki ayrı yerde görüldüğü biliniyordu. Dinin ilkeleri El-Ezher'de, ulemalar tarafından, bunları yayma teknikleri de Halife Sarayında öğretiliyordu. Fatımi Sarayının önemli kişilerinden biri olan dervişlerin başı, öğrencilerine insanları inandırma yöntemlerini, bir görüşü geliştirme sanatını, mantığa olduğu kadar duygulara da nasıl hitap edileceğini öğretiyordu. Birbirleriyle iletişimde hangi gizli şifreyi kullanacaklarını da... Her dersin sonunda, öğrenciler onun önünde diz çöküyor, o da başlarının üzerinden, İmam'ın imzasını taşıyan bir fetva geçiriyordu. Daha sonra, daha kısa bir ders başlıyor ama o sadece kadınlara veriliyordu.

Hasan:

— İhtiyacım olan bütün bilgiyi Mısır'da öğrendim, dedi.

Hayyam:

— Bana, onyedi yaşıma geldiğimde her şeyi biliyordum, dememiş miydin?

— Onyedi yaşıma kadar bilgi birikimi yaptım. Sonra inanmayı öğrendim. Kahire'de inandırmayı öğrendim.

— Peki, inandırmak istediklerine ne söylüyorsun?

— Onlara, öğretecek hoca olmadıkça din işe yaramaz, diyorum. Bizler "Allah'tan başka Tanrı yoktur" derken, hemen ardından "Muhammed O'nun Resulüdür" diye ekliyoruz. Neden? Çünkü Tek bir Tanrı var derken, kaynağını belirtmeyecek olursak yani bir gerçeği bize öğretenin adını vermezsek, anlamı kalmaz. Ama o adam, o resul, o peygamber, uzun süre önce öldü, yaşadığını ve bize söylenen gibi konuştuğunu nereden bileceğiz? Ben ki senin gibi Eflatun ve Aristo okudum, kanıt gerek diyorum.

— Ne kanıtı? Bu konuda gerçekten kanıt olabilir mi?

— Siz Sünniler için aslında kanıt yok. Sizler, Muhammed'in mirasçı bırakmadığına, Müslümanları kendi başlarına bıraktığına, en güçlü ya da en kurnaz olanın kendilerini yönetmelerini kabul edeceklerine inanırsınız. Bizler ise, Resulün bir mirasçı, sırlarını bilen bir halef bıraktığına inanırız: o da damadı, yeğeni, neredeyse kardeşi İmam Ali'dir. Ali de bir mirasçı gösterdi. Meşru İmam'ların soyu işte böyle oluştu. Onlar aracılığı ile Muhammed'in Resullüğünün ve Tek Tanrı'nın varlığının kanıtı günümüze kadar devredildi.

— Bütün bu anlattıklarında, diğer Şiilerden ne farkın var, anlayamıyorum.

— Benim inancım ile aileminki arasında çok büyük fark var. Onlar, yeryüzüne adaleti getirecek olan ve gerçek müminleri ödüllendirecek olan Gizli İmam gelene kadar, düşmanlarımızın egemenliğine sabırla katlanmamız gerektiğini öğrettiler bana. Oysa ben, şimdiden harekete geçmek, bu ülkede İmamımızın "zuhuru" için gerekli ortamı her yoldan hazırlamak gerektiğine inanıyorum. Ben, bütün Zamanların İmamı'nı kabul edecek duruma gelmesi için dünyayı düzenlemek üzere gönderilen Öncü'yüm. Peygamber'in benden söz ettiğini biliyor muydun?

— Senden mi? Kum doğumlu Hasan bin Ali Sabbah'tan mı?

— "Kum'dan bir adam gelecek, insanlara doğru yola gelmeleri çağrısında bulunacak, çevresine adamlar toplayacak, hiçbir rüzgâr, hiçbir fırtına onları dağıtamayacak, savaşmaktan yılmayacaklar, zaaf göstermeyecekler ve Tanrı'dan güç alacaklar" demedi mi?

— Ben böyle bir şey söylediğini bilmiyorum. Oysa Hadislerini okumuştum.

— Sen istediklerini okumuşsun. Şii'lerin ellerinde başka Hadisler var.

— Ve senden söz ediyor, öyle mi?

— Bekle ve gör.

XVI

Yuvalarından fırlamışçasına koca gözlü adam, gezginciliğine devam etti. Hiç yorulmayan bir derviş olarak İslam ülkelerini, Belh'i, Merv'i, Kaşgâr'ı, Semerkant'ı dolaşıp durdu. Her yerde vaaz verdi, tartıştı, inandırdı, örgütledi. Bir fedai bulmadan, beklemekten usanmış Şiiler'i ve Türk egemenliğinden şikâyetçi Acem ya da Arapları çevresinde toplamadan, o kentten ayrılmadı. Hasan'ın ordusu gün geçtikçe büyüyordu. Onlara "Batıni" deniliyordu, yani gizli işlerin adamları! Onlara din sapkını, Allahsız da deniliyordu. Ulemalar tehdit üzerine tehdit savuruyorlardı: "Onlara katılanların vay hallerine! Kanlarını dökmek, bahçe sulamak kadar sevaptır."

Ses tonu yükseliyor, şiddet sözde kalıyordu. Savah kentinde bir vaiz, diğer müslümanlar gibi camide değil de ayrı olarak toplananları ihbar etmiş, onları polisin cezalandırmasını istemişti. Onsekiz tarikatçı tutuklanmıştı. Bir kaç gün sonra muhbir bıçaklanmış olarak bulundu. Nizamülmülk ibret olacak bir ceza verilmesini istedi. İsmailiye mezhebinden bir marangoz yakalandı, işkence edildi, çarmıha gerildi, sonra da ölüsü kent sokaklarında gezdirildi.

Bir tarihçi "O vaiz İsmaililerin öldürdükleri, o marangoz da verdikleri ilk kurban oldu" diye yazdı. İlk zafer de Nişapur'un güneyindeki Kain kentinde alındı. Kirman'dan altı yüz tüccar, hacı ve önemli miktarda yük getiren bir kervan gelmekteydi. Kain kentine yarım günlük yolda, yüzleri maskeli, silahlı adamlar yolu kesmişlerdi. Kervancı onları haydut sanmış, haraç verip kurtulmak istemişti. Oysa durum farklıydı. Yolcular bir kale-kente götürülmüş, bir kaç gün tutulmuş ve mezhep değiştirmeleri istenmişti. Bazıları kabul ettikleri için serbest bırakılmış, diğerleri öldürülmüştü.

Kervan olayı, ardından gelecek şiddet olaylarının sadece küçük bir habercisiydi. Katliam, karşılıklı öldürme eylemleri, her kentte, her kasabada, her köyde cereyan ediyor ve "Selçukluların barış düzeni" aşınmaya yüz tutuyordu. İşte unutulmaz Semerkant krizi o sıralar patlak verdi. Bir tarihçi "Olayların ardında Ebu Tahir var" diye kestirip attı. Oysa işler o kadar basit değildi.

Gerçi, Ömer Hayyam'ın eski velinimeti, günlerden bir Kasım günü çıkıp İsfahan'a gelivermişti. Tirah Kapısından kente girer girmez doğruca arkadaşının evine varmış, o da minnetini belirtebilmenin mutluluğu içinde, evini ona açmıştı. Geleneksel nezaket sözleri kısa kesilmiş ve Ebu Tahir yaşlı gözlerle:

— Nizamülmük'ü hemen görmem gerek demişti.

Hayyam kadıyı hiç bu halde görmüş değildi. Onu yatıştırmaya çalıştı:

— Vezire bu gece gideriz. O kadar vahim mi?

— Semerkant'tan kaçmak zorunda kaldım.

Kadı sözlerine devam edemedi, tıkandı, gözlerinden yaşlar akmaya başladı. Son görüşmelerinden bu yana yaşlanmıştı, cildi kırışmış, sakalı beyazlaşmış, sadece kaşları kapkara kalmıştı. Ömer teselli edici birkaç söz söyledi, Kadı kendine geldi, sarığını düzeltti, sonra:

— Hani şu Kesik Yüz denilen adamı hatırlıyor musun? diye sordu.

— Ölümüme susamış adamı nasıl unuturum;?

— En küçük bir farklı düşünce sezinleyince zıvanadan çıktığını hatırlıyorsun değil mi? İsmailiyelilere katıldığı üç yıldan beri, eskiden Gerçek Din'i savunmak için gösterdiği gayretkeşliği, bu kez O'nun hatalarını kanıtlamak için gösteriyor. Yüzlerce, binlerce kişi peşinde gidiyor. Sokağın hâkimi o; kendi yasasını esnafa zorla kabul ettirdi. Kaç kez Han'ı görmeğe gittim. Sen Nasır Han'ı tanımıştın, aniden öfkelenir, anında sakinleşirdi. Allah rahmet eylesin, her duamda ona da okuyorum. Şimdi yeğeni Ahmet işbaşında. Toy, kararsız, ne yapacağı belli olmayan biri. Ne yönden yanaşacağımı bilemedim hiç. Kaç kez bu yobazların yaptıklarından şikâyet ettim, beni hep bir kulağı ile dinledi, canının sıkıldığını göstermeyi de ihmal etmedi. Hiçbir şey yapamayacağını anlayınca, milis kuvvetlerinin komutanlığını ve bana yakın olan bazı yargıçları çağırdım, İsmailiyelilerin hareketlerini yakından izlemelerini istedim. Kesik Yüz'ü izlemek üzere üç gönüllü çıktı. Amacım Han'a ayrıntılı bilgi vererek gözlerini açmaktı. O sırada adamlarım tarikatçıların reisinin Semerkant'a geldiğini haber verdiler.

— Hasan Sabbah mı?

— Ta kendisi! Benimkiler İsmailiyelilerin toplandıkları Ghatfar mahallesinde Abdak sokağının iki başını tuttular. Sabbah, kılık değiştirmiş olarak dışarı çıktığında üzerine çullandılar, kafasına bir çuval geçirip bana getirdiler. Onu hemen Saraya götürdüm. Yaptığım işin beğenileceğini sanıyordum. Han ilk kez ilgi gösterdi, adamı görmek istedi. Sabbah huzuruna çıkartıldığında, ellerinin çözülmesini ve onunla yalnız kalmak istediğini söyledi. Han'ın o tehlikeli yobaza karşı uyarmak istedim ama fayda etmedi. Adamı, doğru yola gelmesi için inandırmak istediğini söyledi. Görüşmeleri uzayıp gitti. Arasıra Han'ın adamlarından biri kapıyı aralayıp bakıyordu. Görüşme devam ediyordu. Gün ağardığında, ikisinin yanyana namaza durdukları görüldü. Aynı sözleri bir ağızdan tekrarlıyorlardı. Adamlar, onlara bakmak için birbirlerini itekleyip duruyorlardı.

Ebu Tahir bir yudum şerbet içtikten sonra devam etti

— Gerçeği kabul etmek gerekiyordu. Semerkant'ın Efendisi, Maveraünnehir'in Hükümdarı, Karahanlıların Vâris'i tarikata girmişti. Gerçi bunu açıklamış değildi ve Gerçek Din'e bağlıymış gibi görünüyordu ama, çevresindeki danışmanların yerini İsmaililer almıştı bile. Sabbah'ı yakalatan kuvvet komutanları teker teker öldürüldü. Benim muhafızlarımın yerini, Kesik Yüz'ün adamları aldı. Bana yapacak ne kalmıştı? İlk hacı kafilesi ile yola çıkmak ve İslam'ın kılıcını taşıyan Nizamülmük ile Melikşah'a durumu anlatmaktan başka?

Aynı akşam, Hayyam Ebu Tahir'i Nizam'a götürdü. Onları başbaşa bıraktı. Nizam sessizce kadıyı dinledi, yüzü gölgelendi. Kadı konuşmasını bitirdiğinde:

— Semerkant'taki felaketin ve hepimizi tehdit eden belanın gerçek sorumlusu kim, biliyor musun? diye sordu. Seni buraya getiren adam?

— Ömer Hayyam mı?

— Başka kim olabilir? Onu öldürtebileceğim gün, Hasan Sabbah'ın hayatını Hoca Ömer kurtardı. Onu öldürmemizi engelledi. Şimdi bizi öldürmesini engelleyebilecek mi bakalım?

Kadı ne diyeceğini bilemiyordu. Nizam içini çekti. Kısa, sıkıntılı bir sessizlik oldu.

— Ne yapalım dersin?

Soruyu soran Nizam'dı. Ebu Tahir'in cevabı hazırdı. Tane tane söylemeğe başladı:

— Selçuklu bayrağının Semerkant üzerinde dalgalanmasının zamanı geldi.

Vezirin yüzü karardı:

— Sözlerin altın değerinde dedi. Yıllardır, İmparatorluğun Maveraünnehir'i içermesi, Semerkant ve Buhara gibi zengin kentleri kapsaması gerektiğini tekrarlayıp duruyorum. Boşuna. Melikşah dinlemek istemiyor.

— Oysa Han'ın ordusu çok zayıf. Emirlerine maaş veremiyor, kaleleri harabeye dönmüş durumda.

— Bunu biliyoruz.

— Melikşah, babası Alpaslan gibi, nehri geçecek olursa, aynı akıbete uğramaktan mı korkuyor?

— Katiyyen.

Kadı daha başka soru sormadı. Bir açıklama bekledi. Nizam:

— Sultan ne nehirden, ne rakip bir ordudan korkuyor. Onun korktuğu bir kadın! dedi.

— Terken Hatun mu?

— Melikşah nehiri geçecek olursa, onu yatağına almayacağını, Harem'i cehenneme döndüreceğini söylemiş. Unutma ki Semerkant, Terken Hatun'un vatanı. Nasır Han ağabeyi idi, Ahmet Han da yeğeni. Maveraünnehir onun ailesine ait. Atalarının kurduğu saltanat son bulacak olursa, onun da saray kadınları arasındaki konumu değişir ve oğlunun Melikşah'a vâris olma olasılığı ortadan kalkar.

— Ama oğlu daha iki yaşında!

— İyi ya, çocuk ne kadar küçükse, anası o denli savaşmak zorunda!

— Anladım dedi Kadı. Sultan asla Semerkant'ı almak istemeyecek.

— Bunu söylemedim. Ama bunun için fikrini değiştirmek gerekir. Ne var ki, Hatun'un silahlarından daha güçlü silahlar kullanmamız gerekecek.

Kadı kızardı. Nazikçe gülümsedi, yine de önerisinden vazgeçmedi:

— Size anlattıklarımı Sultan'a tekrar etmem yetmez mi? Hasan'ın çevirdiği dolapları ona anlatmam yetmez mi?

Nizam:

— Hayır, diye kestirip attı.

O an tartışamayacak kadar düşünceliydi. Kafasında bir plan oluşmak üzereydi. Kadı sessiz, vereceği kararı bekliyordu. Vezir:

— Yarın sabah Sultan'ın Harem'ine gidip, baş harem ağasını görmek istediğini söyliyeceksin. Semerkant'tan geldiğini ve Terken Hatun'a ailesinden haber getirdiğini söyliyeceksin. Memleketinin bir kadısı, hanedanının sadık bir hizmetkârı olduğun için, seni kabul edecektir.

Kadı başıyla onaylamak gereğini bile duymadı. Nizam devam etti:

— Kabul odasına girdiğinde, yobazların Semerkant'ı ne hale getirdiğini anlatacak ama Ahmet'in onlara katıldığını söylemeyeceksin. Tam aksine, Hasan Sabbah'ın tahtını tehlikeye soktuğunu ve ancak bir mucizenin onu kurtarabileceğini söyleyeceksin. Beni görmeğe geldiğini, ama seni gereği gibi dinlemediğimi, hatta Sultan'a bunları anlatmaktan seni vazgeçirmek istediğimi söyleyeceksin.

Ertesi günü, strateji hiçbir engel görmeden aynen uygulandı. Terken Hatun, Semerkant'ı kurtarmak için, Sultan'ı ikna etmeyi üzerine alırken, Nizamülmülk buna karşı çıkar gibi yapıyor ama bir yandan da seferberlik hazırlığında bulunuyordu. Bu kandırma savaşı sonunda Maveraünnehir'i almaktan, Semerkant'ı kurtarmaktan çok, İsmaililerin bozgunculuğu yüzünden sarsılan saygınlığına yeniden kavuşmak istiyordu. Bunun için de kesin ve etkili bir zafere ihtiyacı vardı. Yıllardan beri, casusları Hasan'ın yerinin bilindiğini, yakalanmasının an meselesi olduğunu tekrarlayıp duruyorlardı ama, asi ele geçmiyor, en ufak bir karşılaşmada adamları adeta buharlaşıp yok oluyorlardı. Bu nedenle Nizam, yüzyüze savaşmanın yollarını arıyordu. Semerkant ona, hiç ummadığı bir anda bu fırsatı verdi.

1089 ilkbaharında, ikiyüz elli bin kişilik bir ordu, filleri ve silahları ile harekete geçti. Onu harekete geçiren yalanlar ve entrikalar bir yana, her ordunun yaptığı işi yapmaya hazırdı. Önce Buhara'yı ele geçirdi sonra Semerkant'a yöneldi. Kentin kapısına geldiklerinde, Melikşah Ahmet Han'a, duygulu bir üslupla, kendisini yobazların ellerinden kurtarmaya geldiğini yazdı. Han, soğuk bir ifadeyle "Saygıdeğer biraderimden böyle bir isteğim olmadı" diye cevap verdi. Melikşah şaşırdı ama Nizam hiç heyecanlanmadı: "Han, hareketlerinde özgür değil, yokmuş gibi davranalım" dedi. Zaten ordunun geri gidecek durumu yoktu, Emirler paylarına düşecek olanı istiyorlardı, her halde elleri boş dönecek değillerdi.

Daha ilk günlerden itibaren, kule muhafızlarından birinin ihaneti ile saldırganlar kente sızmışlardı. Batı'da, Manastır Kapısının yakınında mevzilendiler. Savunucular ise güneye, Kiş Kapısının yanına çekildiler. Halkın bir kısmı Sultan'ın birliklerini tutmaya karar vererek, onları beslemeye, teşvik etmeye girişti. Diğerleri ise, inançlarından ötürü, Ahmet Han'dan yana oldular. Savaş iki hafta bütün şiddeti ile devam etti. Ama sonucu belli idi. Kubbeler mahallesinde bir dostunun evinde gizlenen Ahmet Han ile tüm İsmaili liderler esir alındı. Sadece Hasan, bir lağım kanalından kaçmayı başardı.

Tabii kazanan Nizam oldu ama Sultan'ı ve Hatun'u kandırarak! Saray ile ilişkileri, onanmaz biçimde bozuldu. Melikşah, Maveraünnehir'in en ünlü kentlerini ele geçirmekten memnun olduysa da, aldatılmış olmanın ezikliğini fazlasıyla duydu. Hatta birlikler için verilen geleneksel zafer ziyafetini vermeyi red etti. Nizam, duyması gerekenlere "pintilik" demekle yetindi.

Hasan Sabbah'a gelince, bu yenilgiden önemli bir ders çıkarttı. Hükümdarları kazanmaktan vazgeçip, insanlığın o güne kadar tanıdığı en korkunç terör örgütünü kurdu. Bu örgüte Haşhaşiler Tarikatı denildi.

XVII

Alamut. Bir kaya üzerinde bir kale. Altı bin ayak yükseklikte. Manzara olarak: Çıplak dağlar, unutulmuş göller, dik yarlar, dar boğazlar. Bu boğazlardan en kalabalık ordu bile, ancak tek tek geçerek girebilir. Bu kayalıkları en hızlı kurşunlar bile delip geçemez.

Elburz Dağları'nın karları, ilkbahar olup da eridiği, ağaçları yerlerinden ettiği için "deli ırmak" diye adlandırılan Şah-Rû, hâkimdir yöreye. Yaklaşanın vay haline, vay kıyılarında konaklamaya yeltenen orduya!

Nehirden ve göllerden hergün kalın bir sis tabakası yükselir, uçurumu olduğu gibi kaplar, yer ortasında öylece asılı kalır. Orada bulunanlar için Alamut kalesi, bulutlar okyanusunda bir adadır. Aşağıdan bakıldığında da cinlerin sığınağı!

Yerli deyişe gire Alamut: "Kartal Yuvası" demek. Anlatıldığına göre, bu dağları denetlemek için bir kale yaptırmak isteyen bir hükümdar, oralara terbiye edilmiş bir kartal bırakmış. Kuş gökyüzünde dolanıp durduktan sonra bu kayanın üstüne konmuş. Sahibi de en iyi yerin burası olduğunu anlamış.

Hasan Sabbah da tıpkı o kartal gibi yaptı. Adamlarını toplayacağı, okutacağı, örgütleyeceği bir yer bulmak için bütün İran'ı dolaştı. Semerkant olayından sonra büyük kentleri zaptetmenin hayal olduğunu, Selçuklular ile anında çatışmaya girmek zorunda kalacağını, bunun da İmparatorluğun lehine olacağını anlamıştı. Ona gereken başka bir yerdi, girilmez, alınmaz, ulaşılmaz, dağlık bir sığınak!

Maveraünnehir'de ele geçen bayraklar İsfahan sokaklarında sergilendiği sırada, Hasan da Alamut dolaylarında bulunuyordu. Burası onun için bir esin kaynağı oldu. Daha Alamut'u uzaktan görür görmez, kendi yükselişinin, devletinin doğuşunun gerçekleşeceği yerin ancak burası olacağını anlamıştı. Alamut o sıralarda pek çok kent gibi, içinde birkaç askerin, birkaç köylünün, bir o kadar da esnafın, aileleri ile birlikte yaşadıkları tahkim edilmiş bir yerdi.

Başında, Nizamülmülk'ün atadığı, adı Mehdi Alayit olan bir vali bulunuyordu. Adamın bütün derdi ceviz, üzüm ve nar yetiştirmek ve sulamada kullanacağı suyu bulmaktı. İmparatorluktaki çalkantılar uykusunu hiç kaçırmıyordu.

Hasan önce, Alamut'lu birkaç müridini oraya salıverdi. Adamlar vaaz vermeğe ve mezhep değiştirtmeye başladılar. Birkaç ay sonra lidere, durumun elverişli olduğu haberini gönderdiler. Hasan, her zaman olduğu gibi, sufi bir derviş kılığında kente girdi. Çevreyi dolaştı, teftiş etti, denetledi. Vali bu mübarek adamı huzuruna kabul etti. Neyin hoşuna gideceğini sordu. Hasan:

— Bana bu kale gerek, diye yanıtladı.

Vali gülümsedi, dervişin şakacı bir adam olduğunu sandı. Ama konuğu hiç de gülümsemiyordu:

— Ben bu yeri almaya geldim. Karargâhındaki bütün adamlar benden yana, dedi.

Sonrası ne duyulmuş ne görülmüştür. Özellikle İsmaililer tarafından tutulmuş o günlerdeki tutanakları incelemiş olan doğubilimcileri, yanılmadıklarından iyice emin olmak için, onları birkaç kez okumak zorunda kaldılar. Bir de biz görelim:

XI. yüzyıl sonlarındayız, tam olarak 6 Eylül 1090 tarihinde. Haşhaşilerin dâhi kurucusu Hasan Sabbah, 166 yıl boyunca Tarih'in en korkunç tarikat merkezi olacak kaleyi ele geçirmek üzeredir. Oysa şuracıkta, valinin karşısında oturmuş, sesini yükseltmeden:

— Alamut'u almaya geldim diye tekrarlayıp durmaktadır.

— Bu kale bana Sultan adına verildi. Onu almak için para verdim.

— Ne kadar?

— Üç bin altın dinar!

Sabbah bir kâğıt alıp yazar: "Alamut kalesinin bedeli olarak Mehdi Alayit'e üçbin altın dinar ödensin. Bize Tanrı yeterlidir. Koruyucuların en iyisidir." Vali endişelendi. Derviş kılıklı bu adamın imzasının bu miktarda bir parayı ödetmeye yetmeyeceğini düşündü. Damgan kentine vardığında, hiç beklemeden altınını aldı.

XVIII

Alamut'un alındığı haberi İsfahan'a geldiğinde, telaş yaratmadı. İshafan daha çok, Nizam ile Saray arasındaki çekişmeyle meşguldü. Terken Hatun, ailesine karşı giriştiği eylemden ötürü, Nizam'ı affetmemişti. Melikşah'ı, güçlü vezirinden kurtulması için sıkıştırıyordu. Sultanın, babası öldüğü vakit bir vasi sahibi olması çok doğaldı, çünkü o tarihte daha onyedi yaşındaydı, oysa bugün otuzbeş yaşında olgun bir erkek olarak işlerin yönetimini *ata*'sına bırakamazdı, İmparatorluğun gerçek efendisinin kim olduğunun öğrenilmesinin zamanı gelmişti! Semerkant olayı, Nizam'ın gücünü kanıtlamak, efendisini aldatmak ve herkesin önünde onu küçük düşürmek istediğini göstermemiş miydi?

Melikşah harekete geçmede duraksayıp dururken, bir olay karar vermesini çabuklaştırdı. Nizam, Merv valiliğine kendi torununu atadı. İddialı, dedesinin gücüne güvenen delikanlı, herkesin önünde yaşlı bir Türk Emirine hakaret etmişti. O da ağlayarak Melikşah'a şikâyete gelmişti. Çileden çıkan Sultan, Nizam'a şöyle bir yazı gönderdi: "Sen benim yardımcımsan, bana itaat etmen ve yakınlarının adamlarıma çatmalarını önlemen gerekir; yok kendini, benimle eş düzeyde iktidar ortağı sanıyorsan, bilesin ki bundan böyle, gerekli kararları verme hakkı bana aittir."

İmparatorluğun önemli adamları ile gönderilen mesaja Nizam şöyle yanıt verdi: "Sultan'a sorun, bugüne kadar onun ortağı olduğumu ve şayet ben olmasaydım bu güce erişemeyeceğini bilmiyor mu? Babası öldüğünde işleri benim ele aldığımı, diğer taht vârislerini benim saf dışı bıraktığımı, bütün asileri etkisiz kıldığımı unuttu mu? Ülkenin en uç sınırına kadar sözü dinleniyorsa, benim sayemdedir. Evet, gidin söyleyin, külahının kaderi, benim hokkamın kaderine bağlıdır."

Heyettekiler donakaldılar. Nizamülmülk gibi akıllı bir adam, nasıl oluyor da Sultana, kendini azlettirecek hatta kellesini uçuracak sözler söyleyebiliyordu? Küstahlığı delilik derecesine mi varmıştı?

O gün bu davranışın nedenini tam olarak bilen bir tek adam vardı, o da Ömer Hayyam'dı. Haftalardan beri Nizam, kendisini iş yapamaz, gece uyuyamaz hale getiren korkunç ağrılardan şikâyetçiydi. Ömer onu uzun uzun muayene ettikten sonra, Nizam'da, çokça vakit bırakmayan, bir doku kanseri teşhis etmişti. Hayyam'ın bu acı gerçeği dostuna söylediği gece, çok hazin bir geceydi.

— Ne kadar zamanım kaldı?

— Birkaç ay.

— Daha fazla acı çekecek miyim?

— Acını hafifletmek için sana afyon verebilirim ama o zaman da sürekli uyuklar ve çalışamazsın.

— Yazı da yazamaz mıyım?

— Uzunca konuşma da yapamazsın.

— Öyleyse acı çekmeği yeğlerim.

Her cümleden sonra uzun süren bir sessizlik oluyordu.

— Ahretten korkar mısın Hayyam?

— Neden korkayım? Ölümden sonra ya hiçlik var ya da günahların bağışlanması.

— Ya yapmış olabileceğim kötülükler?

— Günahın ne denli büyük olursa olsun, Tanrı'nın bağışlaması daha büyüktür.

Nizam'ın içi rahatlamış gibiydi:

— İyilik de yaptım. Camiler, okullar yaptırdım, dinsizlikle savaştım.

Hayyam sözünü kesmediği için devam etti:

— Yüz yıl sonra, bin yıl sonra, beni hatırlayacaklar mı?

— Nereden bilirsin?

Nizam kuşkuyla Ömer'e bakıp devam etti:

— "Hayat yangına benzer. Oradan geçen, alevleri unutur, rüzgâr külleri üfürür, yaşamış olan insandır" dememiş miydin? Nizamülmülk'ün kaderi de bu mu olacak dersin?

Nefes nefeseydi. Ömer susuyordu.

— Arkadaşın Hasan Sabbah, ülkeyi baştan başa geçip, benim Türk'lerin uşağı olduğumu söylüyor. Gelecekte de söylenen bu mu olacak dersin? Beni, Arilerin yüz karası olarak mı anacaklar? Sultana otuz yıldır kafa tutan ve istediğini yaptıranın ben olduğum unutulacak mı? Orduları zaferler kazanırken başka ne yapılabilirdi? Bir şey söylemiyorsun?

Dalmış gibiydi:

— Yetmiş dört yıl, gözlerimin önünden geçiyor. Onca düş kırıklığı, onca pişmanlık, başka türlü yaşamak istediğim onca şey!

Gözleri kısılmış, dudakları büzülmüştü:

— Vay haline Hayyam! Hasan Sabbah onca kötülük yapabiliyorsa, senin yüzündendir!

Ömer, şöyle demeyi çok isterdi:

— Seninle Hasan'ın nice ortak yönleriniz var! Bir davayı benimseyecek olursanız— ki o ister bir İmparatorluk kurmak, ister İmam'ı hükümdar kılmak olsun— sonuç elde etmek için öldürmeyeceğiniz adam yoktur. Oysa benim için ölümle sonuçlanacak her dava, dava olmaktan çıkar. İstediği kadar güzel olsun, benim gözümde çirkinleşir, değersizleşir, bayağılaşır.

Ömer haykırmak istedi ama kendini tuttu, arkadaşını kaderi ile başbaşa bırakmayı yeğledi.

Bu korkunç geceden sonra Nizam kaderine razı oldu. Artık var olmayacağı düşüncesine alışmıştı. Devlet işlerinden uzaklaşmış, *Siyasetname* adını verdiği kitabına kendini vermişti. Bu, dört yüz yıl sonra Batı için Machiavelli'nin *Prens* adlı eseri ne ise, Müslüman Doğu için aynı paralelde, yönetme sanatı ile ilgili eşsiz bir yapıttı. Ancak ikisi arasında önemli bir fark vardı: *Prens*, siyasette düş kırıklığına uğramış, iktidardan yoksun kalmış bir adamın eseriydi, oysa *Siyasetname*, İmparatorluk kurmuş bir insanın eşi olmayan deneyiminin meyvesi idi.

Kısacası, Hasan Sabbah uzun süredir düşünü kurduğu ele geçirilmez sığınağını fethettiği sırada, İmparatorluğun güçlü adamının Tarih'teki yerini almaktan başka arzusu kalmamıştı. Sultana sonuna dek kafa tutmaya hazır, hoşa giden sözcükler yerine gerçeği yansıtan sözcükler kullanmayı yeğliyordu. Hatta artık, görkemli bir ölüm, çapına uygun bir ölüm beklediği söylenebilirdi. Bunu da elde edecekti.

Melikşah, Nizam'dan dönen heyeti kabul ettiğinde, söylenenlere inanamadı:

— Benim ortağım, benim eşitim olduğunu söyledi, öyle mi?

Elçiler, sıkkın bir halde onaylayınca, Sultan patladı. Vasisini kazığa oturtmaktan, canlı canlı doğramaktan, kalenin burçlarından sallandırmaktan söz etti. Sonunda Terken Hatun'a varıp, Nizam'ı tüm görevlerinden alacağını ve ölmesini istediğini söyledi. Ancak işi, Nizam'a sadık askeri birliklerin tepkisini yaratmadan çözümlemek gerekiyordu. Terken ile Cihan, çareyi bulmakta gecikmediler. Madem ki Nizam'ın ölümünü istiyenlerin başında Hasan Sabbah vardı, o halde Sultan'ın üzerine kuşkuları çekmeden, bu iş bu yolla yapılamaz mıydı?

Alamut'a bir birlik gönderildi. Birliğin başında Sultana sadık bir Emir bulunuyordu. Görünürde, İsmaililerin elindeki kaleyi almak söz konusuydu ama aslında, kuşku uyandırmadan görüşmede bulunmak amaçlanıyordu. Olayların akışı en ince ayrıntısına kadar gözden geçirildi. Sultan'ın, Nizam'ı İsfahan ile Alamut arasında bulunan Nihavend'e getirmesi kararlaştırıldı. Oraya gelindiğinde, Haşhaşiler işini bitireceklerdi.

O günden kalma metinlere bakılırsa, Hasan Sabbah adamlarını toplayıp şöyle demiş: "Bu ülkeyi, Nizamülmülk denilen beladan kim kurtaracak?" Aralarından, Arrani denilen biri "ben" dercesine elini göğsüne bastırmış, Alamut reisi de ona bu görevi vererek "Bu, iblisin ölümü, mutluluğun başlangıcıdır" demiş.

Bütün bunlar ola dursun, Nizam evine kapanmıştı. Yanına varıp gelenler, gözden düştüğünü öğrenince onu yalnız bırakmışlardı. Bir tek Hayyam ve Nizamiye muhafızları evine girip çıkıyorlardı. Nizam, vaktinin büyük bir kısmını yazmakla geçiriyordu. Büyük bir çabayla kalemine sarılmıştı ve arasıra Ömer'e, yazdıklarını gösteriyordu.

Hayyam, metni okurken bazen gülümsüyor, bazen surat asıyordu. Nice büyük adam gibi Nizam da, ömrünün sonbaharında, oklarını savurmaktan, hıncını çıkartmaktan kendini alamamıştı. Hele de Terken Hatun'dan... Kırküçüncü Bölüm, "Perde Arkasındaki Kadınlar" adını taşıyordu. Nizam şöyle demekteydi: "Eski günlerden birinde, krallardan birinin eşi kocasına hükmedermiş. Bunun sonucu olarak karışıklıklar ve anlaşmazlıklar çıkmış. Daha fazlasını söylemeyeceğim, herkes bu örneği başka çağlarda da bulabilir. Bir işte başarı elde edilmek isteniyorsa, kadınların dediklerinin aksini yapmak gerekir."

Daha sonraki bölümlerden altısı İsmaililere ayrılmıştı. Şöyle bitiyordu: "Bu mezhepten söz ettimse, dikkatli olunmasını uyarmak içindir... Sultanın sevdiği kişileri, bu imansızlar yok ettikleri vakit bu sözlerimi hatırlayın. Meydana gelen kargaşada hükümdar bilmelidir ki söylediklerim doğrudur. Tanrı Efendimizi ve Devletimizi kötülüklerden korusun!"

Sultan tarafından bir haberci gelip onu, Bağdat'a yapılacak bir yolculuk için çağırdığında, Vezir kendisini neyin beklediğinden emin gibiydi. Veda etmek üzere Hayyam'ı çağırttı.

Ömer:

— Senin durumunda bu kadar uzun yola çıkmamalısın dedi.

— Benim durumumda artık hiçbir şey farketmez. Beni öldürecek olan yol değil.

Ömer ne diyeceğini bilemedi. Öpüştüler ve vedalaştılar. İster ince işlerin doruk noktası, bilinçsizliğin en üst aşaması, ister aşırı sapıklık denilsin, gerek Sultan, gerek Vezir ölümle oynamaktaydı. Ölüm "noktasına" gelmeden önce, Melikşah "babasına" şöyle dedi:

— Daha ne kadar yaşayacağını sanıyorsun?

Nizam hiç duraksamadan cevap verdi:

— Uzun, çok uzun zaman.

Sultan öfkeliydi:

— Bana karşı küstahlığını geçsek bile, Tanrı'ya karşı da küstahsın! Yüce İradesi belli olduğu halde, nasıl böyle konuşursun? Yaşama da Ölüme de hükmeden O'dur!

— Böyle konuştum, çünkü geçen gece bir rüya gördüm. Peygamberimizi gördüm. Ne zaman öleceğimi sordum. İçimi rahatlatan bir cevap aldım.

Melikşah sabırsızlandı:

— Nasıl bir cevap?

— Peygamberimiz bana dedi ki: "Sen, İslam'ın temel direğisin. Çevrene iyilik yapıyorsun, senin varlığın müminler için değerlidir, ölüm vaktini seçme ayrıcalığını sana veriyorum." Ben de dedim ki: "Tanrı korusun, kim böyle bir seçimde bulunabilir ki? Hep daha çoğu istenir ve en uzak tarihi seçmiş olsam bile, o gün yaklaşıyor korkusu ile yaşar ve bir ay ya da yüz yıl sonra olsa bile, o günün öncesinde korkudan tirtir titrerim. Tarihi ben seçmek istemiyorum. İstediğim tek şey, Sultan Melikşah'ın ardına kalmamaktır. Onun büyüdüğünü, bana baba dediğini gördüm, onun öldüğünü görmek mutsuzluğunu ve acısını tatmak istemem." Peygamberimiz kabul buyurdular. "Sultandan kırk gün önce öleceksin" dediler.

Melikşah bembeyaz kesildi, titredi, neredeyse kendini ele verecekti. Nizam gülümsedi:

— Gördün mü? Hiç de küstah değilim. Artık uzun süre yaşayacağımı biliyorum.

Sultan, o sırada vezirini öldürtmekten vazgeçti mi? Geçseydi pek iyi yapmış olurdu. Çünkü rüya bir ima bile olsa, Nizam müthiş önlemler almıştı. Yola çıkmadan bir gün önce, muhafız subayları, Nizam öldürülecek olursa, düşmanlarından hiçbirini sağ koymayacaklarına dair Kitap üzerine yemin etmişlerdi!

XIX

Selçuklu İmparatorluğu, dünyanın en güçlü devleti olduğu dönemde, bir kadın iktidarı eline alma cüretini gösterebilmişti. Perde arkasında oturmuş, Asya'nın bir ucundan diğerine orduları sevkediyor, beyleri, vezirleri, kadıları, valileri atıyor, halifeye yazılacak mektupları yazdırıyor ve Alamut'un reisine elçiler gönderiyordu. Birliklere emirler yağdırdığını görüp de söylenen komutanlara: "Bizde savaşan erkeklerdir, ama kime karşı savaşacaklarını kadınlar söyler" diyordu.

Haremde ona "Çinli" denilirdi. Semerkant'da, Kaşgâr asıllı bir ailedendi ve tıpkı ağabeyi Nasır Han gibi, karışık soydan gelmediği yüzünden anlaşılıyordu. Ne Arab'ın Sami çizgilerini, ne Acem'in Ari çizgilerini taşıyordu.

Melikşah'ın en kıdemli karısı idi. Onunla evlendiğinde Melikşah dokuz, kız da onbir yaşındaydı. Sabırla olgunlaşmasını beklemişti. Çenesindeki ayva tüylerini okşamış, bedeninde ilk uyanışmayı görmüş, uzuvlarının gerildiğine, pazılarının şiştiğine tanık olmuştu. En sevilen, en sayılan ve özellikle sözü en çok dinlenen gözdeydi. Melikşah, bir aslan avı sonunda, kanlı bir yarışmanın bitiminde ya da Nizam ile yorucu bir çalışma yaptığı bir günün akşamında, huzuru Terken'in kollarında bulurdu. Üzerindeki tülleri çıkartır teni tenine değer, oynaşır, kükrer, keşiflerini ya da sıkıntılarını anlatırdı. "Çinli", kızışmış kaplanını sarmalar, okşar, onu bedeni ile bir kahraman gibi karşılar, uzun süre içinde tutar ve tekrar içine çekmek üzere koyuverirdi. Bir fetih gibi nefes nefese, olanca ağırlığı ile kendini koyuvermiş Sultanını, zevkin doruğuna çıkartmasını bilirdi.

Sonra usulca ince parmaklarıyla kaşlarını, gözkapaklarını, dudaklarını, kulak memelerini, nemli boynunu okşardı; kaplan bitkin düşerek mırıldanır, ağırlaşır, doymuş bir kedi gibi gülümserdi. Terken'in sözleri ruhunun derinliklerine kadar işler, Terken Melikşah'ı övücü sözler söyler, çocuklarından, yaptığı işlerden söz eder, şiirler okur, öğüt verici meseller söyler; Melikşah onun yanında bir saniye olsun sıkılmaz ve her geceyi onunla geçirmeye ahdederdi. Terken'i kendine göre, hoyratça, sertçe, çocukça, hayvanca sevmektedir ve son nefesine kadar sevecektir. Zaten Terken de en ufak bir isteğinin geri çevrilmeyeceğini bilir. Neyi nasıl fethedeceğini söyleyen Terken'dir. Bütün imparatorlukta Terken'in tek rakibi Nizam'dır ve 1092 yılına gelindiğinde, artık işini bitirmek üzeredir.

"Çinli" mutlu mudur? Nasıl olsun ki? Sırdaşı Cihan ile başbaşa kaldığında, ağlamaya başlamaktadır. Bunlar bir annenin gözyaşlarıdır. Haksızlığa lanetler yağdırmaktadır ve kimse onu, bu yüzden suçlamamaktadır. Oğullarından büyüğü Melikşah tarafından veliaht tayin edilmişti; bütün gezilere katılıyor, bütün törenlerde hazır bulunuyordu. Babası onunla o kadar övünüyordu ki, her yere taşıyor, bütün kentleri gezdiriyor, yerini alacağı günden iftiharla söz edip duruyordu. "Hiçbir sultan, oğluna bu kadar büyük bir İmparatorluk bırakmamıştır" diyordu. Terken'in çok mutlu olduğu o günleri karartacak hiçbir neden yoktu.

Sonra, veliaht öldü. Ani, acımasız, vurucu bir ateş. Kanı alındı, lapa konuldu, ne yapıldıysa fayda etmedi, iki gün içinde yuvarlanıp gitti. Nazar değdi diyenler, hatta zehir verildi diyenler oldu. Yasa boğulan Terken, yine de kendini toparladı. Yas bittiğinde oğullarından ikincisini veliaht ilân etti. Melikşah'ın çocuğa kanı çabuk ısındı, dokuz yaşında olmasına karşın ona görülmedik sıfatlar verdi. Zaten devir de görkem ve gösteriş devriydi: "Kralların Kralı, Devletin temel direği, Müminler Emirinin Muhafızı" gibi sıfatlar hiç de garipsenmiyordu. Uğursuzluk, nazar, ne denilirse denilsin, yeni veliaht da ölüme yenildi. Ağabeyi gibi aniden ve onun gibi kuşkulu biçimde...

"Çinli"nin bir oğlu daha vardı ve Sultan'dan onu da veliaht ilan etmesini istedi. Ama bu kez iş o kadar kolay değildi; çocuk bir buçuk yaşındaydı ve Melikşah'ın her biri daha büyük üç oğlu vardı. İkisi bir cariyeden olmaydı ama üçüncüsü teyzezadesinden olma Berkyaruk idi. Onu nasıl saf dışı bırakabilirdi? Hangi gerekçe ile? Anadan ve babadan Selçuklu kanı taşıyan bir şehzade kadar veliahtlığa layık olanı var mıydı? Nizam da böyle düşünüyordu. Türklerin aralarındaki çekişmeleri düzene sokmak isteyen, her zaman hanedanın devamına önem vermiş olan Nizam, son derece sağlam gerekçelerle, en büyük oğlun veliaht ilan edilmesi için ısrar etmişti. Ama boşuna. Melikşah, Terken'e karşı çıkmaktan çekinmişti. Terken'in oğlunu seçemediğine göre, kimseyi veliaht göstermeyecekti. Babası gibi, bütün ailesi gibi tahta bir vâris bırakmadan ölmeyi yeğliyordu.

Terken huzursuzdu, ancak kendi soyundan biri vâris ilan edildiği takdirde rahat edecekti. Bu yüzden, tutkularına set çeken Nizam'ın gözden düşmesini, herkesten çok o istiyordu. İdam fermanını elde etmek için, her yolu denemeğe hazırdı. Haşhaşiler ile yapılan görüşmeleri günü gününe izlemesinin nedeni de buydu. Sultan'a ve Vezir'e Bağdat yolunda eşlik ediyordu. İnfaz sırasında orada bulunmak istiyordu.

Bu, Nizam'ın son yemeği idi. İsa'nın son akşam yemeği gibi onunkisi de bir iftar yemeği idi. Ramazanın onuncu akşamında. Üst düzey görevlileri, saray erkânı, ordu komutanları, hepsi alışılmadık biçimde az yiyordu. Sofra, muazzam bir yurdun içinde kurulmuştu. Kölelerden bir kısmı meşale tutuyordu. Büyük gümüş sahanlar içinde en iyi deve veya kuzu parçaları, en besili keklik butları dizi dizi serilmiş, üzerlerine altmış aç el uzanmıştı. Etler parçalanıyor, bölünüyor, yutuluyordu. Önlerine güzel bir parça geldiğinde, ikram olsun diye yanlarında oturanlara veriyorlardı.

Nizam az yiyordu. O gece, her zamankinden çok ağrısı vardı. Göğsü alev alevdi. Karnının içini, görünmez bir devin eli kucaklıyordu. Dik durmak için büyük çaba sarfediyordu. Yanıbaşında oturan Melikşah, ikram edilen her parçayı kemirmekle meşguldu. Arasıra vezirine bir bakış fırlatıyordu. Korktuğunu sanmış olmalıydı. Birden elini bir incir tabağına uzattı, en olgun olanlarından birini seçti ve Nizam'a uzattı. Nizam kibarca inciri aldı, dişlerinin ucu ile dişledi. Tanrı tarafından, Sultan tarafından ve Haşhaşiler tarafından üç kat mahkûm edildiğini bilince, bir incirin tadı ne fark eder?

Sonunda iftar yemeği bitti, gece bastırdı. Melikşah aniden ayağa kalktı, bir an önce "Çinli"sinin yanına varmak istiyordu, vezirinin nasıl yüzünü ekşitip durduğunu anlatacaktı. Nizam ise dirseklerinin üzerinde doğruldu, zorlukla ayağa kalkabildi. Hareminin çadırı uzak değildi, teyzesinin kızı ona esaslı bir yatıştırıcı hazırlamış olacaktı. Atacağı adımların sayısı yüzü geçmezdi. Çevrede her zamanki gürültüler vardı. Askerler, hizmetçiler, seyyar satıcılar, arasıra bir cariyenin kıkır kıkır gülmesi...Yol ne kadar da uzun görünüyordu. Tek başına sürüklenir gibiydi. Her zaman yanında bir kaç insan olurdu ama, gözden düşmüş bir adamla kim birlikte görünmek ister? Her zamanki dilekçe sunucuları bile görünürlerde yoktu, gözden düşmüş bir ihtiyardan kim ne istiyebilirdi?

Yine de bir adamın yaklaştığı görüldü. Sırtında yamalı bir palto vardı. Bir takım dualar mırıldanıyordu. Nizam kesesini yokladı ve üç altın çıkardı. Daha hâlâ ona gelebilen şu adamı ödüllendirmek gerekirdi.

Bir parıltı, bir bıçak parıltısı, her şey bir anda oluverdi. Nizam, elin hareket ettiğini gördüğü anda, hançer giysisini, etini delip ciğerine saplandı. Bağırmak fırsatı bile olmadı. Sadece bir şaşırma, son bir nefes... Yere yıkılırken, o parıltıyı, o uzanan kolu ve o tükürük saçan ağzı görebildi: "Bu armağan sana Alamut'dan!"

İşte o an çığlıklar yükseldi. Katil kaçtı, çadır çadır arandı, bulundu, hemen orada boğazı kesildi, ayaklarından sürüklenip ateşe atıldı.

Bunu izleyen yıllarda, Alamut fedaileri hep aynı biçimde öldürüldüler, ne var ki artık kaçmaya gerek görmüyorlardı. Hasan onlara: "Düşmanlarımızı öldürmek yetmez. Bizler katil değil, infazcıyız. İbret olsun diye açıkça iş görmeliyiz. Bir kişiyi öldürmekle, bin kişiye dehşet salıyoruz. Yine de infaz etmek, dehşete düşürmek yeterli değildir. Ölmesini bilmek gerekir. Çünkü öldürmekle düşmanlarımızı harekete geçmekten caydırıyorsak, ölmekle halkın hayranlığını kazanıyoruz. Bize katılacak olanlar işte o halkın arasından çıkacak. Ölmek, öldürmekten önemlidir. Biz kendimizi savunmak için öldürüyoruz, mezheplerini değiştirmek ve fethetmek uğruna ölüyoruz. Fethetmek bir amaç, kendimizi savunmak bir araçtır" demişti.

Bunu izleyen günlerde toplu öldürmeler, genellikle cumaları, camilerde, herkesin biraraya geldiği namaz vakti yapılıyordu. Kurban, ister bir vezir, ister bir şehzade, ister din adamı olsun, ezan vakti çevresi kalabalık, halkın gözü üzerinde olur. Alamut fedaisi, oralarda bir yerlerde, en şüphe çekmiyecek kılıkta bekliyordur. Örneğin, saray muhafızı kılığındadır. Bütün gözler, seçilen kurbanın üzerinde olduğu sırada, darbeyi indirir. Kurban yıkılır, celladı kıpırdamaz. Öğretilen sözleri haykırır, meydan okuyan bir hal takınır, çileden çıkmış muhafızların kendisini paramparça etmelerini bekler. Mesaj verilmiştir; kim öldürülmüşse, onun yerine geçen kişi artık Alamut'a daha hoşgörülü davranacaktır; halk arasından da on, yirmi ya da kırk kişi onlara katılacaktır.

Bu inanılmaz sahneleri görenler, Hasan'ın fedailerinin afyonlu olduklarını tekrar edip durmuşlardır. Ölüme gülümseyerek gitmeleri, başka türlü nasıl açıklanır? Haşhaşın etkisinde oldukları görüşü, giderek ağırlık kazanır. Bunu Batı'ya duyuran da Marco Polo olur. İslam aleminde, bunlardan olmayanlar, onlara *haşhaşiyun* adını takmışlardır. Yani "haşhaş içiciler." Bazı doğubilimcileri bu deyimi, Avrupa dillerinde katil ya da câni anlamına gelen "assassin" sözcüğünün kökü saymışlardır. "Haşhaşiler"in yani "Assassins: Katiller"in öyküleri daha da ürkütücüdür.

Gerçeğin bir diğer yüzü vardır: Hasan adamlarını, Dinin Esasına bağlı anlamına gelen "Esasiyun" diye çağırmaktan hoşlanırmış. Anlamını kavrayamamış olan gezginlerin bu sözcüğü haşhaşiyun ile karıştırdıkları söylenir.

Sabbah'ın bitki tutkunu olduğu, bitkilerin tedavi edici, dinginleştirici, uyarıcı özelliklerini tanıdığı bilinirdi. Kendisi de bitki yetiştirip, adamlarını hasta olduklarında tedavi eder, her birine uygun ilacı hazırlardı. Beyindeki öğrenme gücünü artıran reçetesi ünlüydü. Bal, ceviz ve kişniş karışımı bir şeydi. Görüleceği gibi pek basit bir ilaç! İnatçı ve cazip geleneklerine rağmen gerçeği kabul etmek gerekir: Haşhaşilerin, çok bağnaz bir imandan başka uyuşturucuları yoktu. Ve bu iman, öğretilerin en bağnazı, örgütlerin en etkilisi, görev anlayışının en katısı ile sürekli pekiştiriliyordu.

Hiyerarşilerinin doruk noktasında Hasan Sabbah bulunuyordu, Büyük Usta, Yüce İmam, tüm Sırların Bilicisi diye tanınan! Çevresinde bir avuç propagandacı-misyoner bulunurdu. Bunlara *dai* denilirdi. Aralarından üçü, Hasan'ın başyardımcıları idi. Bu yardımcılardan biri, İran'ın doğusuna, Horasan'a, Kuhistan'a ve Maveraünnehir'e bakardı; ikincisi, İran'ın batısına ve Irak'a; üçüncüsü de Suriye'ye bakıyordu. Bu ekibin hemen altında *refik* denilen, hareketin yöneticileri vardı. Mükemmel bir eğitim görmüşlerdi; bir kaleyi, bir kenti hatta bir eyaleti yönetebilecek durumdaydılar. En yeteneklileri, günü geldiğinde misyoner çıkartılıyordu.

Hiyerarşinin en alt basamağında *lassek*'ler, yani örgüt üyeleri vardı. Bunları ne eğitime ne eyleme yetenekleri olurdu. Sadece mümin idiler. Çoğunlukla Alamut çevresindeki çobanlardan, kadınlardan ve yaşlılardan oluşurlardı.

Sonra *mucip*'ler yeni acemiler gelirdi. İlk eğitimlerinden sonra, yeteneklerine göre yönlendirilirlerdi. Ya mümin olurlar, ya refik olurlar ya da o zamanın Müslümanlarına göre Hasan Sabbah'ın gerçek gücünü oluşturan "fedai" sınıfına seçilirlerdi. Büyük Usta onları, iman sahibi, beceri ve direnç sahibi kişiler arasından seçerdi. Bunların okuma düzeyleri düşük olurdu. Misyoner olabilecek birini asla fedailer sınıfına almazdı.

Fedai'nin eğitilmesi, Hasan'ın büyük önem verdiği hassas bir işti. Hançerini saklamayı bilmek, aniden çıkartmayı becerebilmek, kurbanın tam kalbine saplayabilmek ya da kurban zırhlı ise şah damarını kesmek; posta güvercinlerini kendine alıştırmak, şifreleri akılda tutmak, Alamut ile süratli ve gizli haberleşme sağlamak, bazen bir yörenin lehçesini öğrenmek, yöresel şive ile konuşmasını bilmek, yabancı bir çevreye sızabilmek, bir çevreyle bütünleşmesini becerebilmek, infaz saati gelene kadar kuşku çekmemek, avı bir avcı gibi izlemek, yürüyüşünü, giyinişini, alışkanlıklarını, gezdiği yerleri akılda tutmak, yanına yaklaşılması zor biriyse yakınları ile ilişki kurup geliştirmek gibi şeyler öğretilirdi. Kurbanlardan birini öldürmek için, iki fedainin iki ay süresince, keşiş kılığı ile bir manastıra kapandıkları anlatılır. Bukalemun gibi renk değiştirme yeteneği, basit bir haşhaş kullanımı ile açıklanamaz. Her şeyden önce, tarikata girenin, çileden çıkmış kitlelerin onu param parça etmek üzere üstüne geldiğinde, ölümle burun buruna gelecek kadar imanlı olması gerekir.

Hasan Sabbah'ın, Tarih'in en korkunç ölüm makinasını yarattığını kimse yadsıyamaz. Yine de bu kanlı yüzyılın sonunda, bu örgütün karşısına bir başkası dikildi. O da katledilen Vezir'e bağlı olanların Nizamiye'si idi ki o da, belki daha kurnaz ve daha az gösterişli yöntemlerle ölüm saçmış ve etkileri, diğeri kadar yıkıcı olmuştu.

XX

Kalabalık, Sabbah'ın fedaisinden arta kalan parçalara hücum ettiği sırada, Nizam'ın henüz soğumamış cesedi başında ağlayan beş subay, her bir ağızdan: "Rahat uyu efendimiz; düşmanlarından hiç biri ardına kalmayacak" diye and içti.

Kimden başlamak gerekiyordu? Kara listeye alınanların sayısı çoktu ama, Nizam'ın talimatı açıktı. Beş subay, birbirlerine danışma gereği duymadılar. Ellerini cesedin üzerine uzatıp, dizlerini yere dayadılar. Hastalıktan tüy gibi olmuş ancak ölümün ağırlığı çökmüş cesedi birlikte kaldırdılar ve usulünce evine taşıdılar. Ağlamak için bir araya toplanmış olan kadınlar, ölüyü görünce ulumaya başladılar. Subaylardan biri öfkelenip: "Öcü alınmadıkça ağlamayın" diye bağırdı. Ağlayıcılar korkarak sustu, hepsi subaydan yana döndü. O uzaklaşmıştı bile. Tekrar çığırtkanlıklarını sürdürdüler.

Bir süre sonra Sultan geldi. İlk bağrışmalar başladığında Terken'in yanındaydı. Haber alması için gönderdiği bir harem ağası titreyerek döndü: "Nizamülmülk imiş efendimiz. Bir katil saldırmış. Geri kalan ömrünü sana vermiş efendimiz," dedi. Melikşah ile Terken bakıştılar. Sultan ayağa kalktı. Karaçul paltosunu sırtına aldı, karısının aynasına bakıp yüzünü tokatladı, ölünün yanına koştu. Son derece şaşkın ve üzgün görünmeyi ihmal etmedi.

Kadınlar, *ata'*sının yanına varması için ona yol verdiler. Eğildi, bir dua okudu, başsağlığı diledi ve için için sevinerek Terken'in yanına döndü.

Melikşah'ın tutumu garipti. Vasisinin kaybı ile işleri ele alacağı, İmparatorluğu kendisinin yöneteceği beklenirdi. Öyle olmadı. Aşırılıklarını frenleyen adamdan kurtulmanın sevinciyle kendini eğlenceye verdi. İş toplantıları kesiliverdi, elçi kabullerine son verildi, günler cirit ve av, geceler içki alemleri ile geçmeğe başladı.

Daha da kötüsü, Bağdad'a vardığında halifeye: "Kışları burasını başkentim yapmak istiyorum. Sarayından çık, kendine yer ara" diye haber göndertti. Ataları üçbuçuk asırdır Bağdat'ta yaşamış olan Peygamber'in Halifesi, işlerini yola koymak için bir aylık süre istemek zorunda kaldı.

Terken, otuz yedi yaşına gelmiş, dünyanın yarısına egemen bir hükümdara yakışmayan bu hafifliklerden endişe duyuyordu ama, Melikşah da buydu işte, hafifliklerine göz yumup, kendi otoritesini kurmaya kalktı. Emirler ve memurlar artık ona başvuruyorlardı. Bunlar, Nizam'a sadık adamların yerlerini almıştı. Sultan'a, iki oyun ya da iki içki kadehi arasında, sadece işin onaylanması kalıyordu.

18 Kasım 1092 günü, Melikşah Bağdat'ın kuzeyinde, ormanlık ve bataklık bir yörede ava çıkmıştı. Attığı oniki oktan sadece biri hedefi vuramamıştı, yanındakiler övgü yarışındaydılar. Açık hava ve yürüyüş, Sultan'ın iştahını açmıştı. Bunu küfürlerle belirtti. Köleler işe koyuldular. Oniki kadar köle vardı ve vurulan hayvanları temizleyip, kesip, biçip şişe geçiriyorlardı. En yağlı parça hükümdara aitti. Eliyle alıp dişliyor, bir yandan da mayalandırılmış içkisini içiyordu. Arasıra da bir turşu atıştırıyordu. Bu onun en sevdiği yiyecekti ve aşçısı her gittikleri yere turşu taşırdı.

Birden korkunç bir karın ağrısı ile avaz avaz bağırmaya başladı. Yanındakiler titrediler. Sultan hırsla bardağını fırlattı, ağzındakini tükürdü. İki büklüm olmuştu. İçi boşaldı, sayıklamaya başladı, bayıldı. Çevresindekiler şaşkın, korkudan titriyorlardı. İçkiye kimin zehir koyduğu hiçbir zaman öğrenilemedi. Yoksa turşuya mı? Yoksa av etine mi? Ama insanlar hesapladılar: Nizam öleli otuzbeş gün olmuştu. "Kırk güne kadar" dememiş miydi? İntikamcıları zamanı ayarlamasını bilmişlerdi.

Terken Hatun, olayın cereyan ettiği yere bir saatlik mesafede, Saltanat karargâhında bulunuyordu. Hareketsiz ama henüz ölmemiş olan Sultanı bulunduğu yere getirdiler. Tüm meraklıları uzaklaştırıp sadece Cihan'ı ve iki üç sadık adamını bir de Saray hekimini alıkoydu.

— Efendimiz iyileşebilecek mi? diye sordu

— Nabız hafifliyor. Tanrı ışığına son verdi, sönmeden önce titreşiyor. Dua etmekten başka yapacak bir şey yok.

— Yüce Allah'ın buyruğu buymuş. Söyleyeceklerime kulak verin.

Bu sözleri dul kalacak bir kadın tavrıyla değil, bir imparatoriçe edası ile söyledi.

— Bu çadırın dışında hiç kimse, Sultanın artık aramızda olmadığını bilmeyecek. Yavaş yavaş iyileştiğini, dinlenmesi gerektiğini, kimsenin kendisini göremiyeceğini söyleyin sadece.

Terken Hatun'un öyküsü kadar kısa ve kanlı bir öykü olamaz. Daha Melikşah'ın kalbi durmadan, adamlarına, o sırada dört buçuk yaşında olan Sultan Mahmud'a sadakat yemini ettirdi. Sonra Halifeye bir haberci göndererek, kocasının öldüğünü, oğlunun verasetini onaylanmasını istedi. Buna karşılık Halife, ülkesinde rahat bırakılacak ve İmparatorluk topraklarında okunan hutbelerde adı saygıyla anılacaktı.

İsfahan'a doğru yola çıktıklarında, Melikşah öleli birkaç gün olmuş ama, "Çinli" haberi birliklerden gizlemeyi sürdürmüştü. Ceset, altı atın çektiği ve üzeri çadırla örtülü bir arabaya konulmuştu. Ama hile sürüp gidemezdi. Tahnit edilmemiş ceset, çürüyüp varlığını belli etmeden canlılar arasında daha fazla kalamazdı. Terken ondan kurtulmak istedi ve böylece: "Sayılan ve sevilen Sultan, Yüce Şehinşah, Doğu'nun ve Batı'nın Hükümdarı, İslam'ın ve Müslümanların temel direği, Dünyanın ve Ahiretin Medar-ı iftiharı, Fetihler Babası, Yüce Tanrı'nın Halifesinin tek dayanağı" bir gece yarısı, alelacele, bir yolun kenarına gömülüverdi. O gün bugün kimse mazarını bulamadı. Tarihçiler böylesine güçlü bir hükümdarın, duasız, törensiz, gözyaşsız gömüldüğü ne görülmüştür ne duyulmuştur, diye yazdılar.

Sultan'ın yok olduğu duyuluverdi ama Terken mazereti bulmuştu: Ordunun ve Saray erkânının başkentten uzak olduğu bir sırada haberin, düşman tarafından duyulmasını istememişti. Aslında, oğlunu tahta oturtmak ve dizginleri ele geçirmek için vakit kazanmıştı.

O günün tarihçileri yanılmadılar. İmparatorluk birliklerinden söz ederlerken: "Terken Hatun'un Orduları" diyorlardı. İsfahan'dan söz ederlerken: "Hatun'un başkenti" diyorlardı. Çocuk Sultan'a gelince –ki neredeyse unutulmuştu– "Çinli'nin çocuğu" diyorlardı.

Terken'in karşısına Nizamiye subayları dikilmişti. Kara listenin ikinci sırasında Terken Hatun vardı. Melikşah'tan hemen sonra! Şah'ın büyük oğlu Berkyaruk'ı destekliyorlardı. Çevresinde toplanıyor, tavsiyelerde bulunuyor, savaşa hazırlıyorlardı. İlk çatışmalar lehlerine sonuçlanmış, Terken, çevresi kuşatılan İsfahan'a çekilmek zorunda kalmıştı. Ama yenilgiyi kolay kolay kabul edecek kadınlardan değildi. Kendini savunurken, ünü günümüze kadar gelen hilelere başvurmuştu.

Örneğin eyalet valilerine şöyle yazmıştı: "Dulum, reşit olmayan, adım atmasını öğretecek bir babası olmayan bir çocuğun sorumluluğunu taşıyorum. Kim, senden daha iyi bu işi yapabilir ki? Birliklerinin başına geçip, doğru buraya gel, Isfahan'ı kurtaracak, bir fatih gibi kente gireceksin. Seninle evleneceğim, iktidar senin olacak." Hile tutmuştu. Valiler, emirler Azerbaycan'dan, Suriye'den koşup geldiler, İsfahan kuşatmasını kaldıramadılarsa da, Sultan'ın rahat aylar geçirmesini sağladılar.

Terken, Hasan Sabbah ile de ilişki kurdu: " Sana Nizamülmülk'ün kafasını vaad etmemiş miydim? Sözümde durdum. Şimdi sana İmparatorluğun başkenti İsfahan'ı sunuyorum. Bu kentte pek çok adamın olduğunu biliyorum. Niye karanlıkta yaşasınlar? Ortaya çıkmalarını söyle, altın ve silah sahibi olabilecek, açık açık vaaz verebileceklerdir." Gerçekten de, tüm o baskı yıllarından sonra, İsmaililer su yüzüne çıktılar. Tarikata girmeler çoğaldı. Bazı mahallelerde, Hatun adına silahlı çeteler kurdular.

Terken'in en son hilesi, en korkunç olanıydı: Yanındaki emirler, günün birinde karşı karargâha gittiler ve Berkyaruk'a Hatun'u terk ettiklerini, birliklerinin isyana hazır olduğunu, kendileriyle birlikte kente girecek olursa, bir işaretleriyle ayaklanmayı başlatabileceklerini söylediler. Terken ve oğlu öldürülecek, Berkyaruk tahta rahatça oturacaktı. Yıl 1094'tür ve tahta hak iddia eden kişi henüz onüç yaşındadır. Öneri hoşuna gitmiştir. Emirlerinin bir yıldır kuşattıkları halde ele geçiremedikleri kenti, tek başına almaya gidecektir! Hiç duraksamamış, ertesi gece gizlice karargâhtan çıkarak, Terken'in adamları ile Kahab Kapısında buluşmuştur. Kapı, sihirliymişçesine kendiliğinden açılmıştır. Kararlı adımlarla içeriye girmiş, çevresindekilerin keyfini zafere yormuştur. Adamlar yüksek sesle güldüklerinde susmalarını söyler, onlar da saygıyla, söz dinler gibi yaparak, makaraları koyuverirler.

Bu kadar neşenin kuşku verici olduğunu farkettiğinde artık çok geçtir. Onun hareketsiz hale getirip, ellerini, ayaklarını, gözlerini bağlarlar, Harem Kapısına götürürler. Başağa uyanarak, Terken'e haber vermeğe koşar. Oğlunun rakibi hakkında kararı verecek olan odur. Boğmak mı gerekecek yoksa sadece gözlerine mil çekmek mi? Ağa, loş koridorlardan geçtiği sırada, bağrışmalar, ağlaşmalar, çığlıklar duyar. Yasak bölge olmasına rağmen, subaylar meraklanıp içeriye girerler ve geveze bir hizmetçiden haberi alırlar: Terken Hatun yatağında ölü bulunmuştur. Yanında, onu boğan kuş tüyü yastık durmaktadır. Güçlü kuvvetli bir harem ağası sırra kadem basmıştır. Onu hareme alan hizmetçi, birkaç yıl önce Nizamülmülk'ün tavsiyesi ile geldiğini hatırlar.

XXI

Terken Hatun yandaşları, garip bir çıkmazla karşı karşıya idiler. Bir yandan Sultanları ölmüştü, öte yandan en büyük rakibi ellerinde tutsaktı. Bir yandan başkentleri kuşatılmıştı, öte yandan kuşatan ellerine düşmüştü. Onu ne yapacaklardı? Çocuk Sultan'ın sorumluluğunu, Terken yerine Cihan üstlenmişti. O güne kadar binbir görüş sahibi olduğu halde, Hatun'un kaybı ile üzerine bastığı toprak kaymıştı. Kime başvurmalı, kime danışmalıydı? Ömer'den iyisi bulunamazdı.

Ömer geldiğinde, Cihan'ı Terken'in yatağına oturmuş, başı eğik, saçları dağınık durumda buldu. Çocuk Sultan, baştan aşağı ipek kaftanı ve ipek sarığı ile yanı başında oturuyordu. Minderinin üzerinde hareketsizdi. Yüzü kırmızı ve sivilceli, gözleri yarı kapalı, canı sıkılıyormuş gibiydi.

Ömer Cihan'a yaklaştı. Sevecenlikle elini tuttu, avucuyla yüzünü okşadı. Alçak sesle:

— Terken Hatun'u söylediler. Beni çağırtmakla iyi ettin dedi.

Saçlarını okşayacakken, Cihan elini itti:

— Seni, beni teselli edesin diye çağırtmadım. Önemli bir konuda danışmak istedim.

Ömer bir adım geri attı, kollarını kavuşturdu ve dinlemeğe başladı:

— Berkyaruk'a tuzak kurulmuştu, şimdi bu sarayda tutsak. Onu burada tutup tutmama konusunda adamlarımız ikiye bölündü. Bazıları, özellikle bu tuzağı kurdukları için hesap verme korkusu içinde olanlar, onu öldürmek istiyor. Bazıları da onunla anlaşıp tahta geçirmek istiyor, gözüne girmek ve yapılanı unutturmaktan yana! Bir kısmı da onu rehin tutup kuşatmacılara karşı pazarlık konusu yapmak istiyor. Sence ne yapmalıyız?

— Beni kitaplarımdan bunu sormak için mi ayırdın?

Cihan öfkeyle ayağa kalktı:

— Konu yeterince önemli değil mi sence? Hayatım buna bağlı.

111

Binlerce insanın, bu kentte, bu İmparatorlukta yaşayanların kaderi bu karara bağlı. Ve sen, Ömer Hayyam, bu kadar basit(!) bir şey için rahatsız edilmek istemiyorsun!

— Evet efendim, bu kadar basit bir şey için rahatsız edilmek istemiyorum!

Kapıya doğru gitti, kapıyı açacakken tekrar Cihan'a döndü:

— Bana hep suç işlendikten sonra danışılıyor. Şimdi dostlarına ne söylememi istiyorsun? Çocuğu bırakın desem, yarın boğazlarını kesmeyeceği ne malum? Rehin tutun ya da öldürün desem, onlarla suç ortağı olurum. Beni bu kavganın uzağında tut Cihan, sen de uzağında kal.

Ona acıyarak baktı.

— Bir Türk sultanının veledi bir başka veledin yerine geçiyor, bir vezir, bir diğerini deviriyor, Tanrı aşkına Cihan, ömrünün en güzel yıllarını bu canavarların kafesinde nasıl geçirirsin? Bırak birbirlerini boğazlasınlar, birbirlerini öldürsünler. Güneş daha mı az parlayacak, şarap daha mı tatsız olacak?

— Yavaş konuş Ömer, çocuğu uyandıracaksın. Yan odalarda dinleyen vardır.

Ömer diretti:

— Beni görüşümü almak için çağırtmadın mı? Açıkça söylüyorum işte: bu odadan çık, bu saraydan çık, arkana bakma, veda etme, eşyanı bile toplama, gel, elini ver, evimize dönelim, sen şiirlerini yazarsın, ben yıldızlarımı incelerim. Her gece, çıplak, koynuma girersin, şarabın kokusu bize şarkılar söyletir, bizim için dünya durur, onu görmeden, onu duymadan üzerinden geçeriz, ne çamuru ne de kanı bulaşır ayağımıza.

Cihan'ın gözleri buğulandı.

— O masum günlere geri dönebilsem, tereddüt eder miydim? Ama artık çok geç. Çok ileri gittim. Yarın, Nizamülmülk'ün adamları İsfahan'ı ele geçirecek olurlarsa, beni bağışlamazlar. Kara listelerinin en başında benim adım var.

— Nizam'ın en yakın dostuydum. Seni korurum, evime girip karımı almazlar.

— Gözlerini dört aç Ömer. Bu adamları tanımıyorsun sen, tek düşünceleri öç almak. Dün, Hasan Sabbah'ın kellesini kurtardığın için suçladılar seni; yarın Cihan'ı sakladığın için suçlarlar ve benimle birlikte seni de öldürürler.

— Olsun, yine de birlikte oluruz, kendi evimizde! Kaderimde seninle ölmek varsa, buna katlanırım.

Cihan doğruldu:

— Ben katlanmam! Ben bu sarayda, bana sadık adamlarla birlikte artık bana ait olan bir kentte yaşıyorum. Sonuna kadar savaşacağım, öleceksem bir sultan gibi ölürüm.

— Sultanlar nasıl ölürlermiş? Zehirlenerek mi, boğularak mı, boğazlanarak mı? Yoksa doğururken mi? Şatafat, felaketi önlemez.

Uzun süre sessizce bakıştılar. Sonra Cihan yaklaşarak Ömer'in dudaklarına, ateşli olmasına çalıştığı, bir buse kondurdu. Kısa bir süre onun kollarında kaldı, ama Ömer kendini çekti. Buna benzer veda sahnelerine dayanamıyordu. Son bir kez yalvardı:

— Aşkımıza en ufak bir önem vermeye devam ediyorsan, benimle gel Cihan. Bahçede sofra kurulu, Sarı Dağlar'dan kopup gelen hafif bir esinti var. İki saat içinde sarhoş olup gider yatarız. Hizmetçilere, İsfahan sahip değiştirirken bizi uyandırmamalarını tembih ederim.

XXII

O gece İsfahan rüzgârları kayısı kokuyordu. Ama sokaklar ölüydü! Hayyam rasathanesine kapanmıştı. Genelde, oraya girer, gözlerini gökyüzüne diker, usturlabının pürüzlü tekerini eline alıp dünyayı unuturdu. Ama bu kez öyle olmamıştı. Yıldızlar sessizdi, ne bir müzik sesi, ne bir mırıltı, ne de sır verme...

Ömer ısrar etmedi, susmaları için bir nedenleri olmalı idi. Eve dönmeye karar verdi, ağır adımlarla yürüyordu. Ellerinde kâh çimlere kâh asi bir fidana konan çiy tanecikleri vardı.

Şimdi ışıkları söndürmüş, yatağına uzanmıştı. Kollarında hayali bir Cihan, gözleri şaraptan ve ağlamaktan kıpkırmızı... Sol yanında, yerde bir sürahi, bir gümüş kupa duruyor, eliyle uzanıp düşünceli bir yudum alıyordu. Kendi kendine, Cihan ile, Nizam ile hayali konuşmalar yapıyordu. Özellikle de Tanrı ile. Çözülmekte olan bu evreni O'ndan başka kim tutabilir?

Ömer, başı buğulu, bitkin, ancak şafak sökerken dalabildi. Kaç saat uyumuştu? Ayak sesleriyle uyandı. Güneş yükselmiş, perde aralığından gözlerine girer olmuştu. Ancak o zaman, kapının eşiğinde gürültüyle gelmiş olan adamı gördü. Uzun boylu, bıyıklı bir adamdı. Eliyle kılıcının kabzasını okşuyordu. Başındaki sarık acı yeşil renkteydi. Omuzlarına Nizamiye ordusunun kısa üstlüğünü atmıştı. Hayyam esneyerek:

— Kimsin? Uykumu bölme hakkını nereden buldun? diye sordu.

— Üstadım, beni Nizamülmülk'ün yanında hiç görmediniz mi? Onun muhafızı idim, onun gölgesi idim. Bana Ermeni Vartan derler.

Ömer anımsadı, ama içi rahat etmedi. Boynuna dolanmış bir ip, ta barsaklarına kadar onu sıkar gibiydi. Korktuğunu belli etmek istemedi.

— Muhafızı ve gölgesi mi dedin? Onu korumak sana düşmez miydi?

114

— Uzak durmamı emretmişti. Öyle bir ölümü istediğini bilmeyen yok. O katili öldürsem bile bir başkası türerdi. Efendim ile kaderi arasına girecek kişi miyim?

— Ne istiyorsun?

— Geçen gece birliklerimiz İsfahan'a sızdı. Karargâh bize katıldı. Sultan Berkyaruk kurtarıldı. Artık burası onun kenti.

Hayyam bir hamlede ayağa kalktı:

— Cihan!

Bu bir çığlık ve aynı zamanda kaygılı bir soruydu. Vartan bir şey söylemedi. Endişeli yüzü, askerce tavrına hiç uymuyordu. Ömer, gözlerinde sanki korkunç bir itiraf gördü. Subay mırıldandı:

— Onu kurtarmayı çok isterdim. Yüce Hayyam'a eşini sağ salim getirmekle övünmüş olacaktım. Ama geç kalmıştım. Bütün saray halkı, askerler tarafından öldürüldü.

Ömer subayın üzerine atıldı:

— Bana bunu haber vermek için mi geldin?

Öbürünün eli hâlâ kılıcının kabzasındaydı. Kınından çıkarmadı.

İfadesiz bir sesle devam etti:

— Ben başka bir şey için geldim. Nizamiye subayları senin ölmen gerektiğine karar verdiler. Arslanı yaraladığın takdirde, işini bitirmek gerekir diyorlar. Seni öldürme görevi bana verildi.

Hayyam aniden duruldu. Son anda vekarını kaybetmemek! İnsan kaderinin bu doruk noktasına ulaşmak için yaşamlarını feda etmiş nice bilge vardır! Yaşamak için savunmaya geçecek değildi. Aksine, korkusunun her saniye azaldığını hissediyor, daha çok Cihan'ı düşünüyordu. Onun da vakur kaldığından emindi.

— Karımı öldürenleri asla affetmezdim, ömür boyu onların düşmanı olurdum, günün birinde kazığa oturtulacaklarını düşlerdim. Benden kurtulmak istemekte haklısınız.

— Benim düşüncem bu değil üstadım. Karar veren beş subaydık. Hepsi ölümünü istedi, bir ben muhalif kaldım.

— Hata etmişsin. Arkadaşların daha akıllıca davranmışlar.

— Seni Nizamülmülk ile çok sık gördüm. Baba oğul gibiydiniz. Karının davranışlarına rağmen seni hep sevdi. Aramızda olsaydı, seni mahkûm etmezdi. Karını da, senin hatırın için affederdi.

Hayyam adamı süzdü, sanki onu yeni fark eder gibiydi:

— Madem ölmemi istemiyorsun, öldürmeye neden sen geldin?

— Adaylığımı koyan ben oldum. Diğerleri seni öldürürlerdi. Benim niyetim seni kurtarmak. Yoksa seninle böyle durup konuşur muydum?

— Arkadaşlarına nasıl açıklayacaksın?

— Açıklamayacağım. Gideceğim. Seninle birlikte.

— Bunu, sanki uzun zamandan beri verilmiş bir karar gibi, ne kadar sakince söylüyorsun!

— Ama doğru. Ben düşünmeden hareket etmiyorum. Nizamülmülk'ün en sadık hizmetkârı idim, ona inancım tamdı. Tanrı isteseydi, onu korumak için canımı verirdim. Ama çok eskiden beri, Efendim öldüğü takdirde ne oğullarına, ne vârislerine hizmet etmemek, askerlikten ayrılmak kararı vermiştim. Ölüm biçimi, ona son bir hizmette bulunmamı gerektirdi: Melikşah'ın ölümünde benim de parmağım var ve bundan pişmanlık duymuyorum. Vasisine, atasına, onu doruğa çıkartmış adama ihanet etti, ölmeyi hak etmişti. Öldürmem gerekti, yine de katil olmadım. Bir kadını asla öldürmezdim. Arkadaşlarım Hayyam'ı da kara listeye alınca, yaşam biçimimi değiştirmenin, bir keşiş ya da gezginci ozan kılığına girmenin sırası geldi diye düşündüm. Beni dinlersen üstadım, alacağını al ve bir an evvel bu kentten uzaklaşalım.

— Nereye gitmek için?

— İstediğin yere. Her yerde peşinden gelirim, bir mümin gibi. Kılıcım hizmetindedir. Ortalık yatışınca döneriz.

Subay atları eyerlerken, Ömer de elyazması kitabını, yazı takımını, matarasını ve bir kese altınını aldı. İsfahan'ı boydan boya geçtiler, batıdaki Mazbin mahallesine kadar askerler tarafından durdurulmadılar. Vartan'ın tek bir sözü ile kapılar açılıyor, nöbetçiler saygı ile yol açıyorlardı. Bu denli kolaylık, Ömer'in tuhafına gitti ama yine de yol arkadaşına soru sormadı. Şimdilik ona güvenmekten başka çaresi yoktu.

Yola çıkalı bir saat olmuş olmamıştı ki, çığrından çıkmış bir kalabalık Hayyam'ın evini yağmalamaya ve ateşe vermeye başladı. Öğleden sonra olduğunda rasathane çoktan yerle bir edilmişti. Aynı anda Cihan'ın bedeni, Saray duvarının dibinde toprağa verilmişti.

Yattığı yeri belirten hiçbir işaret yoktu.

Semerkant Elyazması'ndan bir alıntı:
"Üç arkadaş, İran'ın yüksek yaylalarında geziniyordu. Karşılarına bir pars çıktı. Yeryüzünün en vahşi yaratığı idi.

"Pars üç adama uzun uzun baktı ve onlara doğru koşmaya başladı. Birincisi, en yaşlı, en zengin, en güçlü olanıydı. Haykırdı: 'Bu yörelerin efendisi benim, bana ait toprakları bir hayvanın altüst etmesine asla izin vermem.' Yanındaki iki av köpeğini parsın üzerine saldı. Köpekler parsı ısırdılar, ama bu onu daha güçlü kıldı. İki köpeği de öldürdü ve sahiplerine saldırdı, karnını deşti."

"Nizamülmülk'ün kısmetine düşen buydu.

"İkincisi kendi kendine: 'Ben bir bilim adamıyım, herkes beni sayar, neden kaderimi bir parsla köpeklere terk edeyim?' dedi, arkasını dönerek savaşın sonucunu beklemeden kaçıp gitti. O günden beri bir mağaradan diğerine, bir kulübeden diğerine, pars onu izliyor inancı ile dolaşıp duruyor.

"Ömer Hayyam'ın kısmetine düşen buydu.

"Üçüncüsü bir iman adamıydı. Parsa ellerini açarak yaklaştı, gözleri hükmediyor, ağzı laf yapıyordu: 'Bu topraklara hoş geldin. Arkadaşlarım benden zengindi, onları soydun; benden gururluydu, başlarını eğdirdin' dedi. Hayvan dinliyordu. Büyülenmiş, yola gelmiş gibiydi. Üçüncü adam onu evcilleştirmeyi becerdi. O günden sonra hiçbir pars ona yaklaşamadı, insanlar da uzak durdu."

Semerkant Elyazması şu sonuca varıyor: "Karışıklıklar başlamaya görsün, kimse durduramaz, kimse kaçamaz, bazıları da yararlanmanın yollarını arar. Hasan Sabbah, yeryüzündeki vahşeti evcilleştirmeyi herkesten iyi becermiştir. Kendi minicik diyarı Alamut'a sığınmak için, çevresine korku salmıştır."

Hasan Sabbah, kaleyi ele geçirince, onu dış dünyadan yalıtlamak için çalışmalara girişti. Her şeyden önce, düşmanın sızmasını önlemek istiyordu. Akıllıca yapılmış binalar ve yörenin olağanüstü özellikleri sayesinde, iki tepe arasındaki geçitleri kapattı.

Ama Hasan için bu kadarı yeterli değildi. Saldırı ile Alamut'u ele geçirmek olanaksız bile olsa, saldırganlar onu açlığa ve susuzluğa mahkûm edebilirlerdi. Bu çoğu kuşatmanın elde ettiği sonuç olmuştur ve Alamut kalesi pek az içme suyu kaynağına sahip olduğu için, zayıftır. Büyük İmam bunun da yolunu buldu. Suyunu komşu derelerden alacak yerde, dağları delerek, görülmedik boyutlarda sarnıçlar yerleştirtti. Yağmur ve kar sularını bu sarnıçlarda topladı. Kalenin kalıntıları gezildikte, Hasan'ın inzivaya çekildiği büyük odada, boşaldıkça dolan ve doldukça suları asla taşmayan "mucize havuz"u görmek mümkündür.

Erzak için de, Büyük İmam, içinde yağ, sirke, bal muhafaza

edilen kuyular açtırdı. Bir yıl yetecek kuru yemişler, kuzu yağı, kavurma, arpa kodurtmayı ihmal etmedi. Bunca erzak, kuşatmacıların dayanma gücünü aşıyordu, özellikle kış aylarının onca sert geçtiği yörede...

Böylece Hasan, kusursuz bir kalkana sahip olmuştu. Bu önlemlerle mutlak bir savunma silahı edindi. Kendisine bağlı fedailerle de mutlak bir saldırı silahına! Ölmeye hazır olana karşı ne gibi önlem alınabilir? Her türlü savunma caydırıya dayanıyordu ve bilindiği gibi önemli kişiler, her saldıranı korkutacak yapıda muhafızlara sahipti. Ama saldırgan ölmeye hazır ise? Şehit olmakla cennetin kapılarını açtığına inanmışsa? Büyük İmam'ın şu sözleri aklından hiç çıkmıyorsa: "Siz bu dünya için değil, öteki dünya için yaratılmışsınız. Hiç balık, denize atılma tehdidinden korkar mı?" Hele fedai, kurban edeceği adamın çevresine sızabilmişse? Onu durduracak hiçbir şey yapılamaz. Günün birinde Hasan, valilerden birine: "Ben Sultan kadar güçlü değilim ama, sana onun verebileceğinden daha fazla zarar veririm! diye yazmıştı.

Akla gelebilecek en esaslı savaş araçları ile donanan Hasan Sabbah, kalesine çekilmiş ve bir daha oradan hiç ayrılmamıştı. Yaşam öyküsünü yazanlar, ömrünün son otuz yılında evinden iki kez, o da dama çıkmak için ayrıldığını yazmışlardır. Sabah akşam, yıpranmış ama asla değiştirmediği bir hasırın üzerinde oturur, öğretir, yazar ve fedailerini düşmanın peşine salardı. Günde beş kez, aynı hasırın üzerinde, ziyaretçileri ile birlikte namaz kılardı.

Alamut kalıntılarını hiç gezmemiş olanlara söylemek gerekirse, bu kale sadece zor alınan bir yer, bir kayanın tepesinde bir kenti en azından bir kasabayı barındıracak büyüklükte bir yayla olmaktan ibaret olsaydı, tarihte bu denli ün salmazdı. Haşhaşiler döneminde doğudaki dar bir tünelden aşağı kaleye varılırdı; *meydanı* geçtikten sonra yukarı kaleye ulaşılırdı. Yukarı kale, yatık bir şişeye benzerdi, geniş yanı doğuda, dar yanı batıdaydı. Dar yanı sıkı korunurdu. Hasan'ın evi, işte bu dar boğazın ucundaydı. Tek penceresi bir uçuruma açılırdı. Kale içinde kale idi.

İşlettiği kanlı cinayetler, çevresinde oluşan efsane, tarikatı ve kalesi nedeniyle, Haşhaşilerin büyük İmam'ı, Doğu'da ve Batı'da sürekli korku salmıştı. Her İslam kentinde yüksek görevliler öldürülmüş, haçlılar da önemli kayıplar vermişti. Ama terörün, önce Alamut'ta hüküm sürdüğü, genellikle unutulmaktadır. Sıkıyönetimden beter ne olabilir? İmam Hazretleri, müminlerinin her saniyesini kendisi düzenlemek iddiasındaydı. Ne kadar çalgı aleti varsa yasaklanmıştı; en küçük bir kaval derhal ateşe atılır, sahibi prangaya vurulur, kırbaçlanır ve sonunda topluluktan atılırdı. İçkinin cezası daha ağırdı. Hasan'ın öz oğlu, bir akşam babası tarafından çakır keyif yakalanınca, ölüme mahkûm edilmişti; annesinin yalvarmalarına karşın sabaha karşı kafası uçurulmuştu. İbret olsun diye! Hiç kimse, tek bir yudum şarap içemez olmuştu böylece.

Alamut adaleti, çabuk işleyen, baştan savma bir adaletti. Anlatıldığına göre, Hasan'ın ikinci oğlu, bir adam tarafından suçlanmış, eğrisi, doğrusu araştırılmadan, Hasan sonuncu oğlunun kellesini uçurmuştu. Birkaç gün sonra, gerçek suçlu itiraf etmiş, o da kellesinden olmuştu.

Büyük İmam'ın yaşam öyküsünü yazanlar, adaletini ve tarafsızlığını göstermek için, oğullarının öldürülüşünü örnek gösterirler; bütün bu cezalar sayesinde Alamut halkının örnek bir hal aldığını, ahlak ve erdem timsali olduğunu belirtirler. Buna inanmak zor değildir. Yine de bazı kaynaklardan, bu idamların ertesi günü, Hasan'ın tek karısının ve kızlarının ona karşı çıktıklarını, Hasan'ın onları Alamut'dan kovdurduğunu ve haleflerine aynı şeyi yapmaları tavsiyesinde bulunarak, kadın etkisi ile doğru yoldan sapmamaları gerektiğini söylediğini öğrenmiş oluyoruz.

Dünyadan elini ayağını çekmek, çevreden kopmak, etrafında bir taş ve korku duvarı örmek Hasan Sabbah'ın saçma düşü idi.

Yine de, bu boşluktan bunalmaya başlamıştı. En güçlü kralların bile bir delisi, bir soytarısı vardır. Katı havayı yumuşatırlar. Çekik gözlü adam ise, onanmaz biçimde yalnızdı, kalesine kapanmış, evine kapanmış, içine kapanmıştı. Konuşacak kimsesi yoktu, sudan konular, sessiz uşaklar, büyülenmiş müminler vardı.

Tanımış olduğu bütün insanlar arasında, dostça değilse bile mertçe konuşabildiği tek insan Hayyam'dı. Ona yazdı. Gururlu ifadesinin ardında korkunç bir yeis vardı:

"Bir kaçak gibi yaşayacağın yerde, neden Alamut'a gelmiyorsun? Senin gibi ben de acı çektim; şimdi ise acı çektiriyorum. Burada korunursun, bakılırsın, sayılırsın. Yeryüzünün bütün emirleri gelse, saçının tek teline dokunamaz. Muazzam bir kütüphane kurdum. En nadide eserleri bulur, okur, yazarsın. Burada huzura kavuşursun."

XXIII

İsfahan'dan ayrılalı, Ömer Hayyam tam bir kaçak ve bir parya gibi yaşadı. Bağdat'a gittiğinde, Halife onun halka konuşma yapmasını ya da kapısına yığılan hayranlarını kabul etmesini yasaklamış, Mekke'ye gittiğinde, ona karşı olanlar ağız birliği ile "Hoş görünme umresi" yapmakla suçlamışlar, Basra'dan geçtiğinde, Kadı'nın oğlu, nazikçe ziyaretini kısa kesmesini istemişti.

Gelecek can sıkıcı görünüyordu. Kimse dehasını, bilgisini yadsımamaktadır; nereye gitse, okur yazarlar, aydınlar çevresine toplanmaktadır. Gökyüzü bilimine, cebire, tıbba hatta dine ait sorular sormaktadırlar. Ama gelişinden birkaç gün ya da birkaç hafta sonra ona karşı komplo düzenlenmekte ve hakkında inanılmayacak hikâyeler uydurulmaktadır. Ona zındık veya sapık denmekte, Hasan Sabbah ile olan arkadaşlığı anımsatılmakta, Semerkant'daki gibi büyücülükle suçlanmakta, konuşmalarını yarıda kesen bozguncular üzerine saldırtılmakta, onu konuk edeceklere ceza verileceği tehditleri yapılmaktadır. Aslında, Hayyam da ısrarcı olmamaktadır. Havanın ağırlaştığını hisseder etmez bir rahatsızlık uydurarak ortalarda görünmemekte ve hemen ardından pılıyı pırtıyı toplamaktadır. Yeni bir kente doğru, oradaki günlerinin de bir önceki kadar kısa ve rasgele olacağı bilinci içinde yola çıkmaktadır.

Yanında Vartan'dan başka kimsesi olmadan, barınacak bir dam, bir koruyucu hatta bir sanatsever arayışı içindedir. Nizamın bağlatttığı yüklü maaşı, onun ölümünden beri alamadığı için, hükümdarların, valilerin yıldız fallarına bakarak geçinmek zorunda kalmaktadır. Hep sıkıntı içinde olduğu halde, parayı baş eğmeden almasını bilmektedir.

Anlatıldığına göre, Ömer'in beşbin altın dinar istemesi üzerine şaşıran bir vezirin:

— Ben bu kadar para almıyorum, onu biliyor musun? deyişine, Hayyam:

— Çok doğal, diye yanıt vermiştir.

— Nedenmiş?

— Çünkü benim gibi bilginlere yüzyılda bir rastlanır. Oysa senin gibi vezirlerden, her yıl beş yüz adet atanacak adam bulunur.

Tarihçiler, vezirin kahkayı basıp tüm isteklerini yerine getirdiğini yazarlar. Ömer'in yazdığı ise şudur: "Benim kadar mutlu bir sultan, benim kadar mutsuz bir dilenci yoktur."

Aradan yıllar geçer. Hayyam, 1114 yılında Horasan'ın başkenti Merv'dedir. Merv, ipekli kumaşları ve bir süreden beri siyaset yapması yasaklanmış medresesi ile ünlüdür. Parlaklığını yitirmiş sarayına biraz canlılık katmak isteyen yerel hükümdar, çevresine o günün ünlü kişilerini toplamak çabasındadır. Büyük Hayyam'ı nasıl çekeceğini bilmektedir: İsfahan'dakinin eşi bir rasathane kurmasını ister. Ömer, altmışyedi yaşına geldiği halde, hâlâ bunun düşünü kurmaktadır, öneriye dört elle sarılır. Bina bir tepenin üzerinde, bir çiçek bahçesinin ortasında, Bab-ı Sencan mahallesinde yükselmeğe başlar.

Ömer, iki yıldan beri mutludur, canla başla çalışır; meteoroloji dalında şaşırtıcı deneyler yapar, gökyüzünü iyi tanıdığı için beş günlük hava tahminlerinde bulunur. Matematik alanında da öncül kuramlar geliştirir; Öklid geometrisi dışındaki geometrilerin dâhi bir öncüsü olduğunun anlaşılması için XIX. yüzyılı beklemek gerekecektir. Aynı zamanda, Merv bağlarının olağanüstü ürünü sayesinde aşka gelip, *Rubaiyat*'ını yazmayı sürdürmektedir.

Bütün bunların, tabii ki bir bedeli vardır... Saray törenlerine katılmak, her bayram, her sünnet, her av veya savaş dönüşü hükümdara saygılarını sunmak, *divan*'da sık sık hazır bulunmak, duruma göre bir nükte yapmaya ya da bir darbımesel söylemeye hazırlıklı olmak zorundadır. Bu işler onu yormaktadır. Bilgin bir ayı postuna büründüğü hissine kapılmaktan başka, çalışma masasında daha verimli geçirebileceği bir zamanı yitirmenin huzursuzluğunu duymaktadır. Üstelik, hiç hoşlanmadığı kişilerle karşılaşmak olasılığı da büyüktür. Tıpkı, onu çekemeyen birinin, gençlik günlerinde yazdığı bir dörtlüğü bahane edip kendisine çattığı o soğuk şubat gününde olduğu gibi... O gün *divan*'da sarıklılar çoğunluktadır. Hükümdar, ağzı kulaklarında çevresine bakınıp durmaktadır.

Ömer geldiğinde, din adamlarının pek sevdiği tartışma konusu çoktan açılmıştır: "Dünya, bundan iyi yaratılabilir miydi?" Bunu "evet" diye yanıtlayanlar zındıklıkla suçlanmaktadır çünkü Yüce Tanrı'nın daha iyisini yapamadığını ima ettikleri ileri sürülmektedir.

İnsanlar birbirini çekiştirmekte, tartışmaktadır. Ömer, her birinin el yüz hareketini gözlemektedir. Ama konuşmacılardan biri, onun adını ortaya atar ve ne düşündüğünü sorar. Ömer hafifçe öksürür, daha konuşmasına fırsat kalmadan, kentte bulunuşuna sinirlenen Merv Kadısı, yerinden fırlar ve onu parmağı ile suçlarcasına:

— Bir Allahsızın dinimiz konusunda fikir yürütebileceğini bilmiyordum, der.

Ömer bezgin ama aynı zamanda endişelidir. Gülümseyerek:

— Bana Allah'sız demek yetkisini sana kim verdi? En azından beni dinledikten sonra konuş, der.

— Seni dinlemem gerekmez."Yaptığım kötülüğü kötülükle ödetirsen Sen, Sen ile ben arasında ne fark kalır ki, söyle?" diye yazan sen değil misin? Böyle şeyler söyleyen adam Allahsız değil midir?

Ömer omuz silkti:

— Allah'ın var olduğuna inanmasaydım, O'na hitap etmezdim.

Kadı alaylı sorar:

— Bu biçimde mi?

— Çetrefilli sözlerle sultanlara ve kadılara hitap edilir, Yaradan'a değil. Tanrı uludur, bizim eğilip bükülmemize, yaltaklanmamıza ihtiyacı yoktur. Beni düşünür yaratmıştır, ben de düşünüyorum ve düşüncemin ürününü gizlemeden O'na açıklıyorum.

Topluluktan onama sesleri yükselince Kadı tehditler mırıldanarak çıktı. Hükümdar güldüyse de endişelendi, bazı yerlerde bunun acısının çıkartılmasından ürküyordu. Yüzü asılınca, ziyaretçiler dağıldılar.

Ömer, Vartan ile birlikte eve döndüğünde, Saray hayatına da, tuzaklarına da, kofluğuna da sövüp durdu. Kendi kendine, Merv'den bir an önce ayrılmaya karar verdi; Vartan hiç telaşlanmadı, üstad yedinci kez gitmekten söz ediyordu. Ertesi gün olduğunda ise, sakinleşiyor, araştırmalarına koyuluyordu. O gece Ömer, kitabına şunları yazdı:

Şaraba karşı ver sarığını,
Pişman olma, yün takkeyi geçir başına!

Sonra kitabını her zaman soktuğu yere gizledi, yatağı ile duvarın arasına! Uyandığında *rubai*'sini yeniden okumak istedi. Bir sözcüğü düzeltmek istiyordu. Kitabını eliyle yoklayıp, buldu. Açtığında, uyurken sayfaları arasına konulmuş notu buldu. Hasan Sabbah'tan geliyordu.

Ömer o saniye, el yazısını, imzayı tanıdı. "Kâşan kervansarayındaki arkadaşın" diyordu. Kırk yıl önce, aralarında böyle bir parolayı kararlaştırmışlardı. Okuduğunda bir kahkaha attı. Yan odada henüz uyanmış olan Vartan, Üstadını neyin eğlendirdiğini anlamaya geldi.

— Sunturlu bir davet aldık. Ömür boyu bakılacağız, konuk edileceğiz, korunacağız.

— Hangi hükümdar tarafından?

— Alamut hükümdarı?

Vartan irkildi. Kendini suçladı:

— Bu mektup buraya kadar nasıl gelebildi? Yatmadan önce bütün kapılara baktım.

— Hiç kendini yorma. Sultanlar ve halifeler bile kendilerini savunmaktan vazgeçtiler. Hasan sana bir haber ya da bir hançer göndermek isterse, emin ol sana ulaşır. Kapın ister ardına kadar açık olsun isterse de mühürlü!

Vartan mektubu yüzünün hizasına kaldırdı, kokladı, sonra bir kaç kez okudu:

— Bu iblis belki de haksız değil. Sen en iyi Alamut'ta korunursun. Üstelik Hasan senin eski dostun.

— Şimdilik en eski dostum Merv şarabı!

Ömer çocuksu bir sevinçle kâğıdı binbir parça yapıp havaya fırlattı ve saçılmalarına bakarken:

— O adamla ortak neyimiz var ki? diye sordu. Ben hayatı seviyorum, o ölümü. Ben "Sevmesini biliyorsan, güneş doğmuş ya da batmış ne umurun?" diye yazıyorum. O ise adamlarına aşkı, musikiyi, şiiri, şarabı ve güneşi yasak ediyor. Bir de üstelik cennet vaad etmeğe kalkışıyor! İnan bana, kalesi cennetin kapısı olsaydı, ben cennetten vazgeçerdim. Bu sahte dincilerin inine asla ayak basmam.

Vartan oturdu, ensesini kaşıdı, sonra:

— Madem cevabın bu, o halde ben de sana eski bir sır vereyim, dedi. Acaba hiç kendi kendine, İsfahan'dan kaçarken askerler bizi neden saf saf, zorluk çıkarmadan koyuverdiler diye düşündün mü?

— Hep merak ettim. Ama yıllardır senden sadakat ve sevgi gördüğüm için, geçmişi kurcalamak istemedim.

— O gün, Nizamiye subayları seni kurtaracağımı ve seninle kaçacağımı biliyorlardı. Bu benim tasarladığım planın bir parçasıydı.

Konuşmasını sürdürmeden önce, Hayyam'ınkiyle birlikte kendi kadehini doldurdu.

— Nizamülmülk'ün kendi eliyle yazdığı kara listenin başında, asla yakalayamadığımız adamın, Hasan Sabbah'ın adı yazılıydı. Cinayetin baş sorumlusu o değil mi? Planım basitti. Alamut'a sığınırsın ümidiyle seninle gelecek, kim olduğumu söylemeden beni yanına almanı istiyecektim. İslam'ı ve tüm dünyayı bu iblisten kurtarma fırsatı geçecekti elime. Ama o karanlık kaleye ayak basmamakta inat edip durdun.

— Bütün bu zaman içinde yine de yanımda kaldın.

— Başlangıçta, sabretmek yeterlidir sandım. Onbeş kentten kovulduktan sonra Alamut yolunu tutmaya razı olabilirdin. Sonra yıllar geçti, sana bağlandım, arkadaşlarımdan her biri İmparatorluğun bir yanına dağıldı. Bu konudaki kararlılığım zaafa uğradı. İşte şimdi de sen Ömer Hayyam, Hasan Sabbah'ın hayatını ikinci kez kurtarıyorsun.

— Sızlanıp durma, belki de seninkisini kurtardım.

— İninde iyi korunduğu bir gerçek.

Vartan'ın canının sıkılması, Hayyam'ı eğlendirdi:

— Oysa sen bana planını söylemiş olsaydın, seni Alamut'a götürürdüm.

Vartan yerinden fırladı:

— Sahi mi söylüyorsun?

— Hayır. Otur yerine. Sırf seni üzmek için söyledim. Hasan'ın yapmış olduğu şeylere karşın şu an nehirde boğulduğunu görsem, onu kurtarmak için yine de elimi uzatırdım.

— Bense kafasını suyun içinde tutardım. Ama davranışın içimi rahatlatıyor. İşte böyle bir adam olduğun için yanında kaldım. Bundan hiç pişman değilim.

Hayyam dostunu uzun uzun kucakladı:

— Hakkındaki kuşkularımın dağılmasından dolayı çok mutluyum. Artık yaşlandım, yanımda güvenebileceğim birine ihtiyacım var. Şu elyazması kitabım yüzünden. Sahip olduğum en değerli şey o! Dünyaya meydan okumak için Hasan Sabbah Alamut'u inşa etti: ben ise sadece şu kâğıttan şatoyu inşa ettim ama Alamut'tan çok yaşayacağına inanıyorum. Benim iddiam, benim övüncüm de bu! Öldüğümde kitabımın değer bilmez ellere düşme olasılığı kadar beni ürküten bir şey yok!

Törensel bir tavırla kitabını Vartan'a verdi.

— Açıp bakabilirsin, çünkü artık sende kalacak!

Arkadaşı heyecanlandı:

— Benden önce bu ayrıcalığa sahip olan oldu mu?

— İki kişi. Biri, Cihan'dı. Semerkant'da kavga ettiğimiz gece. Diğeri de Hasan'dı. İsfahan'da aynı odayı paylaştığımızda.

— Ona o denli güveniyor muydun?

— Aslını istersen hayır. Ama canım sık sık yazmak istiyordu, sonunda görüp kitabın varlığını keşfetti. Ben yokken, gizliden okuyabileceği için açıkça göstermeyi yeğledim. Sır saklayacağına da inanıyordum.

— Sır saklamasını çok iyi biliyor. Ama daha çok bunu sana karşı kullanmak için.

Şiir kitabı, gecelerini Vartan'ın odasında geçirir oldu. En ufak tıkırtıda eski asker sıçrıyor, kılıcına davranıyor, kulaklarını dikiyordu. Evin her odasını tek tek kontrol ediyor, sonra bahçeye çıkıp evin çevresini dolaşıyordu. Dönüşünde yine de uyuyamıyor, masasındaki kandili yakıyor, bir dörtlük ezberliyor, sonra da onun anlamını çözmek ve üstadın bu şiirleri hangi koşullarda yazdığını anlamak için derin düşüncelere dalıyordu.

Uykusuz geçirdiği birkaç geceden sonra aklına geleni Ömer de iyi karşıladı. Sayfanın, *Rubailer*'den boş kalan kısmına, bu kitabın öyküsünü yazmak ve bu yolla Hayyam'ın da hayat öyküsünü yazmış olmak. Nişapur'daki çocukluğu, Semerkant'taki gençlik yılları, İsfahan'da ün kazanması, Ebu Tahir, Cihan, Hasan, Nizam ve diğerleri ile tanışması. Böylece, Hayyam'ın gözetiminde, bazen de onun yazdırması ile öykünün ilk sayfaları yazılmış oldu. Vartan sıkı çalışıyordu. Her seferinde, on, yirmi kez bir başka sayfaya yazıyor, sonra onu ince, dikkatli, köşeli bir yazı ile temize çekiyordu. Ama bu özen günün birinde, bir cümlenin tam ortasında kala kalacaktı.

O sabah Ömer erken uyandı. Vartan'a seslendi, cevap alamadı. Sevecenlikle "uykusuz bir gece daha geçirdi" diye düşündü. Dinlenmesi için üstelemedi, kendine bir kadeh doldurup bahçeye çıktı. Çiçeklerin üzerindeki çiy damlacıklarını üflemekle oyalandı, sonra olmuş dutlardan kopardı, içkisine meze yaptı.

Eve dönmeğe karar verdiğinde bir saat geçmişti. Vartan'ın kalkma zamanıydı. Ona sesleneceğine odasına girdi. Vartan, boğazı kesilmiş, yerde yatıyordu. Gözleri ve ağzı, son bir çağrıda bulunmak istercesine açıktı.

Masanın üzerinde, kandil ile yazı takımının arasında, cinayet kaması kıvrılmış bir kâğıda saplanmış duruyordu. Ömer, kâğıdı alıp açtı, şöyle yazıyordu:

"Kitabın senden önce Alamut'un yolunu tuttu."

XXIV

Ömer Hayyam, dostunun ölümüne, diğerlerine ağladığı gibi aynı vakarla, aynı sabırla, aynı acı ile ağladı. "Aynı şaraptan tattık ama benden iki üç kadeh önce sarhoş oldular."

Ama neden yalan söylemeli? En çok kitabının kaybına üzüldü. Gerçi yeni baştan yazabilirdi, virgülüne kadar anımsayabilirdi. Ama Hayyam'ın, kitabının kaçırılmasından çıkarttığı bir ders vardı. Bundan böyle asla geleceği elinde tutmaya bakmayacaktı; ne kendi geleceğini ne de şiirlerininkini...

Hayyam bir süre sonra Merv'den ayrıldı. Alamut'a gitmeyi asla düşünmüyordu– doğduğu kente doğru yola çıktı. "Artık serseriliğe son vermenin sırası geldi. Nişapur, ömrümün ilk durağı idi, son durağı olması doğal değil mi?" diyordu. Artık orada yaşayacaktı. Yakınları, kızkardeşi, saygılı bir enişte, yeğenleri ve ömrünün sonbaharında bütün sevgisini verdiği kız yeğeni ile birlikte, kitaplarının arasında. Artık yazıyor, ustalarının kitaplarını okuyordu.

Bir gün, her zaman olduğu gibi odasında İbn-i Sina'nın *Tedaví* adlı kitabını okurken, sağır bir acı içini yaktı. Elindeki altın kürdanı sayfanın arasına koydu, kitabı kapattı, yakınlarını çağırıp vasiyette bulundu. Sonra duasını şu sözlerle bitirdi: "Tanrım, elimden geldiğince Seni algılamak istedim. Senin hakkında bildiklerim, Sana ulaşmanın tek yolu olduysa, beni affet!"

Gözlerini bir daha açmadı. 4 Aralık 1131 idi. Ömer Hayyam seksen dört yaşındaydı. 18 Haziran 1048'de şafak vakti doğmuştu. O devirde doğum tarihinin bu kadar kesinlikle bilinmesi görülmüş şey değildi. Ama Hayyam bu konuda bir gökbilimcinin hassasiyeti ile davranmıştı. Annesinden bilgi edinmiş, İkizler burcundan olduğunu anlamış ve dünyaya geldiği saatte Güneş'in, Merkür'ün ve Jüpiter'in konumlarını saptamaya çalışmıştı. Tarihçi Belh'te bildirmek üzere kendi doğumunu böyle saptamıştı.

Çağdaşlarından yazar Nizami Aruzi şöyle anlatır:

"Ömer Hayyam'a, ölümünden yirmi yıl önce Belh'te rastladım. Köle Tüccarları sokağında oturan eşraftan birinin evinde konuktu. Ününü bildiğimden, bir sözünü kaydetmek üzere onu bir gölge gibi izledim. Böylece "Mezarım her ilkbahar kuzey rüzgârının çiçek saçtığı bir yerde bulunacak" dediğini duymuş oldum. O sıra bu sözcükler bana saçma geldi; ama onun gibi bir adamın gelişigüzel konuşmadığını da biliyordum. Hayyam'ın ölümünden dört yıl sonra, Nişapur'dan geçtim. Bir bilim ustasına duyulması gereken saygıyı duyduğumdan mezarını ziyarete gittim. Bir rehber beni oraya götürdü. Mezarı bahçe duvarının dibindeydi, şeftali ve armut ağaçlarının dalları kabrin üzerine uzanmış, çiçeklerini boydan boya üzerine dökmüştü. Kabrin üzerinde sanki çiçeklerden bir halı vardı."

> Denizde boğulan su damlacığı,
> Toprakta eriyen toz zerreciği,
> Bu dünyadan geçişimiz nedir ki?
> Değersiz bir böcek,
> Bir göründü, bir yok oldu.

Ömer Hayyam haklı değil. Söylediği kadar geçici olmadığı gibi, yeni yeni var oluyor. En azından dörtlükleri var oluyor. Zaten şair, kendisi için istemeye cesaret edemediği ölümsüzlüğü, onlar için istememiş miydi?

Hasan Sabbah'ın odasına girmek ayrıcalığına sahip olanlar, duvar oyuklarının birinin önündeki bir kafeste bir kitabın saklandığını farkedebilirlerdi. O kitabın ne olduğunu bilmezler, Büyük İmam'a sormaya cesaret edemezlerdi. O kitabı, sözle anlatılması olanaksız gerçekleri içeren kitapların bulunduğu büyük kütüphaneye vermemesi için kendine göre nedenleri olduğunu düşünürlerdi.

Hasan seksen yaşında öldüğü vakit, halefi olarak tayin ettiği kişi İmam'ın odasına geçip oturma cesaretini gösteremedi, hele de esrarengiz kafesi hiç açmadı. Kurucularının ölümünden nice yıl sonra bile Alamut halkı, oturduğu yerin duvarlarından bile ürkmüşlerdir. Hayaletine rastlarız korkusu ile, artık kimselerin oturmadığı o semtte dolaşmaktan bile korkarlardı. Tarikatçıların yaşamları, Hasan'ın vermiş olduğu talimat doğrultusunda sürüp gitmekteydi; topluluk üyeleri, sürekli çilekeş durumundaydılar. Hiçbir gevşeme, hiçbir rahatlama söz konusu değildi ve dış dünyaya karşı reisin ölümü ile hiçbir şeyin değişmediğini göstermek için bile olsa daha fazla cinayet ve şiddet oluyordu.

Buna gönülden mi katlanıyorlardı? Her geçen gün daha az. Mırıltılar yükselmeye başlıyordu. Hasan'ın sağlığında Alamut'a gelmiş olan "eskiler" arasında değil tabii, onlar en ufak bir gevşemenin ağır cezalarla sonuçlanacağı korkusunu üzerlerinden atmış değillerdi. Ama bunların sayıları gün geçtikçe azalıyordu. Artık kalede bunların oğulları ve torunları da yaşıyordu. Gerçi her birinin daha beşikteyken beyinleri yıkanmış, Hasan'ın dediklerine harfiyen uymaları istenmişti ama, çoğu giderek karşı koyar olmuş, hayatı yaşamaya başlamışlardı. Hatta bazıları, tüm gençliklerini her türlü eğlencenin yasak olduğu bir çeşit garnizon-manastır karışımı bu yerde neden geçirdiklerini sorar olmuşlardı. Öylesine ağır bir ceza görmüşlerdi ki, herkesin önünde düşüncelerini belirtmemeye özen göstermeye başlamışlardı. Tabii ki herkesin önünde, çünkü gizli toplantılar evlerde yapılır olmuştu. Gençler, bir oğul, bir kardeş ya da bir kocayı asla geri döndürmeyen bir görev uğruna kaybetmiş kadınlar tarafından teşvik edilir olmuşlardı.

Bu gizli, bastırılmış özlemleri dile getiren bir adam ortaya çıktı sonunda. Ondan başka kimse buna cesaret edemezdi. Hasan'ın halef olarak atadığı adamın torunu idi; babası öldüğünde Tarikat'ın dördüncü reisi olacaktı.

Kendisinden öncekilere oranla avantajı, Kurucu'nun ölümünden sonra doğması ve onun dehşetini yaşamamış olmasıydı. Hasan'ın odasını merakla geziyor ve o denli olmasa bile bütün diğerleri gibi büyülenmiş oluyordu. Hatta bir kez, onyedi yaşında iken, yasak odaya girmiş, içerde bir tur atmış, büyülü havuza yaklaşmış, buz gibi suyuna elini değdirmiş ve Elyazması'nın durduğu duvar oyuğunun önüne dikilmişti. Kitabı açmak istemiş sonra vazgeçip arka arka yürüyerek odadan çıkmıştı. Bu ilk ziyaretinde, bu kadarı yeterliydi.

Veliaht, Alamut sokaklarında dolaştığında, kendisine çok yaklaşmasalar bile yine de çevresinde toplanıyorlardı. Bir takım dualar okuyarak... Veliaht'ın da adı Sabbah gibi Hasan idi ama onu görenler: "İşte Kurtarıcı, işte Münci, ne zamandır beklenen kişi!" diye fısıldıyorlardı. Bir tek şeyden korkuluyordu: Eskilerin duygularını biliyor, veliahtın ihtiyatsızca konuşmalarından iktidara gelmesini önlemelerinden ürküyorlardı. Gerçekten de babası dilini tutmasını söyleyip duruyor hatta zaman zaman onu dinsizlikle suçluyordu. Hatta anlatılanlara göre babası, oğlunun yandaşlarının iki yüz ellisini öldürtmüş, iki yüz ellisini de, arkadaşlarının cesetlerini sırtlarında taşımakla cezalandırarak Alamut'tan kovmuştu. Ama babalık sevgisinden bir nebzecik nasibini almış olmalıydı ki, Hasan Sabbah'ın yaptığını yapmadı.

Baba 1162 yılında öldüğünde, asi oğlu hiçbir zorlukla karşılaşmadan onun yerine geçti. Uzun zamandan beri ilk kez, Alamut'un loş sokaklarında gerçek bir bayram yaşandı.

Ama acaba beklenilen "Kurtarıcı" o muydu? Acıları dindirecek o muydu? O ise hiçbir şey söylemiyordu. Alamut sokaklarında düşünceli düşünceli dolaşmaya devam ediyor ya da Kirman'lı kütüphanecinin sevecen bakışları altında saatlerce kütüphaneye kapanıyordu.

Bir gün, kararlı adımlarla Hasan Sabbah'ın dairesine gitti, hızla kapıyı açtı, duvardaki oyuğun önünde durup bütün gücü ile kafes kapağa asıldı. Kafes yerinden çıktı, toz ve taş parçacıkları yere saçıldı. Hayyam'ın kitabını aldı, üzerine vurup tozunu yok etti ve koltuğunun altına sokup, odadan çıkıp gitti.

Sonra, odasına kapanıp okuduğunu, tekrar tekrar yeniden okuduğunu anlattılar. Bu durum yedi gün sürdü, yedi günün sonunda tüm Alamut halkının toplanmasını emretti. Kadın, erkek, çocuk, hepsini alabilecek tek yer olan *meydan*'da topladılar.

Günlerden 8 Ağustos 1164'tü, Alamut güneşi başlara ve yüzlere vurmuştu ama kimse korunmayı düşünmüyordu. Batı yönünde bir kürsü dikilmiş, dört bir yanına muazzam bayraklar asılmıştı: biri kırmızı, biri yeşil, biri sarı ve biri beyaz. Bakışlar o yöne çevrildi.

Birden, O göründü. Kar beyazı bir giysi içindeydi, genç ve ufak tefek olan karısı arkasında duruyordu ve yüzü açıktı. Gözlerini yere dikmiş, yüzü sıkılmaktan al al olmuştu. Bu görüntü son kuşkuları da yok etti, herkes: "Kurtarıcı O" diye mırıldandı.

Vakur bir biçimde kürsüye çıktı, müminlerine selam verdi ve yeryüzünde o güne dek duyulan en tuhaf konuşmayı yaptı:

— Dünyada oturan herkese sesleniyorum: Cinler, insanlar ve melekler! Çağdaş İmam'ınız sizi kutsuyor, geçmiş ve gelecek bütün günahlarınızı af ediyor. Şeriat'ı kaldırdığını ilân ediyor, çünkü Diriliş vaktidir. Tanrı sizi Şeriat ile zora koştu, cenneti hak edesiniz diye. Hak ettiniz. Bugünden itibaren cennet sizindir. Artık Şeriat yok. Bütün yasaklar kaldırılmıştır! Bütün mecburiyetler yasaklanmıştır! Beş vakit namaz yasaktır. Madem ki artık cennetteyiz ve Tanrı ile sürekli iletişim halindeyiz, o halde sadece belirli saatlerde O'na başvurmamıza gerek yok; beş vakit secde etmekte direnecek olanlar Diriliş'e inanmayanlardır. Artık dua etmek, secde etmek, inançsızlıktır!"

Kur'an'ın cennetin içkisi diye nitelediği şaraba izin çıkmıştı, içmemek günahtı.

O tarihte yaşamış olan bir Acem tarihçisi: "Önüne gelen saz çalmaya hatta mimberin basamaklarına çıkıp şarap içmeye başladı" diye yazar. Hasan Sabbah'ın Şeriat adına uyguladığı sıkı yönetime tepkiydi bu. Daha sonra, Kurtarıcı'nın halefleri, onun bu mesihçi coşkusunu ılımlaştırmışlardı ama Alamut bir daha asla eskisi gibi olmamıştı. Hayat daha yaşanır biçime girmiş ve İslam kentlerini dehşete düşüren cinayetler son bulmuştu. İsmaili'ler son derece köktenci bir tarikat iken örnek bir hoşgörü sergiler olmuşlardı.

Kurtarıcı, Alamut'lulara ve çevre halkına iyi haberi verdikten sonra Asya ve Mısır'daki İsmaili topluluklarına elçiler gönderdi ve onlara eliyle imzaladığı belgeler yolladı. Elçileri, herkesin kurtuluşu kutlamalarını istediler. Kurtuluş günü, üç ayrı takvime göre saptanıyordu: Peygamberin Hicri takvimi, Makedonyalı İskender'in takvimi ve her iki âlemin en değerli bilgini; Nişapur'lu Ömer'in takvimi.

Alamut'da, Kurtarıcı *Semerkant Elyazması*'nın bir bilge kitap olarak saygı görmesini emretmişti. San'atkârlar kitabı resimler, minyatürler ile süslemişler, altın mahfazasını bir kuyumcu gibi işlemişlerdi. Hiç kimse kitabı kopya etmek iznine sahip değildi. Kitap, kütüphanede sürekli olarak bir rahlenin üzerinde duruyordu, merak edenler gelip bakıyordu.

O güne kadar Hayyam'ın sadece gençliğinde ihtiyatsızca kaleme aldığı bir kaç dörtlüğü bilinmekteydi. O günden sonra, diğerleri de öğrenildi, ezberlendi, tekrar edildi ve bazıları ciddi değişikliklere uğradı. O tarihte tuhaf bazı olaylar da oldu: Şairler başlarına dert açabilecek şiirler yazdıkları her sefer, onları Hayyam'a yüklüyorlardı. Böylece Hayyam'ın *Rubaiyat*'ına yüzlerce sahtesi eklendi. Öyle ki, kitaba bakmadan, eğrisini doğrusundan ayırmak olanaksızlaştı.

Acaba Alamut kütüphanecileri, Elyazması Kitabın öyküsünü, Vartan'ın bıraktığı yerden Kurtarıcı'nın emriyle mi yazmaya devam etmişlerdi? Hayyam'ın ölümünden sonra Haşhaşileri etkilemiş olduğunu ve değişmelere neden olduğunu bu Kitap'tan öğreniyoruz. Olaylar yüzyıl bu biçimde sürüp yazıldı, sonra birden aniden kopuverdi. Moğolların istilası başlamıştı.

Cengiz Han yönetimindeki ilk akın, hiç kuşkusuz Doğu'daki en yıkıcı akındı. Pekin, Buhara, Semerkant gibi ünlü kentler yerle bir edilmiş, halkı öldürülmüş, insanları hayvan gibi boğazlanmış, kadınları subaylara peşkeş çekilmiş, esnaf köleleştirilmiş, geriye kalanlar kılıçtan geçirilmişti. Sadece, Büyük Kadı'nın çevresindeki azınlık kurtulmuş, bir süre sonra Kadı da Cengiz Han'a bağlılığını ilân etmişti.

Bu felakete karşın, Semerkant yine de ayrıcalıklı bir kent gibiydi çünkü bir süre sonra, bu enkazın içinden yükselerek Timurlenk'in başkenti olacaktı. Oysa kendini toparlayamayan nice kent vardı. Özellikle, dünyanın bu kesimindeki bütün kültürel etkinliklerin yoğunlaştığı Horasan'ın üç büyük merkezi Merv, Belh ve Nişapur bu durumdaydı. Buna Rey'i de eklemek gerekir. Doğu'daki Tıp merkezi sayılan bu kentin adı bile unutulacaktır. Yerine bir başka kentin, Tahran'ın yükseldiğini görmek için yüzyıllar beklemek gerekecektir.

Alamut'u yok eden, akınların ikincisi idi. Daha az kanlı ama daha büyük bir akındı. Moğol birliklerinin birkaç ay farkla Bağdat'ı, Şam'ı, Polonya'daki Krakovi'yi ve Çin'deki Tzeçuan'ı yok ettiği bilinince, o günleri yaşayanların korkusu kolaylıkla anlaşılır.

Yüzaltmış yıl boyunca, bütün istilacılara kafa tutmuş olan Haşhaşiler kalesi, teslim oluverdi. Cengiz Han'ın Torunu Hulagu Han, bu askeri deha yapıtını şahsen görmeğe geldi, hatta efsaneye inanılacak olursa, Hasan Sabbah'tan beri korunmuş erzak buldu.

Hulagu Han, subaylarıyla çevreyi dolaştıktan sonra; askerlerine her şeyi yıkmalarını, taş üzerine taş bırakmamalarını söyledi. Kütüphane bu emrin dışında tutulmadı. Ancak orayı ateşe vermeden önce, Cüveyni adlı otuz yaşındaki bir tarihçinin içeriye girmesine izin verdi. Cüveyni, Hulagu'nun emriyle *Dünya Fatihi'nin Tarihi*'ni yazmaktaydı. Bu yapıt, günümüzde bile, Moğol istilaları konusunda en değerli kaynaktır. İşte bu adam, onbinlerce kitabın, elyazmasının bulunduğu bu yere girebildi. Kapının dışında bir Moğol subayı ve bir el arabası tutan bir asker bekliyordu. Bu el arabasının alabildiği kadar kitap kurtarılabilecek, gerisi ateşe verilecekti. Kitapları, hatta başlıklarını bile okumak söz konusu değildi.

İnançlı bir Sünni olan Cüveyni, ilk işinin Kelam-ı Kadim'i kurtarmak olduğunu düşündü. Bu nedenle, hep aynı yerde oldukları için kolayca saptanabilen ne kadar Kur'an varsa toplayıp, el arabasına koydu. Araba nerdeyse dolmuştu. Şimdi neyi seçmeliydi? Bir duvara gitti, oradaki kitaplar, diğer raflardakilerden daha düzgün duruyordu. Hasan Sabbah'ın otuz yıllık gönüllü çilekeşliği sırasında yazdığı çeşitli yapıtları vardı. Aralarından sadece birini seçti, bu kendi yazdığı kitaba da aktaracağı, Hasan'ın özyaşamı ile ilgili yazılardı. Ayrıca yeni ve iyi belgelenmiş bir Alamut tarihi buldu. O da Kurtarıcı'nın öyküsünü anlatmaktaydı. Bunu almakta ivecenlik gösterdi, çünkü Tarihin bu kesimini, İsmaililer dışında, kimse bilmiyordu.

Cuveyni'nin *Semerkant Elyazması*'ndan haberi var mıydı? Herhalde yoktu. Varlığından haberi olsa, arar mıydı? Bilinmiyor. Anlatıldığına göre, bir süre simyacılık ve büyücülükle ilgili yapıta dalmış ve saati unutmuştu. Ona saati hatırlatmaya gelen Moğol subayı, zırha bürünmüş, başına da bir miğfer geçirmişti. Elinde bir meşale tutuyordu. Acelesi olduğunu göstermek için meşaleyi tozlu bir sürü tomara yaklaştırdı. Tarihçi ısrar etmedi, hiçbir seçme ve ayıklama yapmaksızın ellerine ve koltuk altlarına ne alabildiyse aldı, *Yıldızların ve Sayıların Sonsuz Gizi* adlı kitap yere düştüğünde eğilip yerden kaldırmadı.

Haşhaşilerin kütüphanesi yedi gün yedi gece yandı. Nice yapıt yok oldu, tek bir nüshası bile kalmadı. Bunların, evrenin en iyi korunan gizlerini içerdikleri ileri sürüldü.

Çok uzun süre, *Semerkant Elyazması*'nın Alamut'ta kül olduğuna inanıldı.

ÜÇÜNCÜ KİTAP
BİNİNCİ YILIN SONU

Ayağa kalk, uyumak için
Önümüzde sonsuzluk var!

Ömer Hayyam

XXV

Buraya kadar, kendimden az söz ettim. Amacım, *Semerkant Elyaz-masi*'nın, Hayyam'ı, onun tanıdığı kişileri, yaşadığı olayları nasıl anlattığını göstermekti. Şimdi iş, Moğollar döneminde kaybolan bir yapıtın, çağımızın ortasında nasıl ortaya çıktığını, onu ele geçirmek için ne gibi serüvenler yaşadığımı ve hangi rastlantı sonucu kaybolmadığını öğrendiğimi anlatmaya kaldı.

Adımı söylemiştim: Benjamin O. Lesage. Fransız adına benzese de Amerikalıyım. Maryland eyaletinde, Atlantiğin küçük bir uzantısı olan Chesapeak körfezinde, Annapolis'te doğmuşum. Atalarım, XIV. Louis zamanında Fransa'dan göç etmiş bir Huguenot[1] ailesi. Fransa ile ilişkilerim bu uzak akrabalıktan ibaret değil. Babam bu ilişkileri canlandırmaya çalıştı. Aile kökeni konusunda her zaman hafif bir saplantısı vardı. Okul defterine "Soyağacım, kaçakların salını yapmak için mi yıkıldı?" diye yazmış ve Fransızca öğrenmeye koyulmuştu. Sonra büyük bir heyecan ve büyük bir resmiyetle Atlantiği geçmişti. Zaman saatinin tersi yönünde!

Bu gezi yılını çok kötü ya da çok isabetli biçimde seçmişti. 9 Temmuz 1870'de *Scotia* gemisiyle New-York'tan ayrılıp, 18'inde Cherbourg'a, 19 Temmuz akşamı da Paris'e vardı. Tam o gün, öğle saatinde savaş patladı. Geri çekilme, bozgun, istila, açlık, Komün, kıyım, bundan kötüsü her halde düşünülemezdi. Ama o yıl, aynı zamanda anılarının en güzel yılıydı. Neden yadsımalı? Kuşatılmış bir kentte bulunmanın manyakça keyfi, başka şeydi. Sınırlar düştüğünde barikatlar yükseliyor, kadınlar ve erkekler ilkel klan hayatının zevkini yaşıyordu. Annem ve babam, Annapolis'e döndüklerinde, geleneksel yılbaşı hindisinin başında, Paris'te yılbaşı gecesi Haussmann Bulvarı'ndaki İngiliz kasap Roos'tan kilosu kırk franga aldıkları fil hortumunu nasıl yediklerini anlatırlardı.

Henüz nişanlanmışlar, ertesi yıl evleneceklermiş. Sağdıçları savaş olmuş. Babam anlatırdı: "Paris'e ayak basar basmaz, sabahları

---

(1) 16. yüzyıldaki Reform sonucu Protestan olmuşlara Fransa'da verilen ad. (Ç.N.)

137

Boulevard des Italiens'deki Cafe Riche'e gitme alışkanlığı edinmiştim. Koltuğumun altına bir sürü gazete alırdım: *Le Temps, le Gaulois, le Figaro, la Presse*. Masaya oturur, her satırını okurdum. Anlayamadığım sözcükleri defterime not eder, dönüşte bizim bilgiç kapıcıya sorardım. Üçüncü gündü, kır bıyıklı bir adam gelip, yandaki masaya oturdu. Onun da bir sürü gazetesi vardı ama, bir süre sonra onları bir kenara bırakıp bana bakmaya başladı. Sanki bir soru sormak istiyordu. Sonunda dayanamadı, kısık bir sesle benimle konuşmaya başladı. Bir eliyle bastonunun topuzunu kavramış, diğer elinin parmakları mermer masanın üzerinde piyano çalıyordu. Benim gibi genç, görünüşte sağlıklı,birinin vatanı savunmak için neden cepheye gitmediğini öğrenmek istiyordu. Ses tonu nazik ama kuşkucu idi ve not defterime kaçamak bakışlar fırlatıyordu. Anlatmama gerek kalmadı, konuşmam beni ele verdi. Adam özür diledi, beni masasına davet etti. La Fayette'den, Benjamin Franklin'den, Tocqueville'den söz etti, sonra da uzun uzun gazetelerde okuduklarını açıklamaya başladı. Gazetelere göre: 'Bu savaş, birliklerimiz için Berlin'e bir gezi yapmaktan ibaret' idi."

Babam ona karşı çıkacak olmuş. Her ne kadar Fransızlar ile Prusyalıların güçlerini kıyaslayabilecek durumda olmasa da, Amerikan İç Savaşı'na katılmış, Atlanta'da yaralanmıştı. Anlatmaya devam etti: "Savaşların hiçbiri bir gezinti değildir diyebilecek konumdaydım. Ama uluslar öylesine unutkan, barut öylesine ayartıcıdır ki, tartışmaktan kaçındım. Zaten tartışmanın ne yeri ne sırasıydı. Adam düşüncemi sormuyordu. Arasıra 'Öyle değil mi?' diyor, ben de başımla onaylıyordum. Hoş bir adamdı. Böylece her sabah buluşmaya başladık. Ben her zamanki gibi az konuşuyordum, o da bir Amerikalının görüşlerini bu denli paylaşmasından mutluluk duyuyordu. Bu denli coşkulu, monoloğunun dördüncü gününde, beni evine yemeğe çağırdı. Benim her zamanki gibi onaylayacağımdan emin olarak, ağzımı açmama fırsat vermeden bir araba çevirdi. Pişman olmadığımı itiraf etmeliyim. Adı Charles- Hubert de Luçay idi ve Boulevard Poissonière'de bir konakta oturuyordu. İki oğlu askere alınmıştı ve kızı, senin annen olacaktı."

Kız onsekiz yaşındaydı ve babam ondan on yaş büyüktü. Vatanseverlik atmosferi içinde, birbirlerini uzun uzun süzmüşlerdi. 7 Ağustos'tan itibaren, birbiri ardına üç bozgundan sonra, savaşın kaybedildiği anlaşılmıştı. Vatan toprağı tehlikedeydi. Dedem, giderek konuşmaz olmuştu. Kızı ve gelecekteki damadı üzüntüsünü yatıştırmak isterlerken, kendi aralarında da bir gizli anlaşma oluşturmuşlardı. Artık hangisinin söze başlayacağı, doktorluk yapmaya kalkışırken ne gibi gerekçeler ileri sürecekleri bir bakışmalarıyla saptanabiliyordu. "Koca salonda ilk kez başbaşa kaldığımızda, aramızda bir ölüm sessizliği oldu. Sonra da ölesiye gülmeye başladık. Birlikte onca zaman bir arada bulunmuştuk ama birbirimizle doğrudan konuşmadığımızı yeni fark etmiştik. İçten, çocuksu, rahat bir gülüştü bizimkisi ama devam etmesi yersiz kaçardı. İlk sözü benim söylemem gerekiyordu. Annenin kucağında bir kitap vardı. Ne okuduğunu sordum."

Sanırım Ömer Hayyam, yaşamıma o an girdi. Hatta doğumuma neden oldu diyebilirim. Annem, 1867 yılında, İmparatorluk Matbaasında basılan, *İran'daki Fransa Büyükelçiliği eski çevirmeni J.-B. Nicolas tarafından Farsça'dan çevrilmiş Hayyam'ın Dörtlükleri*'ni almışmış. Babam ise beraberinde, Edward FitzGerald'ın 1868 baskısı *Ömer Hayyamın Rubaiyat*'ını getirmişmiş. Babam diyordu ki: "Annen ne kadar memnun olduğunu, benim kadar saklayamadı. İkimiz de yaşamlarımızın birleştiğinden emindik. Bunun basit bir rastlantı olduğu, aklımıza bile gelmemişti. Ömer, bize o an, kaderin bir işareti gibi geldi. Bunu görmezlikten gelmek günah olurdu. Gerçi, içimizdeki fırtınayı dışa vurmadık, konuşmamızı şiirler üstüne sürdürdük. Bu yapıtın yayınlanmasını, III. Napolyon'un emretmiş olduğunu annenden öğrendim."

İşte o sıralar, Avrupa Ömer'i keşfe başlamıştı. Gerçi bir takım uzmanlar daha önce ondan söz etmişlerdi. Cebir çalışmaları 1851'de Paris'te yayınlanmış, bazı dergilerde hakkında yazılar çıkmıştı ama, Batılılar onu henüz tanımıyordu; Doğu'da ise, Hayyam'dan geriye ne kalmıştı? Bir isim, birkaç efsane, yapımı kime ait olduğu bilinmeyen bir kaç dörtlük ve üzeri örtülü bir gökbilimcilik ünü!

Bir İngiliz ozanı olan FitzGerald, 1859'da, çevirdiği yetmiş beş adet dörtlüğü yayımladığında, ilgi yaratmadı. Kitap iki yüz elli adet basıldı. Yazarı birkaçını dostlarına vermiş, gerisi yayımcı Bernard Quaritch'in deposunda kalakalmıştı. FitzGerald Farsça öğretmenine "Poor old Omar", "Zavallı Ömer kimseyi ilgilendirmiyor" diye yazmıştı. İki yıl sonra, yayımcı indirimli satış yapıp kitapları elden çıkartmak istedi. *Rubaiyat*, beş şilingden bir peniye inerek, altmış kat düşüş göstermişti. Bu fiyata bile az satılmıştı, iki eleştirmenin onu keşfettikleri güne kadar! Onu okuyup hayran kalmışlardı. Altı kitap satın alıp dostlarına armağan verdiler. İlginin doğmakta olduğunu sezinleyen yayımcı, fiatı iki peniye yükseltiverdi.

İngiltere'den son geçtiğimde, artık zengin bir adam olarak Piccadilly'e yerleşmiş olan aynı Quaritch'ten o ilk baskıdan birini satın almak için dokuzyüz sterling vermek zorunda kaldığımı düşünüyorum da...

Ama yine de, kitap Londra'da hemen tutulmadı. Paris'ten geçmesi gerekti. M. Nicolas kitabı çevirdi, Théophile Gautier *Moniteur Universel*'de "Hayyam'ın Dörtlüklerini okudunuz mu?" diye tanıtımını yaptı. Anglo-Sakson dünyasında FitzGerald ve "Zavallı Ömer"in nihayet gün ışığına çıkabilmeleri için, Ernest Renan'ın şöyle yazması gerekti: "İslam dogmatizmi içinde İran'ın özgür dehasının ne olduğunu anlamak için, belki de incelenecek en ilginç kişi Hayyam'dır."

Uyanış korkunç oldu. Bir gün içinde, Doğu'nun tüm görüntüleri Hayyam'ın adı çevresinde buluştu, çeviriler birbirini izledi, İngiltere'de ve bir çok Amerikan kentinde baskı üzerine baskı yapıldı, "Ömer" dernekleri kuruldu.

Tekrar edecek olursak, 1870 yılında, Hayyam modası daha henüz başlamıştı, Ömer hayranları günden güne artıyordu ama, aydın sınıfının sınırlarını henüz aşmamıştı. Birlikte Hayyam okumaları, annemle babamı birbirlerine yaklaştırmış, Ömer'in dörtlüklerini ezberlemişler, anlamını tartışmaya başlamışlardı: mey ve meyhane, Hayyam'ın kaleminde Nicolas'nın dediği gibi, salt mistik simgeler miydi? Yoksa, FitzGerald ve Renan'ın dedikleri gibi zevkin hatta sefahatin belirtisi mi? Bu tartışmalar, dudaklarında yepyeni bir tat bırakıyordu. Babam, sevgilisinin saçlarını okşayan Ömer'den söz ettiğinde, annem kızarıyordu. İki aşk şiiri arasında ilk öpücük, ilk kez evlilikten söz ettiklerinde doğacak oğullarına Ömer adını koyma vaadi...

Doksanlı yıllarda, yüzlerce küçük Amerikalıya bu ad takıldı; ben 1 Mart 1873'te doğduğum zaman, bu yola henüz hiç başvurulmamıştı. Bu egzotik adın yükünü taşıyabilmem için, onu ikinci ad olarak takmayı uygun görmüşlerdi. Böylece, istediğim vakit sadece basit bir O. harfiyle yetinebilecektim. Okuldaki arkadaşlarım bunun Oliver, Oswald, Osborne veya Orville olduğunu sanıyorlardı ve ben hiçbirini yalanlamıyordum.[1]

Böylesine bir isim mirasına konunca, uzak akrabamı merak etmezlik edemedim. Onbeş yaşımdayken, onun hakkında ne varsa

(1) Ömer adı İngilizce Omar olarak "O" harfiyle yazılıp okunur. (Ç.N.)

140

okumaya koyuldum. Farsça öğrenmeye ve İran'ı görmeye karar vermiştim. Ama bu ilk heyecan dalgasından sonra duruldum. Şayet herkesin kabul ettiği gibi, FitzGerald'ın mısralarına, İngiliz şiirinin başyapıtı diye bakılmışsa da, Hayyam'ın yazdıklarıyla yakından uzaktan ilgisi yoktu. Hayyam'ın dörtlüklerine gelince, bazı yazarlar bin kadarını sayabiliyordu. Nicolas dörtyüz tanesini çevirmişti, ince eleyip sık dokuyan uzmanlar sadece yüzünün "gerçek" olabileceğini söylüyordu. Tanınmış bazı doğubilimciler, aralarından bir tekinin bile, kesinlikle Ömer'e ait olduğunun ileriye sürülemeyeceğini belirtiyorlardı.

Bir özgün kitabın var olabileceğini, kitabın gerçek ile sahteyi birbirinden ayırmaya yarayacağını, ancak böyle bir kitabın bulunduğunu gösteren hiçbir belirti olmadığını söylüyorlardı. Sonunda, hem kişiye, hem yapıtına olan ilgim kesildi ve adımın ortasındaki O harfini, annemle babamın çocuksu bir hevesine bağlamakla yetindim. Ta ki beklemediğim bir karşılaşma beni ilk aşkıma döndürene ve hayatımı Hayyam'ın adımları doğrultusuna çekene kadar...

XXVI

Eski kıtaya 1895 yılında, yaz sonunda gittim. Büyükbabam yetmiş altı yaşına basmıştı ve bana ve anneme ağlamaklı mektuplar gönderiyordu. Beni, ölmeden önce son bir kez görmek istiyordu. Bütün derslerimi yarıda kesip yola çıktım, gemide, hep başucuna çömeleceğimi, soğumakta olan elini tutacağımı ve son sözlerine yetişebileceğimi düşünüyordum. Beni bekleyen bu olmalıydı.

Boşuna. Büyükbabam, en sağlıklı haliyle beni Cherbourg'da bekliyordu. Onu yeniden görür gibiyim. Caligny rıhtımında, elinde bastonu, her zamankinden dik bıyıkları, yürüyüşü endamlı, hanımların her geçişlerinde eliyle kaldırdığı şapkası ile. Amirallik Lokantasına girip oturduğumuzda, kolumu sıkıca tutup tiyatroda oynar gibi "Dostum demişti, içimde bir delikanlı doğdu, ve bir arkadaşa gereksinimi var."

Sözlerini hafife almakla yanılmışım, gezintimiz tam bir fırtına idi. Brébant'da, Foyot veya Père Lathuile'de yemeğimizi tam bitirmişken; Eugénie Buffet'yi, Mirliton'a Aristide Bruant'ı, Scala'ya Yvette Guilbert'i görmeye koşardık. Sanki iki kardeştik, beyaz bıyıklı ve kara bıyıklı, aynı yürüyüş, aynı şapka. Ama yine de kadınlar önce ona bakarlardı. Patlayan her şampanya şişesinde nasıl hareket ettiğine, nasıl yürüdüğüne bakardım. Tek bir kez aksamazdı. Bir hamlede kalkar, benim kadar hızlı yürürdü. Bastonu sadece süs diye kullanıyordu. Bu geçkin baharın her gülünü koparmak istiyordu. Doksan üç yaşına kadar yaşadığını belirtmekten iftihar duyuyorum. O tarihte önünde daha onyedi yıl vardı, yeni gençlik yılları...

Bir akşam beni Madeleine Alanı'nda Durand'a yemeğe götürdü. Lokantanın bir köşesinde, yanyana konulmuş masaların çevresinde bir grup kadın-erkek oyuncu, gazeteci ve politikacı vardı. Büyükbabam, ancak benim duyabileceğim bir sesle her birini teker teker tanıttı. Masanın tam ortasında boş bir iskemle vardı. Az sonra bir adam geldi, yerin ona ayrıldığını anladım. Hemen çevresini sardılar, söylediği her söz hayret ya da gülüşmeyle karşılanıyordu. Dedem kalktı, kendisini izlememi istedi:

— Gel sana kuzenim Henri'yi tanıtayım!

Beni çekiştirip duruyordu. İki kuzen birbirlerine sarıldılar, sonra bana döndüler:

— İşte Amerikalı torunum! Seninle çok tanışmak istiyordu.

Şaşkınlığımı pek gizleyemedim. Adam inanmıyormuş gibi bana baktı. Sonra da:

— Pazar sabahı gelip beni görsün dedi. Trisikletimle gezintim bittiğinde.[1]

Ancak yerime oturduktan sonra kim olduğunu anlayabildim. Büyükbabam onu mutlaka tanımamı istiyordu. Ondan sık sık, aynı soydan olmanın böbürlenmesiyle söz ederdi. Aslında, söz konusu kuzen Atlantiğin öte yakasında pek tanınmasa da, Fransa'da Sarah Bernhardt'dan da ünlüydü. Çünkü söz konusu kişi Victor Henri de Rochefort-Luçay, demokrasilerde tanınan adıyla Henri Rochefort'dan başkası değildi. Soylu bir marki, hızlı bir komüncü, eski bir parlamenter ve bakan, çileli bir zindan mahkûmu idi. Versailles'cılar tarafından Yeni Kaledonya'ya sürüldükten sonra, 1874'te, inanılmaz yöntemlerle firar etmiş ve çağdaşlarına, üzerinde işleyebilecekleri malzeme olmuştu. Edouard Manet bile, *Rochefort'un Kaçışı*'nın resmini yapmıştı. 1889'da yeniden sürgün edilmişti. Bu kez, General Boulanger ile komplo kurmakla suçlanıyordu. Etkili gazetesi *Intransigeant*'ı Londra'dan yönetmeyi sürdürmüştü. 1895 affından yararlanarak döndüğü vakit, kendisini iki yüz bin Paris'li çılgınca karşılamıştı. Blanqui ve Boulanger yanlısı, sol ve sağ devrimci, idealist, demagog, birbiriyle çekişen yüz çeşit davanın sözcüsü olmuştu. Bütün bunları biliyordum ama beni bekleyen sürpriz başkaydı.

Saptanan gün Pergolèse Sokağı'ndaki konağına gittim. Büyükbabamın en sevgili kuzenini bu ilk ziyaretimin, Doğu âlemine yapacağım gezinin ilk adımlarını oluşturacağını nereden bilebilirdim?

— Demek siz, sevgili Geneviève'in oğlusunuz? Ömer adını taktığı oğlu sizsiniz, değil mi?

— Evet, Benjamin Ömer.

— Seni kollarıma aldığımı biliyor muydun?

Bu koşullarda bana sen demesi doğaldı. Ama bu sesleniş tabii ki tek yönlü olmakla kaldı.

---

(1) Trisiklet: Üç tekerlekli bisiklet. (Ç.N.)

— Annem, siz kaçtıktan sonra San Fransisco'ya gelip, Doğu Ekspresine bindiğinizi anlatmıştı. New-York'ta sizi garda karşılamışız. O zaman iki yaşındaydım.

— Çok iyi anımsıyorum. Senden, Hayyam'dan, İran'dan söz etmiştik. Üstelik, senin büyük bir doğubilimcisi olacağını söylemiştim.

Onun bu tahminlerini gerçekleştiremediğimi, başka şeylere ilgi duyduğumu, daha çok mali konulara yöneldiğimi, babamın kurduğu denizcilik şirketinin başına geçmeyi tasarladığımı söylerken, hayli sıkıldım. Benim bu seçimimden düşkırıklığına uğrayan Rochefort, bir sürü öykü beraberinde, bana uzun bir söylevde bulundu. Montesqieu'nün *İran Mektupları* ve *Nasıl İranlı Olunur?* adlı yapıtlarından tutun da, kendini XIV. Louis'nin elçisi diye tanıtıp İran Şahı tarafından kabul edilen kumarbaz Marie Petit'nin serüvenine Jean Jacques Rousseau'nun kuzeninin ömrünün son yıllarını İsfahan'da bir saatçi olarak geçirmesine kadar bir dizi hikâye anlattı. Onu yarım yamalak dinliyordum. Dikkatimi onu incelemeğe vermiştim, kocaman kafasına, dalgalı ve gür saçların kapladığı çıkık alnına bakıyordum. Aşırılığa kaçmadan, heyecanla konuşuyordu. Ateşli yazılarını bilince, el kol hareketlerinde bulunacağını sanırdım.

— Hiç ayak basmadığım halde İran'a bayılıyorum. Gezginci bir ruha sahip değilim. Sürgün edilmiş olmasaydım, Fransa'dan dışarı ayak atmazdım. Ama zaman değişiyor, dünyanın öbür ucunda meydana gelen olaylar bizi de etkiliyor. Bugün altmış yerine yirmi yaşında olsaydım, Doğu'da bir serüven yaşamak isterdim. Hele adım Ömer olsaydı!

Hayyam'dan niçin yüz çevirdiğimi anlatmak zorunda kaldım. *Rubaiyat* ile ilgili kuşkuları, gerçek olduklarını gösterecek hiçbir kanıtın olmadığını anlattım. Ben konuştukça, gözlerinde anlamını çözemediğim bir ışık belirdi. Söylediklerim böyle bir heyecanı yaratacak nitelikte değildi. Meraklandığım ve sıkıldığım için kısa kestim. Rochefort heyecanla sordu:

— Ya, Elyazması Kitabın varlığından emin olsaydın, Ömer Hayyam'a yeniden ilgi duyar mıydın?

— Elbette.

— Ya ben sana, bu *Elyazması*'nı gözlerimle gördüm, hem de şurada Paris'te ellerimle dokundum dersem?

XXVII

Bu ani açıklama hayatımı altüst etti dersem, doğru olmaz. Rochefort'un beklediği tepkiyi göstermedim. Bir hayli şaşırmış ve meraklanmıştım ama, aynı zamanda kuşkuluydum: Karşımdaki adam bana tam bir güven vermiyordu. Dokunduğu, yapraklarını çevirdiği kitabın, Hayyam'ın gerçek yapıtı olduğunu nereden bilecekti? Farsça bilmiyordu, belki de onu aldatmışlardı. Hiçbir doğubilimcisi varlığını açıklamadığı halde, nasıl oluyordu da bu kitap Paris'te bulunuyordu? Terbiyeli bir biçimde: "İnanılır gibi değil!" dedim ama, bu aynı zamanda gerçek düşüncemdi. Böylece hem karşımdakinin heyecanına katılıyor, hem de kendi kuşkularımı belirtmiş oluyordum. Konuşmasını bekledim. Rochefort:

— Olağanüstü birini tanımıştım dedi. Gelecekteki kuşaklara iz bırakmak üzere tarihte yerini alan kişilerden biri. Türk padişahı ondan çekiniyor, İran Şahı adını duyduğunda titriyor. Peygamber sülalesinden olduğu halde İstanbul'dan kovuldu, çünkü pek çok din adamının, vezirin, vekilin huzurunda feylesofluğun insanlığa peygamberlik kadar gerekli olduğunu söylemiş. Adı Cemaleddin.[1] Tanıyor musun?

Cehaletimi itiraf etmek zorunda kaldım.

— Mısır İngilizlere karşı ayaklandıysa, bu adamın çağrısı üzerine ayaklandı. Nil vadisinin tüm okur yazarları, ondan saygıyla söz ederler. Onu Üstad diye çağırırlar. Aslında Mısırlı değildir. Orada pek az kalmıştır. Hindistan'a sürülmüş, orada da bir çok yandaş edinmiştir. Onun teşvikiyle gazeteler çıkmış, dernekler kurulmuştur. Genel Vali de endişelenerek, Cemaleddin'i sınır dışı etmiştir. O da Avrupa'da yerleşmeyi yeğlemiş ve etkinliklerini Londra'dan ve daha sonra Paris'ten sürdürmüştür. *Intransigeant*'a yazı yazıyordu ve çok sık karşılaşırdık. Bana müridlerini tanıştırmıştı. Bunlar Hintli Müslümanlar, Mısırlı Yahudiler, Suriyeli Maruniler idi. Fransızla arasında sanırım en iyi arkadaşı bendim. Ama yalnız-

(1) Söz konusu kişi Cemaleddin Afganî'dir. (Ç.N.)

145

ca ben değil, Ernest Renan ve Georges Clemenceau da var. İngiltere'de de Lord Salisbury, Randolph Churchill ve Wilfrid Blunt ile dostluk kurmuştu. Ölümünden bir süre önce Victor Hugo da onunla tanışmıştı. Daha bu sabah, onunla ilgili bazı notları gözden geçiriyordum. Anılarımda ondan söz etmek niyetindeyim.

Rochefort, kâğıtları arasından, ince yazısı ile yazdığı bir kâğıt çekti ve okumaya başladı: "Bana sürgün edilmiş bir adamı tanıştırdılar. Bütün İslam dünyasında ün salmış. Bir 'Islahatçı ve İhtilalci' olarak. Adı Şeyh Cemaleddin, gerçek bir aziz! Güzel kara gözleri hem yumuşak hem ateşli, koyu kara sakalı yarı beline kadar inmiş, ona tuhaf bir azamet kazandırıyor. Kitlelere egemen olan tiplerden. Tek tük konuşabildiği Fransızcayı az çok anlıyordu ama dilimizi bilmemesini, zekâsı ile gideriyordu. Sakin ve sessiz görünüşünün altında, kıpır kıpır bir canlılık vardı. Birbirimizle hemen kaynaştık, çünkü bende devrimci bir ruh var ve her özgürlük savaşçısı beni kendine çeker..."

Kâğıtları yerine koydu ve devam etti:

— Cemaleddin, Madeleine yakınlarındaki Sèze sokağında bir otelin son katında, küçük bir oda tutmuştu. Hindistan'a ve Arabistan'a balyalarla gönderdiği gazetelere burada yazı yazardı. Bir kez içeri girdim, neye benzediğini görmek için. Cemaleddin'i Durand'a yemeğe davet etmiş ve onu geçip alacağımı söylemiştim. Doğrudan odasına çıktım. Gazete ve kitap yığınları arasından zor geçiliyordu. İçerde boğucu bir puro kokusu vardı.

Rochefort, adamı çok beğendiği halde, o son cümleyi yüzünü ekşiterek söyledi ve benim de o saniye yakmış olduğum puroyu söndürmeme yol açtı. Rochefort gülümseyerek teşekkür etti ve konuşmasını sürdürdü:

— Dağınıklıktan ötürü özür diledikten sonra, önem verdiği bir kaç kitap gösterdi. Özellikle muhteşem minyatürlerle süslenmiş Hayyam'ın kitabını. O kitabın adının *"Semerkant Elyazması"* olduğunu, ozanın kendi eliyle yazdığı dörtlükleri içerdiğini, kenarına da tarih düşüldüğünü anlattı. Elyazması'nın· hangi yoldan eline geçtiğini de belirtti.

— Good Lord!

Benim Tanrı'ya İngilizce seslenişim, Henri'nin kahkahasına yol açtı. Belliydi ki inançsızlığımı bir yana atarak, onu can kulağı ile dinleyecektim. Bundan yararlanmaya baktı:

— Tabii bu konuda Cemaleddin'in söylediklerini pek anımsamıyorum diye acımasızca devam etti. O gece, daha çok Sudan'dan söz ettik. Sonra o *Elyazması*'nı bir daha görmedim. Ama var olduğuna tanıklık edebilirim. Yine de, kaybolmuş olmasından korkuyorum. Arkadaşımın elinde ne varsa yakılıp yıkıldı ya da dağıtıldı.

— Hayyam'ın kitabı da mı?

Yanıt olarak Rochefort, cesaret verici bir işarette bulunmakla yetindi. Sonra heyecanla anlatmaya başladı. Arasıra notlarına da bakıyordu:

— İran Şahı 1889'da Sergi için Avrupa'ya geldiğinde, Cemaleddin'e "kâfirler arasında ömür tüketeceğine İran'a dönmesini" önerdi. Önemli bir görev vereceğini ima etmekten geri kalmadı. Cemaleddin de koşullarını söyledi: "Bir Anayasa yapılmalı, seçimler olmalı, 'uygar ülkelerde olduğu gibi' yasa karşısında herkes eşit olmalı ve yabancı devletlere verilen aşırı ödünler kaldırılmalı" idi. İran'ın durumu, yıllar boyu karikatürlerimize konu edilmişti. İran'da yol yapma tekelini ellerinde tutan Ruslar, şimdi de askeri eğitimi üstlenmişlerdi. Bir Kazak Tugayı kurmuşlardı. Bu, İran ordusunun en iyi donatılmış tugayı idi ve doğrudan Çar'ın komutanlarından emir alıyorlardı. Buna karşılık İngilizler, bir lokma ekmek karşılığında bütün madenlerin ve ormanların işletmesini üstlenmişlerdi, ayrıca banka sistemini ellerinde tutma hakkını elde etmişlerdi. Avusturyalılara gelince, onlar da Posta İdaresi'ne el koymuşlardı. Cemaleddin, mutlakiyetçiliğe son vermesi ve yabancılara verilen ödünlerin kaldırılmasını isterken, red edileceğini biliyordu. Oysa büyük bir şaşkınlıkla, Şahın bütün koşullarını kabul ettiğini ve ülkeyi modernleştirme vaadinde bulunduğunu gördü.

"Cemaleddin İran'a gitti, hükümdarın çevresinde yer aldı, Hükümdar da ilk zamanlar ona, haremindeki kadınları sunacak kadar yakınlık gösterdi. Ama reformlar askıdaydı. Bir Anayasa mı? Din adamları bunun Tanrı Yasası'na aykırı olacağına Şahı inandırdılar. Seçimler mi? Saraylılar, Şah mutlak otoritesinin sarsılmasına izin verirse, sonunun XVI. Louis'ye benzeyeceğini söylüyorlardı. Yabancılara verilen ödünler mi? Olanları kaldırmak bir yana, hükümdar hep para sıkıntısı çektiğinden, yeni ödünler vermek zorunda kalıyordu. Bir İngiliz şirketine, on beş bin sterlinge karşılık, İran'ın tütün tekelini vermişti. Şirketin yalnız dış satım değil iç satım hakkı da oluyordu. Kadın, erkek, çocuk, herkesin nargile içtiği bu ülkede bu, pek kârlı bir işti.

"Ödünler konusunda bu sonuncu haber, Tahran'da resmen açıklanmadan önce, el altından dağıtılan el ilanları ile duyurulmuş ve Şahın bu kararından vazgeçmesi istenmişti. Hatta hükümdarın yatak odasına bile bu bildirilerden bir tanesi konulmuştu. Bunları yazanın Cemaleddin olmasından kuşkulanılıyordu. Kaygılanan Cemaleddin, pasif direnişe geçmeye karar verdi. İran'da âdetti: herhangi bir insan, özgürlüğünden ya da hayatından kaygılandığı vakit, Tahran dolaylarındaki eski türbelerden birine sığınırdı. Orada yakalanmazdı. Cemaleddin de aynı şeyi yaptı ve bu hareketiyle kitleleri harekete geçirmiş oldu. Binlerce kişi, İran'ın dört bir bucağından, onu görüp dinlemek için yola çıktı. Bunun üzerine hükümdar da öfkelenerek onun oradan çıkartılmasını emretti. Bu hainliği yapmadan önce çok düşündüğünü, ancak sadrazamının, Avrupa'da yetişmiş biri olduğu halde, Cemaleddin'in türbenin dokunulmazlığından yararlanma hakkına sahip olmadığını söyleyerek onu etkilediğini anlatırlar. Askerler bu ibadet edilen yere silahlarıyla girdiler, ziyaretçiler arasından kendilerine bir yol açarak Cemaleddin'i yakaladılar, nesi varsa soyup, yarı çıplak durumda ülke sınırına kadar sürüklediler. O günü, o türbede, *Semerkant Elyazması*, Şahın askerlerinin çizmeleri altında kayboldu.

Rochefort konuşmasını sürdürerek ayağa kalktı, duvara yaslanıp kollarını birbirine geçirdi:

— Cemaleddin sağ ama hastaydı. Özellikle, kendisini hayran hayran dinlemeye gelen onca ziyaretçinin, böylesine aşağılanmasına seyirci kalmalarını hazmedememişti. Bundan da bir takım sonuçlar çıkarttı: Ömrünü bazı din adamlarının yobazlığını kınamakla geçirdiği Mısır, Fransa ve Türkiye'deki mason localarına devam ettiği halde, Şah'a baş eğdirmek üzere elindeki sonuncu silahı kullanmaya karar verdi. Ne olursa olsun sonuçlarına da katlanacaktı!

Bunun üzerine, İran'daki Baş İmam'a uzun bir mektup yazdı. Hükümdarın, Müslümanların mallarını kâfirlere ucuza satmasını önlemesini istedi. Bundan sonrasını gazetelerden izlemişsindir.

Anımsadığım kadarıyla, Amerikan basını, Şiilerin Baş İmamının şaşırtıcı bir açıklamada bulunduğunu yazmıştı: "Tütün içen her kişi, Mehdi'ye –Tanrı gelişini yakın kılsın– karşı çıkmış sayılır. O günden sonra hiçbir İranlı, tek sigara içmedi. Nargileler kırıldı, tütüncüler kapandı. Şahın karıları bile, emre harfiyen uydular. Hükümdar telaşlandı. Baş İmam'a gönderdiği mektupta onu, " tütünü yasaklamakla Müslümanların sağlığı ile oynuyorsun diye suçladı. Ama boykot daha da sertleşti. Tahran, Tebriz, İsfahan'da gösteriler yapıldı. Rochefort devamla:

— Bu ara, Cemaleddin İngiltere'ye varmıştı, dedi. Ona orada rastladım, uzun uzun görüştüm. Bana, şaşkın ve ne söylediğini bilmez göründü. "Şah'ı devirmek gerek" deyip duruyordu. Yaralı, aşağılanmış biri olarak intikam almaktan başka bir şey düşünmüyordu. Üstelik hükümdarın öfkesi onu rahat bırakmamıştı. Şah Lord Salisbury'e bir mektup yazmıştı: "Biz bu adamı, İngiliz çıkarlarına karşı çıktığı için kovduk. O kalkmış nereye sığınıyor? Londraya!" Resmi olarak, Şah'a İngiltere'nin özgür bir ülke olduğu, bir insanın sığınmasını önleyecek hiçbir yasa bulunmadığı söylenmişti. Özel olaraksa, Cemaleddin'in etkinliklerini sınırlayacak yasal yollar bulunacağı vaad edilmişti. Ayrıca Cemaleddin'den de ikametini kısa kesmesi rica edilmişti. Bunun üzerine, istemeye istemeye İstanbul'a gitti.

— Şimdi orada mı?

— Evet. Çok hüzünlü olduğu söyleniyor. Sultan ona bir konak tahsis etmiş. Orada dostlarını ve müritlerini kabul ediyormuş. Ama ülkeden çıkması yasakmış. Sıkı göz hapsinde tutuluyormuş.

XXVIII

Kapıları ardına kadar açık muhteşem hapishane: Yıldız sırtlarında ahşap bir saray; Sadrazam konağının yanı başında. Yemekler, Saray mutfağından geliyor. Ziyaretçiler art arda ağaçlıklı yoldan ilerliyor, kapı eşiğine vardıklarında pabuçlarını çıkartıyorlardı. İçeri girildikte, Üstadın, tok sesiyle Şah'a ve İran'a lanetler yağdırdığı duyuluyordu.

Ben, tuhaf şapkam, tuhaf yürüyüşüm, tuhaf kaygılarımla Paris'ten İstanbul'a yetmiş iki saat süren ve üç imparatorluk toprağından geçen Amerikalı yabancı, elyazması bir kitabı elde etmek için, –eski bir şiir kitabını,– Doğu'nun kargaşasına dalıverdim!

Yanıma bir uşak geldi. Osmanlı usulü bir temennah, iki Fransızca sözcük, tek bir soru sormaksızın! Buraya zaten herkes aynı nedenle geliyordu: Üstadı görmek, Üstadı dinlemek, Üstadı gözaltında tutmak. Büyük salonda beklemem istendi.

İçeriye girer girmez, bir kadın görüntüsü gözüme çarptı. İster istemez gözlerimi eğdim; güleç bir yüzle tokalaşmak için yaklaşmayacak kadar ülke adetlerini biliyordum. Konuşur gibi yapıp, belli belirsiz şapkamla selam verdim. Oturduğu yere yakın, boş bir koltuk gözüme çarptı. Oraya seyirttim. Gözlerim yerdeki halıya dikilmişken, kadının iskarpinlerinden mavi etekliğine, oradan dizlerine, göğüslerine, boynuna, peçesine kadar yükseldi. Ama tuhaf şey, peçeyle karşılaşacak yerde, açık bir yüz ve bana bakan gözlerle karşılaştım. Ve de bir gülümsemeyle... Bakışlarımı kaçırdım, halılarda gezdirdim, bir yer döşemesine takılı kaldılar. Sonra yavaş yavaş, bir mantarın suda yükselişi gibi, bakışlarım da ona doğru yükseldi. Başında ipek bir yaşmak vardı. Gerekirse yüzünü örtüyordu. Oysa yaşmak, yabancının karşısında açık duruyor ve inmiyordu.

Bu kez bakışları uzağa dalmıştı. Bana da profilini ve teninin duruluğunu izlemek kalmıştı. Tatlılığın bir adı olsaydı, onun tenine konulurdu. Gizemin bir adı olsaydı, kendisine takılırdı. Yanaklarım terlemiş, ellerim buz gibi olmuştu. Şakaklarım mutluluktan zonkluyordu.

Tanrım, Doğu'nun bu ilk görüntüsü ne kadar güzeldi! Çöl ozanlarının övecekleri bir kadın: yüzü güneş, saçları gölge, gözleri pınar, bedeni fidan, gülümsemesi serap!

Onunla konuşmak mı? Burada mı? Seslerin olduğu gibi yankılandığı bu odada mı? Ayağa kalkmak? Ona doğru yürümek? Daha yakınına oturup gülümsemesine yakından bakmak ve peçesinin bir giyotin gibi indiğini görmek tehlikesini göze almak mı? Gözlerimiz, rastlantıymış gibi yeniden karşılaştı, sonra gözlerini·kaçırdı. Uşağın gelmesiyle bu kısa buluşmalar da son buldu. Birincisinde çay ve sigara tutmak için, ikincisinde de yerlere kadar eğilip Türkçe bir şeyler söylemek için gelmişti. Bunun üzerine kalktı, yüzünü örttü, adama meşin bir kese uzattı. Adam çıkış kapısına doğru koştu, kadın onu izledi.

Tam çıkacağı sırada yavaşladı, adamın uzaklaşmasını bekledi, bana döndü ve benimkinden çok daha iyi bir Fransızcayla:

— Bilinmez! Bir gün yeniden karşılaşırız, dedi.

Nezaket mi? Vaad mi? Konuşurken muzipçe gülümsüyordu.

Bir kafa tutma ya da tatlı bir sitem izlenimini edindim. Koltuğumdan acemice kalkıp, dengemi bulmak için salınıp dururken, o karşımda hareketsiz durmuş, eğlenir bir tavır takınmıştı. Söyleyecek tek bir sözcük bile bulamıyordum. Birden yok oldu.

Pencerenin yanında durmuş, ağaçların ve faytonların arasından onu seçmeğe çalışırken, bir ses beni düşüncelerimden ayırdı.

— Sizi beklettiğim için özür dilerim.

Konuşan Cemaleddin'di. Sol elinde sönmüş bir puro tutuyordu. Sağ elini uzattı, içtenlikle elimi sıktı, yumuşak ama mertçe...

— Adım Benjamin Lesage. Henri Rochefort tarafından geliyorum.

Rochefort'un mektubunu uzattım. Okumadan cebine soktu, kollarını açtı, beni kucaklayıp alnımdan öptü.

— Rochefort'un dostları, benim dostlarımdır. Onlarla daima açık konuşurum.

Omuzlarımdan tutup, ahşap merdivenlere doğru sürükledi.

— Umarım dostum Henri iyidir. Sürgünden büyük bir zaferle döndüğünü duydum. Parislilerin adını bağıra bağıra önünde geçmeleri, onu çok mutlu etmiş olmalı. Olanları *Intransingeant*'da okudum. O gazeteyi düzenli gönderir. Böylece Paris'te olan biten hakkında bilgi sahibi olurum.

Cemaleddin özenle, düzgün bir Fransızcayla konuşuyordu. Bazen bir sözcük ararken, ona fısıldayıveriyordum. Doğru bulmuşsam teşekkür ediyor, bulmamışsam belleğini yokluyordu.

— Paris'te karanlık bir odada yaşadım. Ama odam geniş bir dünyaya açılıyordu. Bu evden bin kat ufaktı ama içim böyle daralmıyordu. Halkımdan binlerce kilometre uzaktaydım ama onların iyiliği için burada ya da İran'da olduğumdan daha rahat çalışıyordum. Sesimi ta Cezayir'e kadar duyurabiliyordum. Bugün ise sadece, beni ziyaretleri ile onurlandıran kişilere duyurabiliyordum. Kapım onlara her zaman açık tabii, özellikle Paris'ten gelirlerse...

— Ben Paris'te yaşamıyorum. Annem Fransız, adım Fransız adına benziyor ama ben Amerikalıyım. Maryland'da oturuyorum.

Eğlenir gibiydi:

— 1882'de Hindistan'dan kovulduğum zaman Amerika'dan geçtim. Hatta inanır mısınız, az daha Amerikan uyruğuna geçecektim. Gülümsüyorsunuz! Dindaşlarımın çoğu şok geçirirdi. Seyyid Cemaleddin, İslam Rönesansının havarisi, Peygamber soyundan gelme, bir Hıristiyan ülkesinin uyruğuna geçsin! Ama utandığım yok, hatta dostum Wilfried Blunt'un bunu Anıları'nda belirtmesine izin verdim. Gerekçem basit: İslam toprakları üzerinde zulümden korunabileceğim tek bir köşe yok. İran'da geleneksel olarak dokunulmazlığı olan bir türbeye sığınmak istedim, hükümdarın askerleri içeriye girip, beni yüzlerce ziyaretçi arasından alıp dışarıya çıkardılar. Tek bir talihsiz istisna dışında, kimsenin kılı kıpırdamadı. Kimse karşı çıkma cesaretini göstermedi. Zalimden korunacak ne bir medrese, ne bir türbe, ne bir kulübe vardı!

Titreyen bir elle, masanın üzerinde duran tahtadan bir dünyayı okşamağa başladı.

— Türkiye bundan da kötü. Sultan ve Halife Abdülhamid'in resmi konuğu değil miyim? Tıpkı Şah gibi, o da kâfirler ülkesinde yaşadığım için sitem dolu mektupları göndermedi mi? Keşke ona, "güzelim ülkelerimizi hapishaneye dönüştürmeseydiniz, Avrupalılara sığınmam gerekmezdi" diye yanıt verseydim. Ama zaaf gösterdim, kandırıldım, İstanbul'a geldim; sonuç ortada! Bu yarı deli, konukseverlik kurallarını bir yana iterek, beni hapsetti. Ona en son şu haberi gönderdim: "Sizin davetliniz değil miyim? Bırakın gideyim! Sizin mahpusunuzsam, ayağıma pranga takıp beni zindana atın!" Cevap bile vermedi. Amerikan, Fransız, Avusturya-Macaristan hatta Rus veya İngiliz uyruğunda olsaydım, konsolosum Sadrazamın kapısını vurmadan içeri dalar, yarım saat içinde beni serbest bıraktırırdı. Dediğim gibi, bu yüzyılın Müslümanları olarak, bizler birer yetimiz.

Nefes nefese kalmıştı. Son bir çabayla:

— Söylediklerimin hepsini yazabilirsiniz dedi. Sadece, Abdülhamid'e yarı deli dediğimi yazmayın. Bu kafesten uçup gitme fırsatını tümüyle yitirmek istemiyorum. Üstelik yazarsan da yalan olur çünkü adam tam deli, üstüne üstlük tehlikeli bir cani, hastalıklı ve kendini müneccimin ellerine terk etmiş.

— Hiç kaygılanmayın. Bunların hiçbirini yazacak değilim.

Ara vermesinden yararlanarak, yanlış bir anlama olmaması için atıldım:

— İtiraf edeyim ki ben gazeteci değilim. Henri Rochefort dedemin kuzeni olur ve sizi görmemi o söyledi. Ancak gelişimin amacı İran ya da sizin hakkınızda yazı yazmak değil.

Ona Hayyam'ın *Elyazması*'na duyduğum ilgiyi, onu elime almak, sayfalarını çevirmek, derinliklerine inmek, içeriğini yakından incelemek istediğimi anlattım. Beni dikkatle dinledi ve sevincini gizleyemedi:

— Beni bir an tasalarımdan uzaklaştırdığınız için size minnettarım. Sözünü ettiğiniz konu beni her zaman heyecanlandırmıştır. M. Nicolas'nın, *Rubaiyat*'ı tanıtırken üç arkadaşın, Nizamülmülk, Hasan Sabbah ve Ömer Hayyam'ın öyküleriyle ilgili yazdıklarını okudunuz mu? Onlar birbirinden farklı kişilerdi ama her biri İran ruhunun ölümsüz bir yanını temsil ediyorlardı. Ben bazen her üçü olduğumu sanırım. Tıpkı Nizamülmülk gibi bir büyük İslam devleti kurmayı düşlüyorum. İsterse, çekilmez bir Türk Sultanı tarafından yönetilsin! Tıpkı Hasan Sabbah gibi, tüm İslam ülkelerine bozgunculuk tohumları ekiyorum, beni ölüme kadar izleyen müridler yaratıyorum.

Durdu, düşündü, kendini toparlayıp gülümsedi:

— Hayyam gibi bir anın zevkini tadıyor, şarap, meyhane ve sevgili üzerine şiirler yazıyorum; tıpkı onun gibi sahte dincilerden kaçınıyorum. Bazı dörtlüklerinde kendisinden söz ederken, Ömer'in beni anlattığını sandığım anlar oldu:

"Rengârenk Dünyada bir adam gezer,
Ne zengin, ne fakir, ne mümin, ne zındık,
Hiçbir gerçeğe dalkavukluk etmez,
Hiçbir yasayı tanımaz...
Bu alacalı dünyada kimdir bu adam, cesur ve üzgün?"

Bunu söylerken, bir sigara yaktı, düşünceye daldı. Küçük bir ateş parçacığı sakalının üzerine düştü, alışkın bir hareketle silkeledi. Sonra devam etti:

— Ta çocukluğumdan beri Hayyam'a hayranlık duyarım. Şair, ama özellikle feylesof, özgür düşünür Hayyam'a! Avrupa ve Amerika'nın, geç de olsa, onu keşfetmesinden kıvanç duyuyorum. Hayyam'ın kendi eliyle yazdığı *Rubaiyat* elime geçince, ne kadar sevindiğimi tahmin edersiniz.

— Ne zaman elinize geçti?

— On dört yıl önce, Hindistan'da, sırf beni görmek için gelmiş olan genç bir Acem getirdi onu bana. Kendisini şöyle tanıtmıştı: "Mirza Rıza, Kirmanlı, Tahran Çarşısı'nda eski bir tacir, hizmetkârınız!" Gülümsemiş ve eski bir tacirden ne kastettiğini sormuştum. Öyküsünü bunun üzerine anlattı. Eski giysiler satan bir dükkânı varmış, bir gün, Şah'ın oğullarından biri, ondan şallar, kürkler almış. Karşılığında bin yüz tuman, yani bin dolar verecekmiş. Ertesi günü, Mirza Rıza parasını almak üzere Şah'ın oğluna gittiğinde, dayak yemiş, hatta ölümle tehdit edilmiş. Onun üzerine gelip beni görmeye karar vermiş. O sıralarda Kalküta'da ders veriyordum. Mirza devamla dedi ki: "Keyfi yönetilen bir ülkede, namusuyla para kazanmanın olanaksız olduğunu anladım. İran'da bir Anayasa ve bir Parlamento gereklidir diye yazan sen değil misin? Bugünden itibaren en sadık müridin olayım. İşyerimi kapattım, karımı terk ettim, sırf peşinden gelebileyim diye! Sen sadece emret!"

Bu adamı anımsarken, Cemaleddin acı çeker gibiydi:

— Heyecanlanmış ve zor durumda kalmıştım. Ben bir gezgin feylesoftum. Ne evim, ne yurdum vardı. Yükümlü olmamak için evlenmemiştim. O adamın Mesih'mişim, Kurtarıcı'ymışım ya da Mehdi'ymişim gibi beni adım adım izlemesini istemiyordum. Ona "Her şeyi, dükkânını, aileni, pis bir para işi için terketmeğe değer mi?" diye sordum. Yüzünü astı, buna cevap vermedi, dışarı çıktı. Altı ay sonra tekrar geldi. Cüppesinden üzeri taş işli altın bir kutu çıkarttı. Açıp bana verdi: "Şu kitaba bak. Kaç para eder dersin?" Sayfaları çevirdim, okudukça heyecandan titriyordum. "Hayyam'ın gerçek kitabı! Şu resimler, şu süslemeler! Paha biçilmez!" "Binyüz tumandan çok mu eder?" diye sordu. "Çok daha fazla!" dedim. "Öyleyse senin olsun, dedi. Sana, Mirza'nın parasını geri almak için değil, onuruna yeniden sahip olmak için geldiğini hatırlatır."

Cemaleddin devamla:

— *Elyazması* böylece benim oldu, dedi. Bir daha da ayrılmadım. Amerika'ya, İngiltere'ye, Fransa'ya, Almanya'ya, Rusya'ya sonra da İran'a hep yanımda götürdüm. Şeyh Abdülazim'in türbesindeyken de yanımdaydı. Onu orada, o türbede kaybettim.

— Şimdi nerede olabileceğini biliyor musunuz?

— Size anlatmıştım. İtilip kakıldığım sırada tek bir adam Şah'ın askerlerine karşı çıkabilmişti. O da Mirza Rıza idi. Ayağa kalkmış, bağırmış, ağlamış, askerleri ve orada bulunanları alçaklıkla suçlamıştı. Onu tutuklayıp işkence ettiler, dört yıl süreyle zindana attılar. Serbest kaldığında İstanbul'a beni görmeye geldi. O kadar kötüydü ki kentteki Fransız hastanesine kaldırdım. Geçen kasım ayına kadar oradaydı. Onu daha fazla alıkoymak istedim, dönüşünde tekrar yakalanmasın diye! Ama kabul etmedi. Hayyam'ın *Elyazması*'nı geri almak istiyordu. Onu başka hiçbir şey ilgilendirmiyordu. Bir saplantıdan diğerine geçen adamlar vardır.

— Sizce *Elyazması* hâlâ duruyor mu?

— Bunu bir tek Mirza Rıza söyleyebilir. Ben tutuklanırken onu elimden alan askeri bulacağına inanıyordu. Gidip onu bulmak, kitabı ondan satın almak istiyordu. Tanrı bilir hangi parayla?

— *Elyazması*'nı geri almak söz konusuysa, para sorun değil!

Heyecanla atılmışım. Cemaleddin yüzüme baktı, kaşlarını çattı, üzerime eğildi:

— Bence siz, dedi, zavallı Mirza gibi, bu *Elyazması*'na takmışsınız! O halde tek bir yolu var: Tahran'a gitmek! O kitabı bulacağınızı garanti edemem ama, görmesini bilirseniz, Hayyam'ın başka izlerine de rastlayabilirsiniz!

— Vize alabilirsem yarın yola çıkarım.

— Bu sorun değil. Bakû'daki İran konsolosuna bir mektup veririm. Gerekeni yapar, hatta Enzeli'ye kadar gitmenizi sağlar.

Yüzümde bir endişe farketmiş olmalı ki güldü:

— Herhalde benim gibi birinin, İran hükümetinin bir memuruna nasıl tavsiyede bulunabileceğini düşünüyorsunuz. Bilin ki her yerde müritlerim var, her kentte, hatta hükümdarın en yakın çevresinde bile! Bundan dört yıl önce, Londra'da bulunduğum sırada, bir Ermeni arkadaşımla İran'a gizliden sokulan bir gazete yayınlıyordum. Şah telaşlanmış, Posta Bakanını çağırtmış ve gazetenin dağıtımına mutlaka son vermesini emretmişti. Bakan, gümrükçülerden her türlü bozguncu yayını içeriye sokmamalarını ve derhal iade etmelerini istemişti.

Cemaleddin purosundan bir nefes çekti, sonra bir kahkaha attı:

— Şah'ın bilmediği, Posta Bakanının en sadık adamım olduğu idi ve gazetenin dağıtımı görevini üstlenmişti.

Kırmızı fesli üç ziyaretçi geldiğinde, Cemaleddin hâlâ gülüyordu. Ayağa kalkıp onlara selam verdi, yer gösterdi, birkaç kelime Arapça konuştu. Benim kim olduğumu anlattığını ve onlardan biraz izin istediğini tahmin ettim. Tekrar bana döndü:

— Tahran'a gitmeğe kararlıysanız, size birkaç mektup veririm. Yarın gelin, üstelik korkmayın, kimsenin aklına bir Amerikalıyı sınırda aramak gelmez.

Ertesi gün üç koyu renkli zarf beni bekliyordu. Onları kapatmamıştı. Birincisi Bakû'daki konsolosa, ikincisi Mirza Rıza'ya yazılmıştı. Üçüncüsünü uzatırken şunları söyledi:

— Bu adamın dengesiz ve sapık olduğunu söyleyip sizi uyarmak istiyorum. Gereğinden fazla görüşmeyin onunla. Onu çok severim, çok içten ve sadıktır. Müritlerim arasında en temiz olanıdır ama her türlü deliliği yapabilir.

İçini çekti. Beyaz entarisinin altındaki pantolonunun geniş cebine elini soktu:

— İşte on altın. Benim tarafımdan ona verirsiniz. Hiçbir şeyi yoktur, belki de açtır. Ama dilenmeyecek kadar onurludur.

— Onu nasıl bulacağım?

— En ufak bir fikrim yok. Ne evi, ne ailesi, ne yeri, ne yurdu var. Bir yerden bir yere dolaşıp durur. İşte bu yüzden bu üçüncü mektubu bir başka gencin adına yazdım. Bu, farklı biridir! Tahran'ın en zengin adamının oğludur. Yirmi yaşında olduğu halde, bizi yakan ateş onu da yakıyor. Değişken huylu değildir. En devrimci düşünceleri, karnı doymuş bir çocuğun gülümsemesiyle söyler. Onu, Doğulu olmamakla suçlarım bazen. Göreceksiniz, Acem kılığı altında İngiliz soğukluğu, Fransız mantığı, Clémenceau'nunkinden çok karşıt-ruhbancılık vardır. Adı Fazıl. Sizi Mirza Rıza'ya götürecek olan odur. Mirza'ya göz kulak olmasını ondan rica etmiştim. Delilik yapmasını engellediğini sanmıyorum ama, nerede olduğunu bilir.

Gitmek için ayağa kalktım. Hararetle uğurlarken elimi eline aldı:

— Rochefort mektubunda adınızın Benjamin Omar olduğunu

yazmış. İran'da sadece Benjamin'i kullanınız. Ömer adından hiç söz etmeyin.

— Oysa Hayyam'ın adı!

— On altıncı yüzyılda Acemler Şii olduklarından beri, bu isim yasaklandı. Başınıza iş açabilir. Doğu ile bütünleştiğinizi sanırken, kendinizi kavgaların içinde buluverirsiniz.

Yüzünde bir üzüntü, bir avuntu, bir aciz belirtisi oldu. Tavsiyesine teşekkür ettim. Çıkacağım sırada beni durdurdu:

— Son bir şey daha... Dün burada genç birine rastladınız. Onunla konuştunuz mu?

— Hayır, fırsat olmadı.

— O, Şah'ın torunu prenses Şirin'dir. Eğer herhangi bir nedenle çok darda kalacak olursanız, ona bir haber gönderip benim evimde karşılaştığınızı hatırlatın. Onun tek bir sözü ile pek çok kapı açılır.

XXIX

Trabzon'a kadar yelkenliyle gidiş... Karadeniz sakin, çokça sakin, hafif bir esinti, saatlerce aynı kıyı, aynı burun, aynı kayalık, aynı Anadolu ağaçlığı... Aslında sızlanmamam gerekirdi, yapacağım işin ağırlığını düşündükçe... Hayyam'ı çeviren M. Nicolas'ın Acemce-Fransızca konuşmalarını anımsamak gerekiyordu. Çünkü oradakilere kendi dilleriyle seslenmek istiyordum. İran'da, Türkiye'de olduğu gibi, pek çok aydının, üst görevlinin ya da tüccarın Fransızca konuştuklarını biliyordum. Hatta bazıları İngilizce biliyordu. Ama saraylar ve elçilikler çemberi aşılmak istendiğinde, büyük kentlerin dışında dolaşmak istenildiğinde, Acemce öğrenmek gerekiyordu.

Bu zorluk beni hem kamçılıyor hem eğlendiriyordu. Kendi dilimle hatta çoğu Latin kökenli dille ortaya çıkarttığım inceliklerden keyif alıyordum. Fransızca'nın père, mère, frère, fille'i ve İngilizce'nin *father, mother, brother, daughter'*ı, Acemce *peder, mader, birader, dohtar'*dan geliyordu. Hint-Avrupa dilleri arasındaki akrabalık, bundan daha iyi betimlenemez. İran Müslümanları Tanrı'ya "Hoda" derler. Hoda, İngilizce God ve Almanca Gott'a, diğer Müslümanların dillerindeki Allah'tan daha yakındır. Bu örneğe karşın, İran'da en etkili olmuş dil Arapça'ydı. Pek çok Acemce sözcüğün yerine Arapçasını kullanmak bir çeşit kültürel züppelikti. Aydınlar arasında çok kişi, kendi dili yerine Arapça sözcükler hatta koca koca cümleler kullanmayı yeğliyordu. Özellikle Cemaleddin de buna düşkündü.

Arapça'ya girişmeye daha sonra niyetliydim. Şimdilik M. Nicolas'nın sözcükleriyle yetiniyordum ve bunlar bana Acemce öğretmekten başka, yararlı ipuçları da veriyordu. Örneğin, şöyle konuşmalar öğretiliyordu:

— İran'dan hangi mallar ihraç edilebilir?

— Kirman şalları, inci, yeşim, halı, Şiraz tütünü, Manderan ipeği, sülük, yasemin sigara ağızlığı.

— Yolculuk yaparken beraberinde aşçı bulundurmak gerekir mi?

— Evet. İran'da aşçısı, yatağı, halısı ve uşakları olmadan yolculuk edilmez.

— İran'da hangi paralar geçiyor?

— Rus İmparatorluk kaimeleri, Hollanda dukaları. Fransız ve İngiliz parasına az rastlanır.

— Şimdiki Kralın adı ne?

— Nasreddin Şah.

— Çok iyi bir kralmış.

— Evet, yabancılara karşı çok iyi ve çok cömerttir. İyi okumuştur. Tarih, coğrafya, resim bilir. Fransızca konuşur, Arapça, Türkçe, ve tabii Acemce bilir.

Trabzon'a vardığımda, İtalya Oteli'ne yerleştim. Her yemeği harman yerine çeviren sinekler bir yana, rahat bir oteldi. Ben de, diğer yolcular gibi, birkaç kuruşa sinekleri kovacak bir çocuk tuttum. Yalnız işin en zor yanı, sinekleri kovacağı yerde, onları dolmalarla kebapların içinde ezmeğe kalkışmasından vazgeçirmekti. Bir süre sözümü dinliyor ama bir sineği gözüne kestirdi mi, kendini tutamıyordu.

Gelişimin dördüncü günü, Marsilya-İstanbul-Trabzon hattını yapan gemide yer buldum. Karadeniz'deki Rus limanı Batum'a kadar gidiyordu. Oradan trene bindim. Hazar denizi kıyılarındaki Bakû'ya kadar gittim. İran konsolosu beni o denli nazik karşıladı ki, ona basit bir yolcu olarak görünmek daha iyi değil miydi? Ama yine de içimi bir kuşku kapladı. Belki de mektubunda, bende kalması doğru olmayacak bir mesaj vardı. Aniden:

— Belki de ortak bir dostumuz var, dedim.

Zarfı çıkarttım. Konsolos dikkatle açtı. Masasından gümüş çerçeveli gözlüğünü aldı, okudu. Birden, parmaklarının titrediğini gördüm. Ayağa kalktı, gidip kapıyı kilitledi, mektubu dudaklarına götürdü ve birkaç saniye öylece kalakaldı. Sonra buna dönerek kazadan kurtulmuş bir kardeşe sarılır gibi sarıldı.

Kendine gelir gelmez hizmetçilere seslendi, bavulumu evine taşımaları, en güzel odaya yerleştirmeleri ve akşama güzel bir yemek hazırlamalarını buyurdu. Beni böylece iki gün evinde alıkoydu, işi gücü bırakmış, durmadan Üstad hakkında, sağlığı, keyfi ve özellikle İran'daki durum için ne dediği hakkında sorular sorup durdu. Ayrılma vakti geldiğinde, Kafkas Merkür Şirketine ait bir

Rus gemisinde bir kamara tuttu. Sonra yanıma arabacısını katarak Kazvin'e kadar bana eşlik etmesini, hatta hizmetine gereksinim duyacağım süre yanımda kalmasını istedi.

Arabacı çok becerikli, az bulunur bir adamdı. Nargilesinden ayrılıp da bavuluma bakması için kaytan bıyıklı gümrükçünün cebine para koymayı, ben akıl edemezdim. Ertesi günü gelmemizi söyleyip duran memuru, bize bir araba kiralaması için yola getirmeyi de beceremezdim. Yolculuğun bu zahmetlerine, benden önce bu yolu yapmış olanların çilesini düşündükçe, katlanabiliyordum. Bundan on üç yıl önce, İran'a ancak eski kervan yolunda gidilebilirdi. Trabzon'dan Erzurum'a ve oradan da Tebriz'e, kırk moladan ve bitkin düşüren altı haftalık pahalı ve aşiretler arası savaşlardan ötürü tehlikeli yolculuktan sonra varılabilirdi. Kafkas demiryolları bu durumu değiştirmiş, İran'ı dünyaya açmıştı. Artık oraya, büyük tehlikeler atlatmadan Bakû'dan gemiyle Enzeli limanına, sonra faytonla Tahran'a giderek varılabiliyordu.

Batı'da top, bir savaş ya da tören aracıdır. İran'da ayrıca bir de işkence aracı! Bunu söylüyorsam, Tahran'a vardığım gün, en dehşet verici biçimde kullanıldığını gördüğüm içindir. Topun içine her tarafı bağlı bir adam sokulmuştu. Sadece traşlı kafası topun ağzından çıkıyordu. Orada, güneşin altında, aç, susuz, ölümü bekleyecekti. Sonra, uzun süre cesedi orada bırakılacak diye anlattılar İbret olsun diye!

Bu ilk görüntüden ötürü mü İran'ın başkentinden hoşlanmadım acaba? Doğu illerinde, bugünün rengine, dünün gölgesine bakılır. Tahran'da böyle bir şey görmedim. Ya ne gördüm? Kuzeydeki zengin mahallelerine bağlayan koca koca caddeler; Kahire'nin, İstanbul'un, İsfahan'ın ya da Tebriz'in çarşılarının ellerine su dökemeyeceği develer, katırlar, alacalı kumaşlar karmaşası içinde bir pazar! Nereye baksan, iç karartıcı binalar! Tahran fazla yeni! Tarihi yönü pek az! Uzun süre, Moğolların yıktığı bilim kenti Rey'e bağlı bir kaza imiş. Ancak XVIII. yüzyıl sonunda bir Türkmen aşireti olan Kaçkarlar burayı ele geçirmiş. Bütün İran'ı egemenliği altına alan kent, basit bir kasaba olmaktan çıkıp başkent düzeyine yükselmiş. O güne kadar ülkenin siyasi merkezi İsfahan, Kirman veya Şiraz imiş. Bu da, bu kentlerde oturanların, kendilerini yöneten ama dillerine varana kadar hiçbir şeylerini bilmeyen "kuzeyli köylüleri" asmaktan beter etmeyi düşündüklerini gösterir. Şimdiki Şah, tahta çıktığında vatandaşları ile konuşmak için, çevirmen kullanmış. O tarihten beri Acemceyi daha iyi öğrendiği anlaşılıyor. Zaten yeterince zamanı da olmuş. Ben Tahran'a Nisan 1896'da vardığımda, Şah tahta çıkışının ellinci yılını kutlamaya hazırlanıyordu. Kent ulusal bayraklarla donatılmıştı. Bu nedenle Avrupalılar için yapılmış Albert ve Prevost Otelleri doluydu. Prevost'da zar zor bir oda bulabilmiştim.

Önceleri, doğrudan Fazıl'a gidip, mektubu verip, Mirza Rıza'yı bulmayı düşündüm ama sabırsızlığımı dizginledim. Doğuluların âdetlerini bildiğimden, Cemaleddin'in dostunun beni evine davet edeceğini biliyordum. Onu, bu daveti red ederek incitmek istemediğim gibi, siyasi eylemine hele de Üstad'ınkine karışmak da istemiyordum.

Onun için de Prevost Oteli'ne yerleştim. Oteli bir Cenevreli işletiyordu. Ertesi sabah bir katır kiralayarak, Büyükelçiler Caddesi'ndeki Amerikan Elçiliği'ne bir nezaket ziyaretinde bulundum. Sonra da Cemaleddin'in en sevgili müridini bulmaya gittim. İnce bıyığı, beyaz entarisi, kibirli hali, soğukça edası ile Fazıl, bana İstanbul'da anlatılana çok benziyordu. Çok iyi arkadaş olacaktık. Ama ilk görüşmemiz soğuk geçti. Dobra konuşuşu beni huzursuz kılmış ve kaygılandırmıştı. Mirza Rıza'dan söz ederken de öyle oldu:

— Size yardımcı olmak için elimden geleni yaparım ama, o deliye bulaşmak istemem. Üstad bana onun canlı bir kurban olduğunu söylemişti. Ben de, keşke ölseydi diye yanıtlamıştım. Bana öyle bakmayın, bir canavar değilim ama o adam o kadar çekti ki, aklını yitirdi. Ağzını her açışında davamıza zarar veriyor.

— Şimdi nerede?

— Haftalardan beri Şeyh Abdülazim'in türbesinde kalıyor. Bahçesinde geziniyor, Cemaleddin'in nasıl tutuklandığını anlatıyor, kendi çektiklerini bağıra çağıra söylüyor ve Şah'ın devrilmesine dua ediyor. Seyyid Cemaleddin'in Mehdi olduğunu tekrarlayıp duruyor. Oysa Seyyid'in kendisi bu kadar abuk subuk konuşmasını yasaklamıştı. Onunla bir arada gerçekten görülmek istemem.

— *Elyazması* hakkında bana bilgi verecek tek insan o!

— Biliyorum. Sizi ona götüreceğim ama sonra bir saniye bile yanınızda kalmayacağım.

O akşam, Tahran'ın en zengin adamlarından biri olan Fazıl'ın babası, onuruma bir yemek verdi. Cemaleddin'in yakın dostu olmasına karşın, hiçbir siyasi eyleme katılmamıştı. Benim aracılığım ile Üstad'ı ağırlamış oluyordu. Yüz kişilik bir davetti. Konuşmalar hep Hayyam üzerineydi. Dörtlükleri, fıkraları bütün ağızlardaydı. Tartışmalar hararetlendiğinde, politikaya dönüşüyordu. Hepsi Acemce'yi, Arapça'yı, Fransızca'yı iyi biliyordu. Bazıları da biraz Türkçe, Rusça ve İngilizce anlıyordu. Hepsi beni *Rubaiyat* uzmanı bir doğubilimcisi olarak gördükçe, kendimi daha bilgisiz buluyordum. Ancak, karşı koymaktan bir süre sonra vazgeçtim, çünkü bu da gerçek bilginlere özgü bir alçakgönüllülük işareti sayılmaya başlanmıştı.

Davet gün batımında başladı ama ev sahibim daha erken gelmemi istemişti. Bana, rengârenk bahçesini göstermek istiyordu. Bir İranlı, Fazıl'ın babası gibi bir saray sahibi de olsa, sadece bahçesiyle övünür. Davetliler geldikçe, ellerine bir içki bardağı alıp salkım söğütler arasından kıvrılıp giden doğal ya da yapay su akıntısının yanına seriliyorlardı. Ya bir halının ya bir yastığın ya da doğrudan doğruya toprağın üzerine! İran bahçelerinde çim bulunmaz, bu da bir Amerikalı için çoraklık demektir.

O akşam çok içki içilmedi. Dindarlar çay içmekle yetindi. Bunun için de büyük bir semaver gezdirilmekteydi. İki uşak semaveri taşıyor, üçüncüsü servis yapıyordu. Çoğu rakı, votka ya da şarap içmeyi yeğliyordu. Hiçbir aşırılık, kabalık gözlenmiyordu. Çakırkeyif olanlar, çalgıcılara pes perdeden eşlik ediyorlardı. Çalgıcılar arasında bir *Tar*'cı bir *zarb*'cı bir de *ney*'ci vardı. Sonra oyuncular geldi. Çoğu erkekti. Davet boyunca ortalıkta tek bir kadın görülmedi.

Yemek gece yarısına doğru verildi. Daha önce fıstık, badem, çekirdek ve şeker yenmişti. Yemeğin çıkması, davetin sonunun geldiğine işaret sayılıyordu. Ev sahibinin yemeği olanca geç vermesi bir nezaket kuralıydı. Çünkü baş yemek gelir gelmez, ki o geceki baş yemek cevahir pilavı idi, her konuğun yemeği yiyip, elini yüzünü yıkayıp gitmesi âdetti. Dışarı çıktığımızda fenerlerini yakmış faytonlar kapı önüne yığılmış, her biri efendisini bekler durumdaydı.

Ertesi gün şafak vakti Fazıl beni Şeyh Abdülazim'in türbesine götürdü. İçeriye yalnız girdi, yanında çekingen tavırlı biriyle döndü. Uzun boylu, zayıf, kirpi sakallı, elleri sürekli titreyen bir adamdı. Uzun beyaz bir entari giymişti. Boynuna renksiz, biçimsiz bir çanta asmışt. Dünyada nesi varsa, onun içindeydi. Gözlerinde, Doğu'nun tüm yeisi okunuyordu.

Mirza Rıza'ya Üstad'ın mektubunu verdim. Ellerimden koparırcasına aldı, pek çok sayfası olduğu halde bir nefeste okudu, beni unutmuş gibiydi. Beni neyin ilgilendirdiğini söylemek için bekledim. Sonra, anlamakta güçlük çektiğim yarı Acemce yarı Fransızca karışımı bir dille:

— Kitap Kirmanlı bir askerde, dedi. Kirman, benim de memleketim. Öbür gün, yani cuma günü, beni gelip görmeğe söz verdi. Ona biraz para vermek gerek. Kitabı satın almak için değil; kitabı kurtardığı için adama teşekkür etmek için. Benim bir kuruşum bile yok ne yazık ki!

Hiç duraksamadan Cemaleddin'in gönderdiği altını cebimden çıkardım. Bir o kadarını da kendimden ekledim. Memnun oldu.

— Cumartesi gel, dedi. Allah'ın izniyle *Elyazması* burada olur. Onu sana veririm, sen de İstanbul'a, Üstad'a götürürsün.

XXX

Tembellik kentin ruhuna sinmişti. Kızışmış toz zerrecikleri güneşte parlıyordu. Tüm uyuşukluğu ile İranlılara özgü bir gündü. Kayısılı piliç, Şiraz şarabı ile otelin balkonunda tatlı bir rehavet içindeydim. Yüzüme ıslak bir havlu koymuştum...

Ama o 1 Mayıs 1896 günü, tan vaktinde, bir ömür tükenecek, bir diğeri başlayacaktı.

Kapım deli gibi yumruklanıyordu. Sonunda duyabilmiştim. Yerimden fırlayıp yalınayak koştum, üzerimde, bir gün önce satın aldığım bir entari vardı. Islak ellerimle kapı tokmağını zor çevirebildim. Fazıl kapıyı itti, kapatmak için beni bir kenara savurdu ve omuzlarımdan yakalayarak beni sarsmaya başladı:

— Uyan! Onbeş dakika sonra ölmüş bir adam olacaksın.

Fazıl'ın kesik cümlelerle anlattığı şeyi, bütün dünya telgraf denilen büyücülük sayesinde ertesi gün öğrenmiş olacaktı.

Hükümdar cuma namazı için Şeyh Abdülazim'in türbesine gitmiş. Jübilesi için diktirdiği giysiyi giymiş. Sırmalar, şeritler, yeşim ve zümrüt rengi kalpak. Türbenin en geniş odasında, namaza duracağı yeri seçmiş. Secdeye kapanmadan önce gözleriyle karılarına arkasında saf tutmalarını işaret etmiş. O ara, halk türbeye hücum etmiş, muhafızlar önleyememiş. Dış avludan alkış sesleri duyuluyormuş. Şahın karıları yerlerini almak üzere ilerlerken aralarından bir adam süzülmüş. Derviş kılıklı adam, elinde bir kâğıt parçası tutuyormuş. Şah, okumak üzere gözlüklerini takmış. Birden, kâğıt parçasının arkasından bir tabanca görülmüş ve o an bir ateş sesi duyulmuş. Hükümdar kalbinden vurulmuş. Ama "Tutun beni!" diyecek gücü bulmuş. Bu kargaşa içinde aklını ilk toplayan sadrazam olmuş. "Bir şey değil! Hafif bir yara!" diye bağırmış. Odayı boşalttırmış. Şahı saray arabasına taşıttırmış. Tahran'a kadar, arkada oturur durumda olan cesedi yelpazeleyip durmuş. Bu ara Tebriz'de vali olan veliahtı çağırmış.

Türbede kalan Şahın karıları katili yakalayıp, tartaklamaya, üstünü başını paralamaya başlamışlar. Linç edileceği sırada, muhafız güçlerinin komutanı Albay Kassakouvski araya girip adamı ellerinden çekmiş. Cinayet aracı silah, tuhaf bir biçimde kaybolmuş. Bir kadının onu yerden alıp çarşafının altına sakladığını görmüşler. Ama bulunamamış. Ne var ki, tabancayı örten kâğıt parçası bulunmuş. Tabii Fazıl, tüm bu ayrıntıları anlatmadı. Onun çıkarttığı sonuç müthişti.

— Şu deli Mirza Rıza Şahı öldürdü. Üzerinde Cemaleddin'in mektubunu bulmuşlar. İçinde senin de adın geçiyor. Bu kıyafetini sakın değiştirme, paranı, pasaportunu al. İşte o kadar. Bir an önce Amerikan Elçiliği'ne sığınmaya bak!

İlk düşündüğüm şey *Elyazması* oldu. Mirza Rıza o sabah onu alabilmiş miydi? Aslında durumun vahametini henüz anlamadığım açıktı. Bir devlet başkanının öldürülmesinde suç ortaklığı, ben ki şairlerin ülkesine gelmiştim! Görünürde her şey bana karşıydı. Hangi yargıç, hangi komiser benden kuşkulanmazdı?

Fazıl balkondan bakıyordu. Birden bana doğru:

— Kazaklar geldi bile! Oteli çeviriyorlar! diye bağırdı.

Merdivenlere yöneldik. Giriş kapısına geldiğimizde, daha vakur, daha az kuşku uyandıran bir tutum takındık. O sırada içeriye, sarı sakallı, gözleriyle çevreyi kolaçan eden bir subay girdi. Fazıl, "Elçiliğe" diye tekrar fısıldama fırsatını bulup benden ayrıldı, subaya doğru gitti. "Palkovnik!"(Albay) dediğini duyabildim. Elini saygıyla sıkıp, başsağlığı diledi. Ben *aba*'ma bürünerek kapıya seğirttim. Kazakların siper kurmaya hazırlandıkları bahçeye çıktım. Onlardan hiç çekinmedim. Onlar da içerden geldiğim için, komutanın beni bıraktığını sandılar. Parmaklıklı bahçe kapısından çıkarak dar sokağa çıktım. Oradan Büyükelçiler Caddesine geçebilecektim. Amerikan Elçiliği on dakikalık mesafeydi.

Sokağın başında üç nöbetçi duruyordu. Önlerinden geçebilecek miydim? Soldan bir başka sokak vardı. Belki oraya sapsam daha iyi olacaktı. İlerledim. Askerlere hiç bakmıyordum. Birkaç adım sonra, ne onlar beni, ne ben onları görecektik.

— Dur!

Ne yapmalı? Durmalı mı? Daha ilk soruda Acemce bilmediğim anlaşılacak, kimliğimi göstermem istenecekti. Kaçmalı mı? Bana yetişmeleri güç olmayacak üstelik suçlu duruma düşecektim. İyi niyetimi anlatmam büsbütün olanaksızlaşacaktı. Bir seçim yapmam için bir saniyeden az vaktim vardı. Hiç acele etmeden, sanki bir şey duymamış gibi yoluma devam etmeğe karar verdim. Yeni bir seslenme, doldurulan tüfekler, atılan adımlar... Hiçbir şey düşünemez oldum, sokak aralarından koşmaya başladım, hiç arkama bakmıyordum, en dar geçitlere dalıyor, en karanlık yerleri seçiyordum. Güneş batmıştı. Yarım saat sonra her yer karanlık olacaktı. Bildiğim bütün duaları okuyordum. "Tanrım! Tanrım! Tanrım!" diye söylemekten başka birşey yapamıyordum. Sanki cennetin kapısında durmuş, açılması için yakarıyordum.

Ve kapı açıldı. Cennetin kapısı. Çamurlu bir duvarın içinden gizli bir kapı. Bir el elimi tuttu, olanca gücüyle kendine çekti, ardımdan kapıyı kapattı. Korkudan, şaşkınlıktan, mutluluktan, nefes nefese gözlerim kapalı, öylece durdum. Dışarıda koşuşmalar devam ediyordu.

Üç çift göz üzerime dikilmişti. Üç kadın. Başları örtülü, yüzleri açıktı ve bana yeni doğmuş bir bebek gibi bakıyorlardı. Aralarından en yaşlı görüneni —ki kırk yaşlarında gibi duruyordu— arkasından gitmemi işaret etti. Bahçenin arka tarafında, koca bir hasır koltuk vardı. Beni oraya oturttu ve işaretlerle biraz sonra döneceğini belirtti. Bir işareti ve bir büyülü söz, içimi rahatlatmıştı: "Enderun". Yani: Harem! Askerler buraya gelemezlerdi.

Gerçekten de, askerlerin ayak sesleri önce yaklaşmış sonra uzaklaşmıştı. Hangi sokakta "buharlaştığımı" nereden bileceklerdi? Mahalle çok karışık bir mahalle idi. Nice geçit, nice bahçe, nice ev! Üstelik karanlık da basmıştı.

Bir saat sonra siyah çay getirdiler, sigaramı sardılar. Konuşmaya başladık. Tek tük Acemce, biraz Fransızca karışımı ile kurtuluşumu neye borçlu olduğunu anlattılar. Şah'ın katilinin suç ortağının, yabancıların kaldıkları otelde olduğunu duymuşlardı. Kaçtığımı görünce, o kahramanın ben olduğumu anlamışlar ve beni korumak istemişlerdi. Neden mi? Bundan onbeş yıl önce, evin reisi, bir ayrılıkçı tarikata bağlı olduğu gerekçesiyle haksız yere idam edilmişti. O tarikat, çok kadınlı evliliğin kaldırılmasını, kadın-erkek eşitliğini, demokrasiyi savunan *Bâbîlik* tarikatı idi. Şah'ın ve din adamlarının ortak eylemleriyle on binlerce *Bâbîlik* yanlısı öldürülmüş, tabii bu ara, komşunun ihbarı gibi sudan nedenlerle binlerce masum da katledilmişti. İşte kurtarıcım, o günden beri, kızlarıyla yapayalnız kalmış ve intikam saatinin çalmasını beklemişti. Üç kadın, o intikamı almış olan kahramanın, mütevazı evlerine şeref vermesinden onur duyuyorlardı.

Kadınların gözünde kahraman olmuşsanız, onları yalanlayabilir misiniz? Düşlerini kırmanın yersiz hatta tehlikeli olacağını düşündüm. Yaşam savaşı veriyordum ve onlara ihtiyacım vardı. Gizemli bir suskunluğa bürünmekle, son kuşkularını da dağıtmış oldum.

Üç kadın, bir bahçe, işime yarayan bir yanılgı... Bu İran ilkbaharının gerçek dışıymış gibi geçen kırk gününü, sonsuzluğa dek anlatabilirim. Müthiş bir yabancılık çektim, üstelik bu Doğulu kadınlar arasında en ufak bir yerim olamazdı. Koruyucum, kendisini ne gibi zorlukların beklediğini biliyordu. Üstüste koyduğu üç şilteli yer yatağımda mışıl mışıl uyurken, eminim o, sabaha dek gözlerini kırpmamıştı. Sabah şafağında beni çağırtmış, sağına oturtmuş, iki kızını da sol yanına almıştı. Sonra uzun uzun düşünüp tasarladığı anlaşılan bir konuşma yaptı.

Önce cesaretimi övdü ve beni evinde ağırlamaktan mutluluk duyduğunu söyledi. Sonra bir süre sustu, gömleğinin düğmelerini çözmeye başladı. Kızardım, başka yere baktım ama beni kendine doğru çekti. Omuzları ve göğüsleri çıplaktı. Sözle ve işaretle göğüslerini öpmemi istedi. Kızlar kıkırdıyordu ama anaları törensel bir ciddiyete bürünmüştü. En masum halimle, dudaklarımı meme uçlarına değdirdim. Önce birine, sonra diğerine... Bunun üzerine, hiç acele etmeden, düğmelerini ilikledi. Son derece resmi bir biçimde:

— Böylece oğlum oldun, dedi. Seni doğurup, emzirmiş gibiyim.

Sonra, gülmeyi kesmiş olan kızlarına döndü ve benim bundan böyle ağabeyleri olduğumu, bana öz kardeşleri gibi davranmalarını istedi. Tören duygulandırıcı ama gülünçtü. Ama sonra düşündüğüm vakit, Doğu'nun ince bir yönünü keşfettim. Bu kadın için, içinde bulunduğumuz durum, zor bir durumdu. Bana, hayatı pahasına yardım elini uzatmaktan çekinmemiş ve kayıtsız, koşulsuz evini açmıştı. Ama öte yandan, sabah akşam kızlarıyla birlikte kalan yabancı bir erkeğin varlığı, başka bir tehlike içeriyordu. Simgesel bir evlat edinme töreninden başka bir çözüm düşünülebilir miydi? Artık evde istediğim gibi dolaşabilecek, aynı odada yatabilecek, "kızkardeşlerimi" alınlarından öpebilecektim. Bu evlat edinme töreni ile hepimizi korumuş oluyordu.

Benden başkası, kendini kapana kısılmış hissedebilirdi. Ben rahatlamış oldum. İşsizlikten, sıkıntıdan, sıkışıklıktan, bu üç kadından biriyle bir ilişkiye girebilir, yavaş yavaş diğer ikisinden uzaklaşıp, gözlerimi gözlerinden kaçırmanın yollarını arayarak, iyiliğimden başka birşey istememiş olan bu kadınları düş kırıklığına uğratabilirdim. Oysa her şey, bir mucize gibi, son derece basit, açık ve temiz bir biçimde çözümlenmişti. Böylece onların kaç-göç yapmalarına gerek kalmadan, birlikte yaşayabilecektik. İsteklenmedim dersem yalan söylemiş olurum. İlişkilerimiz tensel ama aynı zamanda saftı. Kentte aranan insanların başında yer aldığım o günleri işte böylece, bu kadınlarla geçirmiş oldum.

Geriye baktığım vakit, bu kadınların arasında geçirdiğim günleri, ayrıcalıklı günler olarak görüyorum. Onlar olmasaydı, Doğu ile bu denli haşır neşir olmazdım. Onlar olmasaydı, dillerini bu denli öğrenemezdim. İlk günler birkaç kelime Fransızca konuşmuşlardı ama onu izleyen günlerde tüm konuşmalarımız Acemce olmuştu. Eğer, bu daha uzun sürseydi, bu denli hoş bir anı olur muydu? Hiç bilemeyeceğim. Bilmek de istemiyorum. Ne yazık ki, her zaman beklenebilecek bir olay, o günlerimize son verdi. Olağan bir ziyaret... Büyükanne ve büyükbabanın ziyareti bu işi noktalamış oldu.

Aslında her zaman, giriş kapısından uzakta dururdum. İlk tehlike işaretinde gizlenmek üzere... Bu kez, kendime çok güvendiğim için midir, nedir, gelenleri duymadım. Kadınların odasında sere serpe oturuyordum. Keyifli keyifli nargilemi içiyordum. Bir erkeğin öksürüğü ile yerimden sıçradım.

XXXI

Birkaç saniye sonra odaya giren "annem", evinde bir erkek bulundurmanın açıklamasını yapmak zorunda kaldı. Adını ya da kızlarınkini kötüye çıkartmaktansa, gerçeği söylemeyi yeğledi. Büyük bir vatanseverlik ve kahramanlık ile, yabancının kim olduğunu açıkladı. Zalimi yok edenin ve böylece kocasının intikamını almış olanın suç ortağı, bütün polisin aradığı *Frenk* işte buydu!

Bir an duraksadılar, sonra kararlarını verdiler. Beni kutluyor, cesaretimi övüyorlardı. Koruyucumu da kutlamayı unutmaksızın... Aslında böylesine münasebetsiz bir durumdan, ancak bu açıklamayla sıyrılabilirdi. *Enderun'*un ortalık yerinde, durumum sorun yaratacak nitelikteydi ama beni gizlemek için bundan başka çare yoktu.

Namus kurtulmuştu ama benim de gitme zamanım gelmişti. İki seçeneğim vardı. Basit olanı, kadın kılığına girip, Amerikan elçiliğine kadar yürümemdi. Yani birkaç hafta önceki yoluma devam etmem! Ama manevi annem beni vazgeçirdi. Çevreyi dolaşmış ve elçiliğe giden bütün yolların tutulmuş olduğunu saptamıştı. Üstelik böyle bir boyla –1.83– hiçbir askeri, kadın olduğuma inandıramazdım. Diğer çözüm, Cemaleddin'in tavsiyesine uyarak, Prenses Şirin'e haber göndermekti. "Annem"e söylediğimde, hemen onayladı. Öldürülen Şah'ın torununu duymuştu, zorda kalanlara yardım ettiğini biliyordu. Ona bir mektup götürmeyi önerdi. İş, yeterince açık olduğu halde, başkasının eline geçerse bir anlam ifade etmeyecek biçimde nasıl yazacağımı saptamaktaydı. Ne kendi adımı, ne Üstadınkini belirtemezdim. Bana söylediği cümleyi yazmakla yetindim: "Bilinmez! Belki yollarımız bir gün karşılaşır!"

"Annem", Şahın kırkı okunduğunda Prensese yaklaşmayı uygun bulmuştu. Bir sürü insanın arasından mektubu ona iletmekte zorluk çekmedi. Prenses okumuş, korkuyla kimin yazdığına bakınmış, "Annem", "Bizde" diye fısıldamış, Şirin hemen duadan ayrılmış, arabacıyı çağırtıp, annemi yanına oturtmuş. Sonra Saray ar-

169

malı fayton Prevost Otelinin önünde durmuş, çarşaflı iki kadın, yollarına yürüyerek devam etmişler.

Buluşmamız, ilk karşılaşmamız kadar kısa oldu. Prenses gözleriyle beni inceledi, dudaklarına bir gülümseme yayıldı, sonra:

— Yarın arabacım gelip sizi alacak. Hazır olun. Çarşaf giyin, başınızı kaldırmadan yürümeye bakın! diye buyurdu.

Beni elçiliğe götüreceğini sanıyordum. Araba kent dışına çıkınca yanıldığımı anladım.

— Sizi Amerikan Elçiliğine götürebilirdim, dedi. Emniyette olurdunuz ama oraya nasıl geldiğinizi öğrenmekte hiç zorluk çekilmezdi. Hanedan ailesinden olduğum için gücüm varsa da, Şahın katilinin görünürdeki suç ortağını koruyacak kadar güçlü değilim. Üstelik yalnız ben değil, sizi gizleyen kadıncağız da zor durumda kalırdı. Kaldı ki, Elçiliğiniz, böyle bir suçla suçlanan kişiyi korumaktan hiç memnun kalmazdı. İnanın, İran'ı terk etmeniz herkes için iyi olacak. Sizi anne tarafından akrabalarım olan Bahtiyarilerin reisine götürüyorum. Şah'ın kırkı için, aşiretiyle birlikte gelmişti. Kim olduğunuzu, suçsuz olduğunuzu anlattım. Ancak adamları hiçbir şey bilmemeli. Osmanlı sınırına kadar size eşlik edecekler. Kervanların bilmediği yollardan gideceksiniz. Bizi, Şeyh Abdülazim'in köyünde bekliyorlar. Paranız var mı?

— Var. Koruyucularıma iki yüz tuman verdim. Yanımda dört yüz tuman kadar var.

— Yetmez. Elinizdekinin yarısını size eşlik edenlere dağıtmanız gerekecek. Yolculuğunuzun geri kalanı için de bol para gerekecek. İşte biraz Türk parası. İşinizi görebilir. Bir de Üstad'a bir mektup gönderiyorum. İstanbul'dan geçeceksiniz değil mi?

Ona "hayır" demek zordu. Mektubu entarimin cebine sokuşturdu.

— Mirza Rıza'nın ilk sorgusunun tutanakları bunlar. Bütün geceyi, onları temize çekmekle geçirdim. Okuyabilirsiniz, hatta okumanız gerek. Size pek çok şey öğretecektir. Üstelik uzun yolculuğunuzda sizi oyalayacaktır. Ama başka kimse görmesin.

Köyün dışına varmıştık. Polis, katırların yüküne varana kadar her yeri didik didik ediyordu. Ama bir saray faytonuna kim dokunabilirdi? Safran rengi bir binaya gelene dek yolumuza devam ettik. Avlunun ortasında, asırlık bir çınar, çevresinde de çapraz fişeklikler kuşanmış askerler vardı. Prenses onlara hor baktı:

— Gördüğünüz gibi sizi emin ellere bırakıyorum dedi. Sizi, o zavallı kadınlardan daha iyi korurlar.

— Kuşkum var!

Gözlerimle, dört bir yöne çevrili namlulara kaygıyla baktım.

— Ben de kuşkuluyum, diye güldü. Ama yine de sizi Türkiye'ye kadar götürürler.

Vedalaşacağımız sırada:

— Biliyorum yeri değil, diye atıldım. Ama acaba Mirza Rıza'nın eşyaları arasında eski bir elyazması kitap bulunmuş mu?

Gözlerini kaçırdı, ifadesi sertleşti:

— Gerçekten de yeri değil, dedi. İstanbul'a varmadan, o meczubun adını ağzınıza almayın!

— Hayyam'ın kitabı!

Israr etmede haklıydım. Bütün bunlar başıma, bu kitap yüzünden gelmemiş miydi. Ama Şirin sabırsız bir biçimde içini çekti.

— Hiçbir şey bilmiyorum. Öğrenirim. Bana adresinizi bırakın, size yazarım. Ama sakın bana cevap yazmayın.

Acele ile "Annapolis, Maryland" diye yazarken, İran'daki yolculuğumun bu denli kısa sürmesine ve daha başlangıcında kötü başlamış olmasına üzüldüm. Kâğıdı prensese uzattım. Alacağı sırada elini tuttum. Kısa sürse de iyice sıktım. O da tırnaklarını avucuma geçirerek, elimi kanatmadan bir süre sürecek bir iz bıraktı. Dudaklarımızda iki gülücük belirdi. Aynı anda:

— Kimbilir! Belki yine karşılaşırız! dedik.

İki ay boyunca, yola hiç de benzemeyen yerlerden geçtim. Şeyh Abdülazim'in köyünden sonra, güneybatıya, Bahtiyari aşiretinin topraklarına ulaştık. Tuzlu Kum Gölü'nden geçtikten sonra, aynı adlı ırmağın kenarında geceledik, ancak kente girmedik. Yol arkadaşlarımın omuzlarından tüfek düşmüyordu. Kalabalık yerlerden kaçınıyorduk. Şirin'in dayısı zaman zaman "Amuk'tayız, Verça'dayız, Humeyn'deyiz" dese de, bu sadece bu kentleri tepeden gördüğümüz anlamına geliyordu. Kum Nehri'nin karşı yakasındaki Luristan Dağları'na vardığımızda, Bahtiyarilerin topraklarına girmiş olduk. Onuruma bir ziyafet düzenlendi. Elime afyonlu çubuk tutuşturuldu, gevşeyip şenliğe katıldım. Önümdeki uzun yolculuğa çıkmadan iki gün beklemem gerekti. Şuster ve Ahvaz'dan geçerek Şattülarap'taki Osmanlı kenti Basra'ya gelebildim.

Artık İran topraklarında değildim. Kurtulmuştum. Bahreyn'e kadar bir ay süren bir deniz yolculuğu yaptım. Kızıldeniz'den ve İskenderiye'ye kadar Süveyş Kanalı'ndan geçmem gerekti. Sonunda, eski bir Türk gemisi ile İstanbul'a vardım.

Bu tehlikeli ve yorucu kaçış boyunca tek dinlencem, Mirza Rıza'nın sorgulanmasıyla ilgili tutanaklar oldu. Oyalanacak başka bir şey bulsaydım belki bunlara yine bakardım ama, bu idam hükümlüsü ile başbaşa geçirdiğim saatler, beni tarif edemeyeceğim kadar etkilemişti. Sıskacık hali, acı çekmiş gözleri, molla kılığı gözlerimin önünden gitmiyordu. Bazen, acı çekmiş sesini duyar gibi oluyordum!

"— Sevgili Şahımızı neden öldürdün?

"— Görmesini bilenler, Şah'ın Seyyid Cemaleddin'in tutuklandığı yerde vurulduğunu anlarlar. O aziz insan, peygamber ahfadından gelen o eşsiz adam, türbeden öyle sürüklenip götürülmek için ne yapmıştı?

"— Şah'ı öldürmeni kim söyledi? Suç ortakların kimler?

"— Yüce, güçlü Cemaleddin'i ve bütün insanları yaratan Tanrım'a and olsun ki, benden ve Seyyid'den başka, Şah'ı öldüreceğimi kimse bilmiyordu. Seyyid İstanbul'da yaşıyor, haydi gidip yakalayın bakalım!

"— Cemaleddin sana ne emirler verdi?

"— İstanbul'a gittiğimde Şah'ın oğlunun bana yaptığı işkenceleri anlattım. Seyyid, "Sızlanıp durma. Ağlamaktan başka birşey bilmez misin? Şah'ın oğlu sana işkence ettiyse, öldür onu!" dedi.

"— Neden oğlunu değil de Şah'ı öldürdün? Madem sana işkence eden oğlu idi ve madem Cemaleddin sana öyle öğüt vermişti?

"— Kendi kendime dedim ki: "Oğlunu öldürürsem, Şah o korkunç kudretiyle, karşılığında binlerce insanı öldürecek." Bir dalı kesmek yerine, zulmün ağacını kökünden sökmek yeğdir. Belki yerine başka bir ağaç yeşerir. Zaten Türk Sultanı da Cemaleddin ile konuşurken" Bütün Müslümanları birleştirmek için bu Şah'tan kurtulmak gerekir." demiş.

"— Sultan'ın Cemaleddin ile yaptığı özel konuşmayı sen nereden biliyorsun?

"— Seyyid Cemaleddin'in kendi söyledi. Bana güvenir, benden sır saklamaz. Ben İstanbul'dayken, bana öz oğluymuşum gibi davrandı.

"— Orada sana o kadar iyi davranıldı ise, tutuklanmaktan ve işkence görmekten korktuğun İran'a neden döndün?

"— Ben, şayet yazılmamışsa, hiçbir yaprağın ağacından kopmayacağına inanırım. İran'a döneceğim ve yapılan işin aracı olacağım Yazılı imiş."

172

XXXII

Yıldız Tepesi'nde, Cemaleddin'in evinin çevresinde dolanıp duran adamlar, feslerinin üzerine "Sultan'ın espiyonları" diye yazmış olsalardı, ziyaretçilerin en safının bile görür görmez anlayacağı şeyi bundan iyi açıklamış olmazlardı. Ama belki de bunu amaçlıyorlardı: ziyaretçiyi sindirmek! Gerçekten de, bir süre önce yandaşları ile, yabancı muhabirlerle, İstanbul'dan geçmekte olan önemli kişilerle dolup taşan ev, bu eylül gününde tam bir sessizliğe bürünmüştü. Sadece, geçen seferki kadar sessiz duran uşak vardı. Beni birinci kata çıkardı. Üstad kadife koltuğuna gömülmüş, düşünceli ve dalgındı.

Beni görünce yüzü güldü. Büyük adımlarla bana doğru geldi. Beni kucakladı, başıma gelenlerden özür diledi, kurtulmama sevindiğini söyledi. Kısaca nasıl kaçtığımı, prensesin yardımlarını anlattım. Sonra sıra Fazıl ve Mirza Rıza ile karşılaşmama geldi. Adını duymak bile Cemaleddin'i öfkelendirdi.

— Geçen ay asıldığını haber verdiler. Tanrı affetsin! Tabii sonunun ne olacağını biliyordu, bilmediği ne zaman olacağı idi. Şah'ın ölümünün yüzüncü gününde! İtiraf almak için işkence görmüştür kuşkusuz!

Cemaleddin yavaş konuşuyordu. Zayıflamış, güçsüzleşmişti. Her zaman dingin olan yüzünde, zaman zaman tikler oluyor ama yine de çekiciliğini yitirmiyordu. Acı çeker gibiydi, özellikle Mirza Rıza'dan söz ettiğinde. Şu zavallının elinin titremesine İstanbul'da baktırdığını ama yine de bir çay fincanını tutamazken nasıl olup da tabancayı tutabildiğini ve tek atışta Şah'ı öldürebildiğini anlamakta güçlük çekiyordu. Acaba meczup olmasından yararlanarak, başkasının işlediği suçu ona yüklemesinler?

Yanıt olarak, prensesin temize çektiği tutanakları uzattım. İnce çerçeveli gözlüklerini takıp, okudu. Heyecanla, dehşetle hatta bana öyle geldi ki içten içe sevinerek! Sonra kâğıtları katlayıp cebine soktu ve odada gidip gelmeye başladı. On dakikalık sessizlikten sonra bir çeşit ağıt yaktı:

— İran'ın yitmiş evladı Mirza Rıza! Salt meczup olaydın keşke, salt bilge olaydın keşke! Bana ihanet etmekle ya da sadık kalmakla yetineydin keşke! Bende yalnızca sevgi ya da yalnızca nefret uyandıraydın keşke! Nasıl sevilirsin, nasıl ihanete uğrarsın! Ya Tanrı? Seni ne yapsın? Seni şehitlerin cennetine mi, cellatların cehennemine mi göndersin?

Yerine geçip oturdu. Yorulmuştu. Yüzünü ellerinin arasına aldı. Ben sessiz kalmayı sürdürüyor, nefes almaya korkuyordum. Cemaleddin doğruldu. Sesi daha dingin, düşüncesi daha berrak idi.

— Okuduğum sözler gerçekten Mirza Rıza'ya ait. Bu ana kadar bazı kuşkularım vardı. Artık hiç kalmadı. Hiç kuşkusuz katil o! Herhalde bunu intikamımı almak için yaptığını düşündü. Ama söylediğinin aksine ben ona asla öldürme emri vermedim. İstanbul'a gelip, Şah'ın oğlu ve avenesi tarafından nasıl işkence gördüğünü anlatırken ağlıyordu. Onu kendine getirmek için "Sızlanmayı bırak! dedim. Sanki sana acınsın istiyorsun! Sana acıyacaklarını bilsen, sakatlanmayı göze alırsın!" Ona eski bir öykü anlattım. Darius'un orduları Büyük İskender'in orduları ile karşılaştığında, Yunan'ın danışmanları, Acem'in ordusunun daha kalabalık olduğuna dikkat çekmişler. İskender omuz silkmiş: "Benim adamlarım yenmek için, Darius'unkiler ölmek için savaşıyor!" demiş.

Cemaleddin belleğini toparlamaya çalışıyordu:

— O zaman Mirza Rıza'ya dedim ki: " Şah'ın oğlu sana zulmediyorsa, sen de kendini mahvedeceğine onu mahvet!" Bu, onu öldür demek mi? Siz gerçekten, evimde bin kişinin gördüğü Mirza Rıza gibi bir meczuba böyle bir görev verebileceğime inanıyor musunuz?

İçten davranmak istedim:

— Size yüklenmek istenen cinayetin suçlusu değilsiniz ama, manevi sorumluluğunuz yadsınmaz.

Açık konuşmam onu duygulandırdı:

— Bunu kabul ediyorum. Şahın ölmesini her Allah'ın günü istemiş olduğumu da! Ama kendimi ne diye savunuyorum ki? Zaten mahkûm edilmişim.

Bir kasaya doğru gitti, içinden bir kâğıt çıkardı:

— Bu sabah vasiyetimi yazdım.

Metni bana verdi, okurken heyecanlanmamam olanaksızdı. "Hapis olduğuma üzülüyorum. Yaklaşan ölümden korkmuyorum. Tek üzüntüm, ektiğim tohumların yeşerdiğini görmemektir. Zulüm, Doğu halklarını ezmekte devam ediyor. Yobazlık, özgürlüğün sesini boğuyor. Eğer tohumlarımı, çorak saray toprağı yerine verimli halk toprağına ekseydim, belki daha iyi sonuç alırdım. Ve sen, bütün ümidimi bağladığım İran halkı, bir adamı yok etmekle özgürlüğünü kazanacağını sanma. Senin yok etmen gereken, yüzyıllık geleneklerin yüküdür!"

— Bir suretini alıp, çevirip Henri Rochefort'a verin. *Intransigeant* suçsuz olduğumu savunan tek gazete. Diğerleri bana katil gözüyle bakıyor. Herkes ölmemi istiyor. Rahatlasınlar, kanser hastasıyım. Çene kanseri!

Sızlanma zaafını gösterdiği her sefer, kendini yapay bir kahkaha ile toparlıyor ve işi şakaya vuruyordu.

— Kanser, kanser, kanser, diye tekrarladı. Geçmişteki hekimler, bütün hastalıkları yıldızların konumuna bağlarlar.

Bir süre düşünceli, tasalı durdu. Sonra bir hayli yapay bir neşe ile devam etti:

— Bu kansere lanet ediyorum. Ama acaba beni öldürecek olan bu kanser mi? Orası da belli değil. Şah iade edilmemi istiyor, Sultan davetlisi olduğum için beni veremiyor ama bir devlet başkanına karşı suç işlemiş bir adamın cezasız kalmasını istemiyor. Şahtan ve sülalesinden nefret etse bile, bu dünyanın büyüklerini, Cemaleddin gibi bir kula karşı birleştiren meslek dayanışması var. Çözüm? Sultan beni burada öldürtecek, tahta yeni geçmiş olan Şah rahatlayacaktır. Çünkü iademi istemiştir ama ellerini benim kanıma bulamaktan çekinmektedir. Beni hangisi öldürecek? Kanser mi? Şah mı? Sultan mı? Bunu bilecek belki de hiç vaktim olamıyacak. Ama sen genç dostum, bileceksin!

Üstelik gülme yürekliliğini gösterdi.

Aslında, ben de hiç bilemedim. Doğunun büyük reformcusunun hangi koşullarda öldüğü, gizemini korudu. Annapolis'e döndükten birkaç ay sonra, ölüm haberini aldım. 12 Mart 1897 tarihli *Intransigeant* gazetesinde, üç gün önce öldüğü yazılıydı. Ancak yaz sonu, Şirin'in vaat ettiği mektup geldiğinde, Cemaleddin'in nasıl öldüğünü öğrendim. En azından yandaşlarının inancı buydu: "Bir süredir, her halde kanserinden ötürü olacak, korkunç diş ağrıları çekiyormuş. O gün, acısı çekilmez olduğundan uşağını Saraya göndermiş. Sultan kendi dişçisini yollamış. Dişçi gelip bakmış, hazırlamış olduğu bir iğneyi diş etine sokarak acısının duracağını söylemiş. Birkaç saniye sonra, Üstad'ın çenesi şişmiş. Uşağı boğulmakta olduğunu görünce, dişçinin peşinden koşmuş. Adam henüz evden çıkmamışmış. Ama geri dönecek yerde, kendisini bekleyen faytona doğru koşmaya başlamış. Seyyid Cemaleddin bir kaç dakika sonra ölmüş. Akşam, Sultan'ın adamları gelip cesedini almışlar. Alelacele yıkayıp gömüvermişler." Prensesin anlattıkları, Hayyam'dan çevirdiği sözcüklerle son buluyordu: "Onca bilgi sahibi olanlar, bize bilginin yolunu gösterenler, kuşku denizinde boğulmadılar mı? Bir öykü anlatırlar, sonra gidip yatarlar."

Mektubunun asıl amacı olan *Elyazması*'nın ne olduğu konusunda Şirin basit bir şeyden söz eder gibiydi: "Gerçekten de katilin eşyaları arasında bulunmuş. Kitap şimdi bende. İran'a döndüğünüzde, istediğiniz kadar bakabilirsiniz."

Benden bu kadar kuşkulanırlarken, İran'a dönmek mi?

XXXIII

İran serüveninin tadı damağımda kalmıştı. Tahran'a gitmek için bir ay, çıkmak için üç ay gerekmiş, sokaklarını ancak gezebilmiştim. Beni oraya çeken nice görüntü kalmıştı belleğimde: Nargile içmenin keyfi, Şirin'in elini tutmanın heyecanı, bir anlık bir vaat, bir gecelik annenin safiyetle sunduğu göğüslere kondurulan buse —ve tabii hepsinin üstünde, koruyucu meleğimin kolları arasında duran *Elyazması* kitap!

Doğu'nun çekiciliğine kendilerini kaptırmamış olanlara, benim bir cumartesi akşamı ayaklarımda pabuçlarım, kafamda koyun derisi külahımla Annapolis'in ıssız olduğunu sandığım kıyılarında dolaştığımı nasıl açıklayabilirim, bilmiyorum. Üstelik dönüşte, düşlerime dalmış durumda Compromise Caddesinden geçerken, hiç de ıssız olmadığını unutmuştum. "İyi akşamlar Bay Lesage", "İyi gezintiler Bay Lesage", selamlamalar üst üste yağıyordu. "İyi akşamlar sayın peder!" Kendime ancak, Pederin şaşkın bakışlarını görünce geldim. Aniden durup, yukardan aşağıya kendime baktım, sonra adımlarımı sıklaştırdım, hatta sanırım *aba*'mın içindeki çıplaklığımı gizlemek üzere koşmaya başladım. Eve geldiğimde üzerimdekileri çıkarttım, sarıp sarmaladıktan sonra, dolabın dibine attım.

Bir daha bu kılıkta hiç dolaşmadım ama, o tek sefer, adımın zirzopa çıkmasına yetti. İngiltere'de zirzoplara her zaman hoşgörüyle bakılmıştır, hatta biraz da hayranlıkla... zengin oldukları takdirde! O yılların Amerika'sı bu tarz zıpırlıklara açık değildi. Yüzyılın dönemecine büyük bir ölçülülük ile giriliyordu. Belki New York ya da San Fransisco'da değil ama benim kentimde durum böyleydi. Bir Fransız anne ve bir Acem külahı, Annapolis'in kaldıramayacağı kadar çoktu!

Bu işin bir yanı. Diğer yanına gelince, Doğu'nun büyük kâşifi olarak, hiç de hak etmediğim bir üne kavuştum. Yerel gazetenin müdürü Matthias Webb, o kılıkta gezdiğimi duymuş, İran serüvenimi yazmamı istemişti.

Annapolis Gazette and Herald'da İran adının en son geçtiği tarih 1856 olmalıydı. Cunnard şirketinin pek övündüğü yandan çarklı gemilerinden biri bir aysberge çarptığı vakit. Bizim yöreden yedi tayfa ölmüştü. Talihsiz geminin adı: *Persia* idi. Denizciler, kaderin göstergeleriyle oyun oynamaz. Ben de yazı dizime başlarken *Persia* adının uygunsuz bir deyim olduğunu, Acemlerin kendi ülkelerine *İran* dediklerini, bunun "Ayrania Vedca" yani "Arilerin Toprağı" anlamına geldiğini belirtmek gereği duydum.

Sonra, çoğu okuyucunun adını duydukları tek İranlıdan, Ömer Hayyam'dan söz ettim ve büyük bir şüphecilik belirtisi olan şu sözlerini naklettim: "Cennet, cehennem, bu garip yerleri gören oldu mu?" İran topraklarında varola gelmiş nice din ve tarikattan söz etmeden önce, böyle bir giriş yapmayı uygun bulmuştum. Zerdüştlükten, Manicilikten, Sünni ve Şii İslam'dan, Hasan Sabbah'ın İsmailiye mezhebinden, sonra bizlere daha yakın olan Babilikten, Şeyhlerden, Bahailerden söz ettim. Bizim "paradis" yani cennet sözcüğümüzün kökünün, Acemce "paradaeza" yani bahçe sözcüğünden geldiğini anımsattım.

Mathias Webb bilgimden dolayı beni kutladığı vakit daha sürekli bir işbirliğinde bulunmamızı önerdim. Azıcık sıkıldı ve sonra:

— Denemeyi isterim ama şu metinlerinizi barbar sözcüklerle donatmaktan vazgeçerseniz, dedi.

Yüzündeki şaşkınlık açıkça görülebilirdi ancak Webb'in de kendine göre gerekçeleri vardı:

— *Gazette*'nin sürekli olarak bir İran uzmanına verebilecek parası yok. Ama şayet tüm dış haberleri yüklenmeyi ve uzak diyarlardaki ülkeleri vatandaşlarımıza tanıtmayı kabul ederseniz, gazetemizde size yer bulunur. Yazılarınız belki derinliğini kaybedecektir ama genişlik kazanacaktır!

İkimizin de yüzü güldü. Barış purosunu uzattıktan sonra:

— Daha düne kadar Doğu bizim için Cod Burnunda bitiyordu. Ama birdenbire bir yüzyıl batıyor, diğeri doğuyor bahanesiyle, sakin kentimiz yeryüzünün keşmekeşine kendini kaptırıverdi.

Bu konuşmayı 1899'da yaptığımızı belirtmeliyim. Birliklerimizin yalnız Küba ve Porto-Rico'ya değil aynı zamanda Filipinlere kadar gitmesine yol açan İspanyol-Amerikan Savaşı'ndan hemen sonraydı. Amerika Birleşik Devletleri, daha önce otoritesini hiç bu kadar uzaklara götürmemişti. İspanyol İmparatorluğu'na karşı zaferimiz, bize iki bin dört yüz ölüye mal olmuştu ama, Deniz Akademisi'nin merkezi Annapolis için durum farklıydı. Her kayıp, bir akrabanın, bir dostun, bir nişanlının kaybı demekti. Hemşerilerimin en tutucuları, Başkan Mackinley'i tehlikeli bir serüvenci olarak görüyorlardı.

Webb böyle düşünmüyordu ama okurlarının antipatilerini dikkate almak zorundaydı. Bu ciddi, orta yaşlı aile babası bunu açıklarken kükrüyordu. Yüzü ekşimiş, parmakları bir canavarın pençesi gibi kıvrılmıştı.

— Vahşi dünya Annapolis'e büyük adımlarla yaklaşıyor ve siz Benjamin Lesage, sizin göreviniz hemşerilerinizin endişelerini yatıştırmak olacaktır.

İçinden, pek parlak bir biçimde sıyrıldığım söylenemeyecek bir sorumluluk! Benim haber kaynaklarım, Paris'te, Londra'da, New-York'ta Washington'da, Baltimore'da meslektaşlarımın yazdıkları yazılardı. Boer'lerin savaşı, Çar ile Mikado arasındaki 1904-1905 savaşı ya da Rusya'daki karışıklıklar hakkında sanırım yazdıklarımın hiçbiri kayda değer değildi. Sadece İran konusunda gazetecilik mesleğimden söz edebilirim. Gururlanarak söyleyebilirim ki, *Gazette*, meydana gelen ve 1906'da tüm dünya gazetelerinde yer alan patlamayı öngören ilk gazete oldu. İlk ve herhalde son defa, *Annapolis Gazette and Herald*'ın yazılarından, Güney ve Batı kıyılarının altmıştan çok gazetesinde söz edildi.

Kentim ve gazetem bunu bana borçlu. Ben de Şirin'e borçluyum. Oluşmakta olan olayları, kısa İran deneyimimle değil, Şirin sayesinde anlıyabiliyordum.

Yedi yıldır prensesimden haber almamıştım. *Elyazması* hakkında bana bir yanıt mı borçluydu? O borcunu ödemişti. Ondan, daha başka bir şey beklemiyordum. Ümit etmiyorum anlamına gelmiyordu bu tabii. Her mektup gelişte ümitleniyor, zarfların üzerindeki yazılara bakıyor, pullar üzerinde bir Arap harfi, kalp biçiminde yuvarlak bir beş sayısı arıyordum.

O tarihte ailem, Baltimore'a yerleşmek üzere Annapolis'ten ayrılmıştı. Babam artık orada çalışıyor ve iki erkek kardeşiyle bir banka kurmaya uğraşıyordu. Bense, doğduğum yerde, yaşlı ve sağır aşçımızla kalmayı yeğlemiştim. Pek fazla dostum yoktu ve bu yalnızlığım, beklentimi daha da artırıyordu.

Sonra günün birinde Şirin, mektup göndermeye başladı. *Semerkant Elyazması*'ndan tek söz etmiyordu. Uzun mektubunda kendisiyle ilgili hiçbir şey yazmamıştı. Sadece "Sevgili uzaktaki Dost" diyordu. Çevresinde olan bitenden söz ediyordu. Zekâsına hayran kalmıştım. Düşüncesinin ürünlerini sunmak üzere beni seçmiş olması da gururumu okşuyordu. Artık ayda bir gönderdiği haberlerin ritmine kendimi kaptırmıştım. Kimliğini açıklamamam konusunda koyduğu kesin yasağa uymasam, yazdıklarını olduğu gibi yayınlayabilirdim.

Olayları okuyuculara sunma biçimim, onunkisinden çok farklı idi. Örneğin, Prenses asla şunları yazmazdı: "İran Devrimi, Belçika asıllı bir Bakan, molla kılığına girmek gibi aptalca bir düşünceyi uygulamaya koyduğu gün başladı."

Bu pek de yalan sayılmazdı. Şirin'e göre, devrimin ilk belirtileri, Şah 1900 yılında Contrexeville'deki kaplıcalara gittiği sırada ortaya çıkmıştı. Şah tüm çevresindekiler ile gitmek istemiş buna da parası yetmemişti. Hazinesi her zamanki gibi boştu. Çardan borç istemiş o da 22,5 milyon ruble vermişti. Hiçbir armağan, bu denli zehirli olamaz! Saint-Petersburg Yönetimi, sürekli iflasın eşiğinde olan güneyli komşusunun bu parayı ödeyeceğinden emin olmak için, İran Gümrük İdaresine el koymuş ve alacağını gümrük gelirlerinden kesmeye başlamıştı. Onbeş yıllık bir süre boyunca! Bu imtiyazın ne demek olduğunu ve Avrupa devletlerinin bundan hiç hoşlanmayacaklarını bilen Çar, Gümrük İdaresini kendi memurlarının denetimine vermektense, bu işi kendi adına yönetecek birini aramış ve Belçika Kralı Leopold II'yi bulmuştu. Bundan sonra da Şah'ın çevresinde, sayıları otuzu bulan Belçikalı danışmanlar görülmeye başlandı. Bunların en önemlisi, M. Naus adında biriydi. İktidarın en yüksek basamaklarına kadar yükselebilmişti. Kraliyet Yüksek Konsey üyesi, Posta ve Telgraf Bakanı, Defterdar, Pasaport Dairesi Başkanı ve Gümrük Genel Müdürü idi. Ayrıca vergi sistemini düzenlemekle görevliydi ve yeni kervan vergisi adıyla bilinen katırların yükünden alınan vergiden o sorumlu tutuluyordu.

M. Naus'un, İran'ın en nefret edilen kişisi olduğunu söylemeye gerek yok. Arasıra kovulması için sesler yükseliyor ama adam yerinden oynamıyordu. Çar, daha doğrusu çevresindeki gericiler de bu adamı tutuyordu. Bu çevrenin siyasal amacı, Saint-Petersbourg resmi basınında açığa vurulmuştu: İran'ı ve Basra Körfezini, kimseyle paylaşmadan, vesayet altına almak!

M. Naus'un durumu çok sağlam görünüyordu. Koruyucusu devrilene kadar da öyle oldu. Ancak bu iş, İran'daki en hayalperest kişilerin bile düşleyemeyeceği kadar çabuk oldu! İki aşamada! Önce Japon Savaşı! Savaş, dünyanın beklediğinin aksine, Çar'ın yenilgisi ile sonuçlandı. Donanması yok oldu. Sonra sırasıyla, yeteneksiz yöneticiler yüzünden onurları kırılan Rusların öfkesi, Potemkin zırhlısı subaylarının isyanı, Kronstadt Ayaklanması, Sivastopol başkaldırısı, Moskova olayları görüldü. Kimsenin unutmadığı bu olaylar üzerinde duracak değilim; sadece, özellikle Nicolas II'nin 1906'da bir Parlamento –Duma– toplama zorunda kalışının İran üzerindeki yıkıcı etkileriyle yetineceğim. Son derece basit bir olay, işte bu karışıklıklar sırasında meydana geldi. Belçikalı bir danışmanın verdiği maskeli baloya, M. Naus'un molla kılığında gitmek geldi aklına! Kıkırdamalar, gülmeler, alkışlar arasında Bakan'ın çevresi alındı, kutlandı, fotoğrafı çekildi. Bu fotoğrafın klişesi, birkaç gün sonra, Tahran Çarşısında elden ele dolaşmaya başladı.

XXXIV

Şirin, bunlardan birini bana gönderdi. Hâlâ saklarım. Arasıra gülerek bakarım. Bahçenin ortasında, bir halının üzerinde kırk kadar kadın-erkek, Türk, Japon, Avusturyalı kılığına girmiş, ortalarında hemen ön planda, beyaz sakalı, kır bıyığı ile rahatlıkla dindar bir patrik de olabilecek molla kılığındaki M. Naus! Şirin resmin arkasına şöyle yazmış: "Onca suç için ceza görmedi, bir kabahat için lanetlendi."

Naus'un herhalde din adamlarıyla alay etmek gibi bir niyeti yoktu. Sadece, hafiflik, bilinçsiz davranış ve isabetsiz bir seçimde bulunma ile suçlanabilirdi. Onun asıl kabahati, Çar'ın Truva Atı rolünü üstlendiğine göre, kendisini unutturması gerektiğini anlamamış olmasıydı. Önce Naus'un sonra bütün Hükümet üyelerinin gitmesi istendi. Tıpkı Rusya'daki gibi bir Parlamento kurulmasını istiyen bildiriler dağıtıldı. Gizli örgütler yıllardan beri çalışmaktaydı. Mutlakiyet rejimine karşı olan örgütler bazen Cemaleddin'e hatta bazen de Mirza Rıza'ya bağlı olduklarını açık açık söylüyorladı.

Kazaklar sokak başlarını tutmuştu. Resmi makamların yaydığı söylentilere bakılırsa korkunç cezalar verilecek, Çarşı askerlerce açılıp halka yağmalattırılacaktı. Bu bin yıldan bu yana, tüccarları tehdit etme biçimiydi.

Bu nedenle 19 Temmuz 1906'da bir grup tüccar ve çarşı sarrafı, İngiliz maslahatgüzarına başvurarak önemli bir konuyu görüşmek istediler. Şayet tutuklanma tehlikesiyle karşılaşacak olurlarsa, elçiliğe sığınabilirler ve korunabilirler miydi? Yanıt olumluydu. Gelenler teşekkürler ve temennahlar ile ayrıldılar. Aynı günün akşamında, dostum Fazıl, bazı arkadaşlarıyla elçiliğe gelmiş ve hararetle karşılanmıştı. Henüz otuz yaşında olmasına karşın, babasının tek vârisi olarak, çarşının en zengin adamı sayılıyordu. Geniş kültürü ve bilgisiyle; meslektaşlarının üzerinde büyük etkisi vardı. Onun konumunda birine, İngilizler en güzel odalarını vermek istediler, ancak o kabul etmeyerek, geniş elçilik bahçesinde bulduğu bir köşeyle yetinmişti. Bunun için bir çadır, bir seccade ve birkaç kitap getirmişti. Ev sahiplerine de dişlerini sıkıp gözlerini kısarak eşyalarını yerleştirmesini izlemek kalmıştı.

Ertesi günü otuz tüccar daha gelmişti. Üç gün sonra, 23 Temmuz günü, gelenlerin sayısı sekiz yüz altmışı bulmuştu. Temmuz 26'da beş bin kişi olmuşlardı. 1 Ağustos'ta oniki bin kişi!

Bir İngiliz bahçesinde yükselen bu Acem kenti, gerçekten tuhaf bir görüntüydü. Çadırlar loncalara göre gruplanmıştı. Hemen bir düzen kurmuşlar, nöbetçi kulübelerinin arkasına bir mutfak yapmışlardı. Koca kazanlar bahçedeki "mahalleler" arasında dolaşıyor ve yemek servisi üç saat sürüyordu.

Hiçbir karışıklık, hiçbir gürültü yoktu. Acemlerin dediği gibi *bast* yapılmış, yani sığınmada bulunulmuştu. Bir başka deyimle, bir türbenin dokunulmazlığında pasif direnişe geçmişlerdi. Tahran'ın pek çok yerinde türbe vardı: Şeyh Abdülâzim Türbesi, Şah Ahırları gibi. *Bast*'ların en küçüğü, Tophane Meydanındaki tekerlekli toptu. Suçlu gizlenecek olursa, güvenlik güçleri gelip onu oradan çıkartamazdı. Ne var ki Cemaleddin olayı, bu yerlerin pek güvenli olmadıklarını göstermişti. Resmi makamların tanıdıkları tek dokunulmazlığı olan yer, yabancı elçiliklerdi.

Her sığınmacı, elçiliğe, nargilesini ve düşlerini getirmişti. Bir çadırdan diğerine, okyanuslar kadar fark vardı. Fazıl'ın çevresini Çağdaşçılar almıştı. Bir avuç insan değil, yüzlerce insandı. Genç-yaşlı, *encümen* şeklinde örgütlenmişlerdi. Gizli ya da yarı gizli örgütlerdi bunlar! Aralarındaki konuşmalar sık sık Japonya, Rusya ve özellikle dilini konuştukları Fransa hakkında oluyordu. Fransızca kitap ve gazete okuyor, Saint-Simon'un, Robespierre'in, Rousseau'nun ve Waldeck-Rousseau'nun Fransa'sını biliyorlardı. Fazıl, bir yıl önce Fransa'da oylanan ve Kilise ile Devleti birbirinden ayıran yasa metnini gazeteden kesmiş, çevirmiş ve dostlarına dağıtmıştı. Hararetle tartışıyorlardı. Ama alçak sesle, çünkü az ötelerinde mollalar toplantı yapmaktaydılar.

Din adamları bölünmüştü. Bir kısmı, Avrupa'dan gelen her şeyi red ediyordu. Hatta demokrasi, parlamento ve çağdaşlaşmayı bile! "Kur'an varken anayasaya ne gerek var?" diyorlardı. Çağdaşçılar buna, Kitabın insanlara, kendilerini demokratik biçimde yönetmelerini söylediğini belirterek karşı çıkıyorlardı. Kitap: "İşlerinizi, aranızda danışarak görün" demiyor muydu? Sonra kurnazca şunu ekliyorlardı: Şayet Müslümanlar, yeni doğmakta olan devletlerini bir anayasaya sahip olarak örgütleselerdi, İmam Ali de yok edilemezdi, kanlı veraset savaşları da olamazdı.

Doktrin tartışması bir yana, mollaların çoğu, Şah'ın keyfî yönetimine son vermek için, anayasa düşüncesine sıcak bakıyorlardı. *Bast* yaparak yüzlerce kişi haline gelişlerini, Peygamberin Medine'ye hicretine, halkın çektiği çileyi de İmam Ali'nin oğlu Hüseyin'in çektiklerine benzetiyorlardı. Zaten Hüseyin'in bir Müslüman olarak çektikleri, İsa'nın çilesine eş değerdeydi.

Elçilik bahçesinde, profesyonel ağlayıcı takımı *Roze-Khwan*'lar, Hüseyin'in çektikleri için ağıt yakıyorlardı. Hüseyin'e ağlıyor, kendilerine ağlıyor, İran'a ağlıyorlardı. Fazıl'ın dostları bu gösteriden uzak duruyorlardı. Cemaleddin, *Roze-Khwan*'lardan çekinmelerini öğütlemişti. Onlara endişe ile bakıyor ve dinliyorlardı.

Şirin'in mektuplarından birinde yaptığı soğukkanlı yorum beni etkilemişti: "İran hasta" diyordu. "Başucunda pek çok doktor var. Çağdaş doktorlar, gelenekçi doktorlar... her biri kendi ilacını öneriyor. Onu kim iyileştirirse, gelecek onun olacak. Bu devrim başarılı olursa, mollalar demokratlaşma; olmazsa demokratlar mollalaşma zorunda kalacaklar."

Şimdiki halde hepsi aynı siperde, aynı bahçede bulunuyordu. Ağustos'un 7'sinde elçilikte on altı bin *Basti* vardı. Kent sokakları ıssızdı. Ünlü tüccarların hemen hepsi "göç" etmişti. Şah'a, istekleri kabulden başka bir şey kalmıyordu. *Bast*'ın başlamasından bir ay bile geçmeden, Şah Tahran'da doğrudan, taşrada dolaylı seçimlere gideceğini ilan etti.

İran'ın ilk Parlamentosu 7 Ekim'de toplandı. Taht adına konuşma yapmak üzere Şah, Cemaleddin'in dostu, onu son Londra'da bulunduğunda konuk etmiş olan, İsfahanlı bir Ermeni ve en eski muhaliflerinden biri olan Malkom Han'ı seçmişti. Malkom Han, İngiliz'i andırır muhteşem bir ihtiyardı ve bütün ömrünce, meşrutî bir hükümdarın söylevini Parlamentoda okumayı düşlemişti. O dönemi daha yakından incelemek isteyenler, Malkom Hanı'ı o dönemin belgelerinde aramasınlar. Hayyam'ın yaşadığı dönemde olduğu gibi bugün de İran, yöneticilerini adlarıyla değil unvanlarıyla tanır: "Krallığın Güneşi", "Dinin Temel Direği", "Sultanın Gölgesi" gibi. Demokrasi çağını başlatmış olan Malkom Han'a da unvanların en ünlüsü verildi: Nizamülmülk! Şaşırtıcı İran! Çalkantılar arasında onca değişmez, değişimler arasında onca kendisi olan!

XXXV

Doğu'nun uyanışına katılmak bir ayrıcalıktır, bir heyecan, bir coşku ve bir kuşkudur. Uyuyan beyninde ne gibi hayırlı ya da canavarca düşünceler yeşermişti? Uyanırsa ne yapacak? Kendisini sarsanın üzerine yürüyecek mi? Beni, endişeyle soru yağmuruna tutan okuyucu mektupları alıyordum. Daha hâlâ belleklerinde, 1900 yılındaki Pekin Boxers isyanı, yabancı diplomatların rehin alınmaları, "Gökyüzünün Korkunç Kızı" yaşlı İmparatoriçenin karşısına dikilen lejyoner ordu olduğu için, Asya'dan korkuyorlardı. İran farklı olacak mı? Ben, doğmakta olan demokrasiye güvenerek "Evet" diyordum. Bir Anayasa ve İnsan Hakları Yasası çıkartılmıştı. Her gün yeni dernekler kuruluyordu. Gazetelerin ve dergilerin sayısı bir ay içinde doksana çıkmıştı. *Uygarlık, Eşitlik, Özgürlük* gibi adlar taşıyorlardı. Ya da daha tantanalı biçimde *Yeniden Doğuş Borazanı* gibi adlar... Bunlardan İngiliz basınında ya da liberal *Ryech* veya sosyal-demokrat *Sovremenny Mir* gibi Rus gazetelerinde söz ediliyordu. Tahran'ın mizah gazetelerinden biri, daha ilk sayısında kapışılıyordu. Karikatürcüler oklarını Saray dalkavuklarına, Çar'ın ajanlarına ve daha çok da yobazlara fırlatıyorlardı.

Şirin şöyle yazıyordu: "Geçen cuma, bir takım mollalar çarşıda yandaş edinmek istediler. Anayasayı din dışı bir yenilik diye niteliyor ve halkı, Parlamentonun bulunduğu Baharistan'a yürümesi için kışkırtıyorlardı. Başarısız oldular. İstedikleri kadar yırtınsınlar halk ilgilenmedi. Arasıra bir kişi durup onlara bakıyor, sonra geçip gidiyordu. Sonunda kentin en saygın üç uleması geldi. Gözlerini bir karış yukarı kaydırmadan, en kısa yoldan evlerine dönmelerini istedi. İnanasım gelmiyor: İran'da artık yobazlık öldü."

İşte bu son cümleyi, yazılarımdan en güzeline başlık yaptım. Prensesin yazdıklarına kendimi öylesine kaptırmıştım ki, yazım senet yerine geçti. *Gazette'*in müdürü daha ılımlı olmamı istedi ama okuyucu mektuplarından, onaylandığımı anladım.

Bu mektuplardan biri, New-Jersey Princeton Üniversitesinde

öğrenci olan Howard C. Baskerville'den geliyordu. *Bachelor of Arts* diplomasını almış ve anlattığım olayları yakından görmek için İran'a gitmek hevesine kapılmıştı. Onun yazdığı bir cümle, bana bayağı dokunmuştu: "Bu yüzyılın başında Doğu uyanmazsa, Batı uyuyamayacak gibi bir sezgim var." Yanıtımda, bu yolculuğa çıkmasını teşvik ediyor ve çıkacak olursa bazı dostlarımın adlarını vermeyi vaat ediyordum. Baskerville, birkaç hafta sonra Annapolis'e gelerek, Amerikan Presbiteryen Kilisesi tarafından yönetilen Tebriz Erkek Okulunda bir öğretmenlik aldığını haber verdi. İranlı çocuklara İngilizce ve Fen dersleri verecekti. Hemen yola çıkmayı planlıyordu, onun için tavsiyelerimi ve öğütlerimi almaya gelmişti. Onu kutladım ve düşünmeden konuşarak İran'a gidecek olursam onu görme vaadinde bulundum.

Ama yakında gidebileceğimi hiç sanmıyordum. Gerçi istiyordum ama yersiz suçlamalar nedeniyle henüz bu yolculuğu erken buluyordum. Şah'ın katilinin suç ortağı sanılmıyor muydum? Tahran'daki değişikliklere karşın, tozlu belgelerden biri yüzünden sınırda tutuklanmaktan ve elçiliğe haber ulaştıramamaktan korkuyordum.

Baskerville'in gidişi, durumumu düzeltmek için bazı girişimlerde bulunmama yol açtı. Şirin'e asla yazmayacağıma söz vermiştim. Her geçen gün daha büyük etki kazanan Fazıl'a yazmaya karar verdim. Millet Meclisi'nde sözü geçenlerin başında geliyordu. Yanıtını üç ay sonra aldım. Dostça bir yanıttı. Adalet Bakanlığından, her türlü sanıklıktan arındırıldığıma dair resmi bir yazı almış, onu gönderiyordu. Yani artık tüm İran topraklarında serbestçe dolaşabilirdim. Daha fazla beklemeden Marsilya'ya, oradan da Selanik'e hareket ettim. İstanbul, Trabzon ve sonra katır sırtında Ağrı Dağı üzerinden Tebriz!

Sıcak bir haziran günü Tebriz'e vardım. Ermeni mahallesindeki kervansaraya yerleştiğimde, güneş damların hizasına inmişti. Yine de bir an önce Baskerville'i görmek istediğimden doğru Presbiteryen Okuluna gittim. Alçak ve enine yayılmış bir bina idi. Yeni beyaza boyanmıştı. Kayısı ağaçlarının arasında yer almıştı. Parmaklıkların üzerinde ve damda gösterişsiz iki haç ve kapının üstünde yıldızlı bir bayrak vardı.

İranlı bir bahçıvan bana doğru geldi. Beni, sakallı kızıl saçlı bir rahibin yanına götürdü. Konuşmaya başlamadan önce, beni gece konuk edebileceğini söyledi:

— Aniden gelip bizi ziyaretleriyle onurlandıran vatandaşlarımız için her zaman boş bir odamız var. Size özel muamele yapmıyoruz. Burası var olduğundan beri sürdürülen bir âdettir bu!

İçtenlikle üzüntülerimi beyan ettim.

— Eşyalarımı kervansaraya bıraktım. Öbür gün de Tahran'a gitmeyi düşünüyorum.

— Tebriz, bir günden fazlasına layıktır. Buraya kadar gelmişken, Büyük Çarşı'yı, adı Binbir Gece Masallarında geçen mavi caminin kalıntılarını görmeden gitmeyi nasıl düşünürsünüz? Günümüzde yolcuların çok acelesi oluyor nedense.

Benim bunca kötü bir gezgin olmama esef ediyordu. Savunma yapmak zorunda kaldım:

— Aslında Tahran'da işim var. Tebriz'e kadar gelişim, sizde öğretmenlik yapan Howard Baskerville'i görmek içindi.

Bu adı söyler söylemez, hava ağırlaştı, neşe kayboldu, hararet söndü, babaca yaklaşımlar yok oldu. Yüz sıkıntılı, bakışlar kaçamaktı. Uzun bir sessizlikten sonra:

— Howard'ın arkadaşı mısınız? diye sordu.

— Bir bakıma İran'a gelişinden sorumlu sayılırım.

— Ağır bir sorumluluk!

Yüzünde, boş yere bir gülümseme aradım. Bana birden bitkin ve çökmüş gibi geldi. Bakışları yalvarır gibiydi:

— Burayı onbeş yıldır yönetiyorum. Okulumuz kentin en iyi okulu. Yaptığımız işin yararlı ve hayırlı olduğuna inanıyorum. Çalışmalarımıza katkıda bulunanlar buna inanmasa, genelde düşmanca bir ortamda buraya gelmeye gerek görmezler. Onları zorlayan hiç bir şey yok.

Herhangi bir kuşku duymam için bir neden yoktu ama adamın kendini savunmadaki heyecanı beni rahatsız diyordu. Birkaç dakikadan beri odasındaydım, onu herhangi bir şeyle suçlamamıştım, ondan hiçbir şey istememiştim. Başımı nazikçe sallamakla yetindim. Devam etti:

— Bir misyoner İranlıların acılarına ilgisiz kalırsa, bir öğretmen öğrencilerinin kaydettikleri ilerlemelere hiçbir sevinç göstermezse ona derhal Amerika'ya dönmesini tavsiye ederim. Bazen, en genç olanlar bile, heyecansız olabiliyor. Bu çok insanca, değil mi?

Bundan sonra rahip sustu. Koca parmakları sinirli biçimde piposunu sıkıyordu. İşini kolaylaştırmayı görev bildim.

En umursamaz biçimde:

— Siz Howard'ın birkaç ay içinde cesaretini kaybettiğini, Doğu'ya duyduğu ilginin geçici olduğunu mu söylüyorsunuz?

Yerinden sıçradı:

— Tanrım hayır, size pek çok kişiyle başımıza geleni anlatmaya çalıştım, ama Baskerville ile değil. Arkadaşınızla işin tam tersi oluyor ve bu yüzden son derece endişeliyim. Bir bakıma bugüne kadar gelen en iyi öğretmen, öğrencilerini çok iyi yetiştiriyor, aileler varsa yoksa o diyorlar. Misyonumuz bugüne kadar bu kadar çok hediye almamıştır: kuzular, horozlar, helvalar, hepsi Baskerville için. Onunla olan sorun, bir yabancı olduğunu unutması! Buradaki insanlar gibi giyinmekle, benimle bile yörenin lehçesiyle konuşmakla ve pilava bayılmakla yetinse, güler geçerdim. Ama Baskerville görünüşle yetinmiyor. Siyasi savaşa atıldı. Anayasayı övüyor, öğrencilerini Rusların, İngilizlerin, Şahın ve gerici mollaların aleyhine kışkırtıyor. Onun burada "Âdem'in Oğlu" yani gizli örgüt üyesi olmasından bile kuşkulanıyorum.

İçini çekti:

— Dün sabah, kapımızın önünde bir gösteri oldu. En önemli iki din adamının liderliğinde, Baskerville'in gitmesi, aksi halde Misyonunun kapanması istendi. Üç saat sonra bir başka gösteri yapıldı, onlar da Howard'ı destekliyor ve kalmasını istiyorlardı. Anlıyorsunuz ya? Bu böyle devam ederse bu kentte kalamayız.

— Howard'la konuşmadınız mı?

— Belki yüz kere, her üslupta, her tonda. Doğu'nun Uyanışı, Misyonun kaderinden önemlidir diyor da başka bir şey söylemiyor. Anayasa devrimi başarısız olursa, nasıl olsa gitmek zorunda kalırmışız. Gerçi sözleşmesini iptal edebilirim ama bunu yaparsam, bizi her zaman desteklemiş olanların öfkesini çekeceğimden korkarım. Tek çözüm Baskerville'in sakinleşmesi. Bunu belki siz başarabilirsiniz.

Böyle bir söz vermeksizin, Howard'ı görmek istedim. Papazın bir an gözü parladı. Bir sıçrayışta ayağa kalktı:

— Arkamdan gelin, nerede olduğunu göstereyim. Sanırım nerede olduğunu biliyorum. Onu sessizce izleyin, neden böyle düşündüğümü anlar, kaygılarımı paylaşırsınız.

DÖRDÜNCÜ KİTAP
DENİZDE BİR ŞAİR

Oyunu oynayan Tanrı, bizlerse dama taşı!
İşin doğrusu bu, gerisi laf-ı güzaf.
Onun için dünya dama tahtası, bizler birer oyuncak.
Bıkar sonunda, salıverir hiçliğin kuyusuna!

Ömer Hayyam

XXXVI

Duvarlarla çevrili bir bahçenin alacakaranlığında, kıpır kıpır insanlar. Baskerville'i nasıl ayırdetmeli? Tüm yüzler öylesine yağız ki! Bir ağaca yaslanmış, duruyorum. Çevreme bakıyorum. İçi aydınlatılmış bir kulübenin önünde tuluat yapılıyor. Anlatıcı ve ağlayıcı *Roze-Khvan*'lar, müminleri ağlamaya, bağırmaya, kan dökmeye çağırmaktaydı.

Adamın biri ortaya çıktı, gönüllü olduğunu söyledi. Acıya gönüllü! Yalın ayak, yarıdan yukarısı çıplak, elleri zincirli... zincirleri havaya fırlatıyor, omuzlarından çıplak sırtına kaydırıyor, demir kaygan, cilt ince... morarıyor ama dayanıyor. Kanatması için otuzkırk darbe vurması gerek. Siyah bir fışkırtı! Acının tiyatrosu da bu! Bin yıllık çile gösterisi!

Kırbaçlanma arttıkça, halkın bağırması da artıyor, anlatıcı darbelerin ve çığlıkların gürültüsünü bastırmak için daha çok bağırıyordu. Tam o sırada oyunculardan biri ortaya atıldı, kılıcıyla tehditler yağdırdı, yüzünü buruşturdu, lanetlendi. Kendisine birkaç da taş atıldı. Az sonra kurban ortaya çıktı. Kalabalık çığlık üstüne çığlık attı. Ben bile kendimi tutamayıp bağırdım, çünkü adamın kafası kopmuş, yerde sürükleniyordu. Başımı çevirdim, dehşet içinde rahibe baktım, soğuk bir gülümsemeyle beni yatıştırdı:

— Bu çok eski bir hile. Bir çocuğun ya da çok kısa boylu bir adamın kafasının üzerine bir koyunun kopmuş kafasını oturtuyorlar. Öyle bir biçim veriyorlar ki, kanlı boyun üst kısımda kalıyor, üzerlerine de tam yerinden delinmiş beyaz bir çarşaf örtüyorlar. Gördüğünüz gibi yarattığı izlenim dehşet verici!

Piposunu çekti. Kafası kopmuş olan, sahnede sıçrayıp döneniyordu. Sonra yerini garip bir adama bıraktı.

Baskerville!

Tekrar dönüp Rahibe baktım. Gözlerini kırpıştırmakla yetindi. Asıl tuhaf olanı, Baskerville'in bir Amerikalı gibi giyinmiş olması idi. Hatta, bu trajedi ortamında komik kaçan bir de hotform şapka giymişti. Halk yine de avaz avaz bağırıyor, ağlıyordu ve gördüğüm kadarı ile, hiçbiri eğlenir görünmüyordu. Rahibi saymazsak... O da bana anlatma nezaketindeydi:

— Bu törenlerde daima bir Avrupalı bulunur ve tuhaf ama hep "iyileri" temsil eder. Geleneğe göre, Sarayda bulunan bir elçi, Hüseyin'in ölümünden etkilenip cinayeti açıkça kınamak durumundadır. Tabii ellerinde her zaman bir Avrupalı bulunmuyor, onun yerine bir Türk'ü ya da açık renkli bir Acem'i çıkartıyorlar. Baskerville Tebriz'de olduğundan beri, bu role hep o çıkıyor. Mükemmel bir oyun sergiliyor. Sonra, sahnede ağlıyor!

O sırada, kılıçlı adam, büyük bir gürültü çıkararak Baskerville'in çevresinde döneniyordu. Baskerville kıpırdanıyor, şapkasını düşürüyor, sarı saçları ortaya çıkıyor, sonra bir robot yavaşlığı ile diz üstü çöküyor, yere uzanıyor, güneş ışığı gözyaşlarını belirginleştiriyor, siyah giysisinin üzerine çiçekler yağdırılıyordu.

Kalabalığı duymaz olmuştum. Gözlerim arkadaşıma takılmış, heyecanla ayağa kalkmasını bekliyordum. Tören bitmez gibi geliyordu. Onunla karşılaşmak için acele ediyordum.

Bir saat sonra, Misyon'da, bir çorba kâsesinin önünde buluşabildik. Rahip bizi yalnız bırakmıştı. Aramızda sıkıntılı bir sessizlik vardı. Baskerville'in gözlerindeki kızarıklık geçmemişti.

— Batılı ruhuma dönmem vakit alıyor, diye mazeret beyan etti.

— Acele etme. Yeni yüzyıl henüz başlıyor.

Öksürdü, sıcak çorba kâsesini dudaklarına götürdü, yine sessizliğe büründü. Sonra güçlükle:

— Bu ülkeye geldiğim zaman, koca koca sakallıların, bin iki yüz yıl önce işlenmiş bir cinayete ağlayıp sızlanmalarını anlayamıyordum, dedi. Şimdi ise anlıyorum. İranlılar geçmişte yaşıyorlarsa, o geçmiş vatanları olduğu içindir. Bugün buraları yabancı bir diyar olduğu ve bu diyarda onlara ait hiçbir şey bulunmadığı içindir. Bizler için çağdaş yaşam, özgürlük simgesi olan her şeydir, onlar içinse yabancı egemenlik anlamına geliyor. Yol: Rusya'dır. Ray, Telgraf, Banka: İngiltere'dir. Posta: Avusturya-Macaristan'dır.

— ... ve de bilimlerin öğretimi: Amerikan Presbiteryen Misyonundan Baskerville'dir.

— Tam üstüne bastınız. Tebrizliler için iki seçenek var: oğullarını ya, tıpkı Ataları gibi aynı cümleleri on yıl boyunca anırsınlar diye geleneksel okullara gönderecekler, ya da Amerikalılar gibi eğitim görecekleri benim sınıfıma yollayacaklar, ama bir haçın ve yıldızlı bayrağın gölgesinde. Benim öğrencilerim, ülkenin en yararlıları, en iyileri, en ustaları olacaktır ama diğerlerinin onlara satılmış gözüyle bakmaları nasıl önlenecektir? Geldiğimin haftasında, kendi kendime bu soruyu sordum ve yanıtını, gördüğünüz törenlere benzer törenlerde buldum. Bir gün, kalabalığa karışmış, yürüyordum. Çevremde iniltiler yükseliyordu. Ağlayan, perişan, korkmuş, şaşkın yüzleri inceledikçe, İran'ın bütün sefaletini görmüş oldum. Farkına varmadan ben de ağlamaya başladım. Çevremdekiler bunu gördü, heyecanlandılar ve bana iyileri temsil eden dürüst elçi rolünü oynattılar. Ertesi gün öğrencilerimin velileri geldi. Çocuklarını Presbiteryen Okuluna göndermenin yanıtını bulmuşlar, bundan mutluluk duyuyorlardı. "Ben oğlumu İmam Hüseyin'e ağlayan öğretmene emanet ettim" diyorlardı. Bir kısım mollalar rahatsız oldu. Bana karşı güttükleri düşmanlık, benim ne derece başarılı olduğumu kanıtlıyor. Onlar yabancılar, yabancılara benzesin istiyorlar.

Davranışını anlıyordum ama yine de kuşkuluydum:

— Yani sence, İran'ın sorunlarına çözüm yolu, ağlayıcılara katılmaktan mı geçiyor?

— Ben bunu demedim. Ağlamak reçete değil. Marifet de değil. Sadece basit bir eylem. Kimse gözyaşı dökmeye zorlanmamalı. Önemli olan tek şey, başkalarının felaketini küçümsememektir. Beni ağlarken gördüklerinde benim yabancılara özgü umursamazlığım olmadığını gördüklerinde, bana geldiler ve ağlamanın bir işe yaramadığını, İran'ın fazladan bir goygoycuya gereksinim duymadığını, yapabileceğim en iyi işin Tebrizli çocuklara doğru dürüst eğitim vermek olduğunu söylediler.

— Akıllıca sözler. Ben de sana aynı şeyleri söyleyecektim.

— Ne var ki, şayet ağlamamış olsaydım, bana gelmezlerdi. Beni ağlar görmeseler di, benim çocuklara bugünkü Şah'ın kokuşmuş olduğunu, Tebrizli mollaların ondan geri kalmadığını söylememe izin vermezlerdi.

— Bunu sınıfta söylüyorsun, öyle mi?

— Evet. Bunu sınıfta söylüyorum. Ben, sakalsız, genç Amerikalı, ben, Presbiteryen Misyonu Okulunun küçük öğretmeni, tacı ve sarıklıları sarstım ve öğrenciler bana hak verdi. Ana ve babaları da. Sadece Rahip huzursuz oldu.

Benim kendime gelemediğimi görünce, ekledi:

— Onlara Hayyam'dan da söz ettim. Milyonlarca Amerikalı ve

Avrupalı'nın *Rubaiyat*'ı başuçlarından eksik etmediklerini anlattım. Fitzgerald'ın şiirlerini ezberlettim. Ertesi günü, bir büyükbaba gelip beni gördü. Torunu ona her şeyi anlatmış. Bana dedi ki: "Biz de Amerikalı şairleri çok sayarız." Tabii bir tekinin bile adını bilmiyordu ama ne önemi vardı? Ona göre, minnet göstermenin bir yolu buydu. Ama bütün aileler böyle davranmadı, hatta biri şikâyet bile etti. Rahibin önünde bana dedi ki: "Hayyam sarhoş bir zındıktır." Ben de "Böyle söylemekle Hayyam'a hakaret etmiyor, sarhoşluğu ve zındıklığı övüyorsunuz" dedim. Rahip az daha boğuluyordu.

Howard bir çocuk gibi güldü. Afacan bir çocuğa benziyordu!

— Yani şimdi sen, seni suçladıkları suçla övünüyorsun. Yani sen yoksa "Âdem Oğullarından" mısın?

— Rahip bunu da mı söyledi? Benden çok söz etiniz gibi bir izlenim içindeyim.

— İkimizin tanıdığı bir başkası yok da...

— Senden hiçbir şey gizlemeyeceğim. Benim vicdanım, yeni doğmuş bir bebeğinki kadar temiz. Bundan iki ay önce, bir adam gelip beni gördü. Koskoca bir deve benziyordu ama bir o kadar da utangaçtı. Bana, *Encümen*'de bir konuşma yapıp yapmıyacağımı sordu. Hangi konuda dersin? Hiç tahmin edemezsin! Darwin teorisi üzerinde! Ülkedeki siyasi kargaşa ortamında, bunu eğlenceli buldum. Kabul ettim. Darwin hakkında bir sürü bilgi topladım, onun aleyhinde olanların görüşlerini anlattım. Konuşmam sıkıcıydı ama salon doluydu ve beni büyük bir hayranlıkla dinliyorlardı. Sonra, başka toplantılara da gittim. Değişik konularda konuşmalar yaptım. Bu insanlarda müthiş bir öğrenme açlığı var. Bunlar aynı zamanda en ateşli Anayasacılar. Tahran'dan son haberleri almak için, evlerine uğradığım olur. Onları tanımalısın, onlar da senin benim gibi bir dünya düşlüyorlar.

XXXVII

Akşamları, Tebriz Çarşısında pek az dükkân açık kalır ama sokaklar hareketlidir. Erkekler köşe başlarında, hasır iskemleler üzerinde nargilelerini tüttürürler. Nargilenin dumanı, gün içindeki bin bir çeşit kokuyu bastırır.

Yürüyüşümü, Howard'ınkine uydurmaya çalışıyordum. Hiç duraksamadan, bir sokaktan diğerine geçiyor, arasıra bir öğrencisinin babasına selam vermek için duruyordu. Her yerde, çocuklar oyunlarını yarıda bırakıp, geçmesi için kenara çekiliyorlardı. Sonunda paslı bir kapının önüne geldik. Arkadaşım kapıyı itti, ağaçlıklı küçük bir bahçeden geçtik, kerpiç bir evin önüne vardık, yedi kez vurduktan sonra kapı gıcırtıyla geniş bir odaya açıldı. Oda, cereyandan ötürü sallanıp duran tavandan sarkan lambalarla aydınlanmıştı. Odadakiler buna alışık olmalıydılar. Ama ben sallanıp duran bir kayığa binmiş gibiydim. Hiçbir yüzü sabit göremiyor, gözlerimi kapatıp uzanmak istiyordum. "Âdem Oğulları" toplantılarının yabancısı değildi Baskerville. Zaten karşılanışından belliydi. Onun yanında olduğum için ben de kardeşçe kucaklandım, üstelik Howard, İran'a gelişine benim neden olduğumu söyleyince, daha da sıcak bir kucaklaşma oldu.

Tam oturacağımı sandığım sırada, odanın karşı köşesinden bir adam ayağa kalktı, gelip karşımda durdu:

— Benjamin!

Yerimden sıçradım, gözlerimi ovuşturdum:

— Fazıl!

Birbirimize sarıldık, birbirimize masum küfürler savurduk. Fazıl, huyu olmadığı halde, bu samimiyetimizi açıklamak gereğini duydu:

— Benjamin Lesage, Seyyid Cemalettin'in dostuydu.

O saniye, değerli bir konuk olmaktan çıkıp, tarihi bir anıt ya da kutsal bir yadigâr oluverdim; yanıma büyük bir saygı ile, çekine çekine yaklaşıyorlardı.

Howard'ı Fazıl'a takdim ettim. Birbirlerini sadece ismen tanıyorlardı. Fazıl, doğduğu kent olan Tebriz'e, bir yılı geçkin bir zamandır gelmiyormuş. Zaten bu sıvası dökük duvarlar, sallanıp duran lambalar arasında bulunması hayra alamet değildi. Anayasa Devriminin temel taşlarından biri olan Demokrat Parlamenterlerin lideri değil miydi? Şu sıralar başkentten ayrılması doğru muydu? Bu soruları kendisine sordum. Rahatsız oldu. Oysa Fransızca ve alçak sesle konuşmuştum. Yanında oturanlara kaçamak bakışlar fırlattı. Sonra yanıt olarak:

— Nerede kalıyorsun? diye sordu.

— Ermeni mahallesindeki kervansarayda.

— Gece gelirim.

Gece yarısına doğru, odamda altı kişi olmuştuk. Baskerville, ben, Fazıl ve onun üç arkadaşı. Onları, kimlikleri bilinmesin diye, sadece küçük adları ile tanıttı.

— Encümen'de neden Tahran'da değil de burada olduğumu sordun. Çünkü başkent, Anayasacılar için kayıp vaka! Bunu otuz kişinin önünde söyleseydim, panik yaratmış olurdum. Ama işin doğrusu bu!

Tepki gösteremeyecek kadar afallamıştık. Fazıl devam etti:

— İki hafta önce, Saint-Petersbourg'dan bir gazeteci beni görmeye geldi. *Ryech* gazetesinin muhabiriydi. Adı Panoff ama yazılarını "Tane" diye imzalıyor.

Ondan söz edildiğini duymuştum. Londra basını, arasıra yazılarından alıntılar yapardı. Fazıl devam etti:

— O bir sosyal-demokrat. Çarlık düşmanı. Ama bir kaç ay önce Tahran'a geldiğinde, düşüncelerini kendine sakladı, Rus Elçiliğine kolayca girip çıkmanın yolunu buldu ve hangi rastlantı ya da hangi hile sonucu bilmem, bir takım dosyalara el koyma fırsatını buldu. Kazaklar, mutlakiyet rejimini geri getirmek üzere bir darbe hazırlığı içindeymişler. Her şey açıkça yazılıymış. Çarşıda, yeni rejime güveni sarsmak için, hırsızlık olayları başlatılacak, bazı mollalar da Şah'tan, sözde İslam'a aykırı olan, anayasayı kaldırmasını isteyeceklermiş. Tabii bana bu belgeleri getirirken, Panoff büyük bir riske giriyordu. Ona teşekkür edip, Parlamento'nun olağanüstü toplanmasını istedim. Durumu ayrıntılarıyla anlatıp, hükümdarın tahttan indirilmesini, yerine oğullarından birinin geçirilmesini, Kazak Birliğinin kaldırılmasını, suçlu mollaların tutuklanmalarını önerdim. Pek çok konuşmacı kürsüye çıkıp durumu kınadı ve önerilerimi destekledi.

Birden bir görevli çıkageldi. İngiliz ve Rus elçilerinin bize acele bir nota vermek üzere Parlamento'da olduklarını söyledi. Toplantıya ara verildi, Meclis Başkanı ve Başbakan dışarıya çıktılar, dönüşlerinde birer kadavra gibiydiler. Elçiler, Şah'ın tahttan indirilmesi halinde, her iki devletin askeri müdahalede bulunmak zorunda kalacaklarını söylemeye gelmişlerdi. Bizi yalnız boğmaya hazırlanmıyor, kendimizi savunmamızı da engelliyorlardı!

Baskerville dehşet içinde:

— Bu gayretkeşlik niye? diye sordu.

— Çünkü Çar, burnunun dibinde demokrasi istemiyor, Parlamento sözcüğü bile onu zıvanadan çıkartıyor. ·

— Ama İngilizler için aynı şey söylenemez?

— Hayır ama, İranlılar kendi kendilerini yönetmeyi öğrenirlerse, bunun Hintlilere örnek olmasından korkuyorlar. Çünkü o takdirde İngilizler, pılılarını pırtılarını toplayıp gitmek zorunda kalacaklar. Tabii bir de petrol var. 1901 yılında, Knox d'Arcy adlı bir İngiliz, yirmi bin sterling karşılığında tüm İran petrolünü işletme hakkını aldı. Bugüne kadar üretim önemsiz miktardaydı, ama birkaç haftadan beri Bahtiyari aşiretlerinin topraklarında büyük miktarda petrol çıktı. Her halde duymuşsunuzdur. Bu, ülke için önemli bir gelir kaynağı olabilir. Parlamento'dan Londra Antlaşması'nı gözden geçirmesini ve böylece daha adil koşullar elde etmemizi istedim; milletvekillerinin çoğu beni destekledi. O günden beri İngiliz Elçisi beni davetlerine çağırmaz oldu.

— Oysa *bast* olayı Elçilik bahçesinde olmuştu!

— İngilizler o tarihte, Rus etkisinin çok olduğunu, İran pastasından kendilerine çok az bir parça bırakıldığını düşünüyorlardı. Onun için bizi destekleyip, bahçelerini açtılar. Hatta M. Naus'u kötü duruma düşüren resmi, onların bastırdığı söyleniyor. Bizim hareketimiz başarı kazanınca, Londra, Çarı bir bölüşme anlaşmasına razı etmiş oldu. İran'ın kuzeyi Rus nüfuz alanına, güneyi de İngiltere'ninkine girecekti. İngilizler istediklerini elde eder etmez, demokrasimizden yüz çevirdiler. Onlar da Çar gibi demokrasimizi sakıncalı buluyor ve yok olmasını istiyorlar.

Baskerville patladı:

— Hangi hakla?

Fazıl ona babaca gülümsedi ve konuşmasını sürdürdü:

— İki diplomatın gelişlerinden sonra milletvekilleri cesaretleri-

197

ni kaybettiler. Bütün düşmanlara aynı anda karşı koyamayacakları için, zavallı Panoff'a yüklenmeyi yeğlediler. Pek çok konuşmacı onu sahtekâr, anarşist olmakla suçladı ve amacının İran ile Rusya arasında savaş başlatmak olduğunu söyledi. Gazeteci Parlamento'ya benimle gelmişti, tanıklığı gerekebilir diye onu büyük salonun yanında, kapı önünde bekletiyorum. Oysa milletvekilleri kalkmış tutuklanmasını ve Çar'ın elçisine teslim edilmesini istiyorlardı. Bunun için bir de önerge vermişlerdi. Kendi hükümetine karşı bize yardım elini uzatmış olan bu adam, cellatlara teslim edilecekti! Her zaman sakin bir insan olduğum halde, kendimi tutamadım, bir iskemlenin üstüne çıktım, deli gibi bağırmaya başladım: "Şayet bu adam tutuklanacak olursa, babamın mezarı üzerine and içirim ki 'Âdem Oğulları'nı çağırır ve Parlamento'yu kana boğarım. Bu önergeyi onaylayacaklar olanlardan hiçbiri sağ çıkmayacaktır." Dokunulmazlığımı kaldırıp beni de tutuklayabilirlerdi. Cesaret edemediler. Oturumu ertesi güne ertelediler. O gece başkenti terk ettim, buraya geldim. Panoff da benimle geldi, başka bir ülkeye gidene kadar Tebriz'de bir yerlerde saklanıyor.

Konuşmamız uzayıp gitti. Böylece sabahı bulduk. Ezan sesi ile aydınlık daha belirgin oldu. Tartışmış, olasılıklar üzerinde durmuş, dur durak bilmemiştik. Baskerville gerindi, saatine baktı, bir uyurgezer gibi ayağa kalktı, ensesini kaşıdı ve:

— Aman tanrım! dedi saat altı olmuş! Uykusuz bir gece. Öğrencilerimin karşısına ne yüzle çıkacağım? Bu saatte döndüğümü gören Rahibe ne diyeceğim?

— Bir kadınla beraber olduğunu söylersin!

Howard'ın gülecek hali yoktu.

Ben rastlantı demek istemiyorum çünkü bu işte rastlantının pek rolü yok... ama Fazıl bize Panoff'un belgelerine dayanarak genç İran demokrasisine karşı oynanan oyunları anlatırken, darbe harekâtı başlamıştı.

Daha sonra öğrendiğim üzere, 23 Haziran 1908 Çarşamba günü sabahın dördünde, bin kadar Kazak, başlarında Albay Liakhov olmak üzere, Parlamento'nun bulunduğu Baharistan'a doğru yürümekteydi. Parlamento'nun çevresi sarılmış, çıkışlar denetime alınmıştı. Yerel Encümenlerden birinin üyeleri, birlikleri görünce, telefonun henüz takıldığı yakınlardaki bir koleje koşup bazı sosyal-demokrat milletvekillerine ve Ayetullah Behbahani ile Ayetullah Tabatabayi gibi dini liderlere haber vermişlerdi. Onlar da şafak sökmeden önce, anayasaya bağlılık yemini etmek üzere Parlamentoya gitmişlerdi. Gariptir, Kazaklar geçmelerine izin vermişti. Aldıkları emir, Parlamentodan çıkışı yasaklamaktı, girişi değil!

Protestocu kalabalık giderek büyüyordu. Sabah olduğunda üçyüz kişi olmuşlardı ve aralarında pek çok "Âdem Oğlu" vardı. Ellerinde karabinaları, bir miktar cephane, her birine düşen altmış kadar fişek vardı ama kullanmaktan çekiniyorlardı. Gerçekten de damlarda, pencere arkalarında siper almışlardı ama önce kendilerinin ateş edip müthiş bir kıyıma yol açmaları mı yoksa darbe hazırlıklarının tamamlanmasını pasif biçimde beklemeleri mi gerektiğini bilmiyorlardı.

Yanındaki Rus ve Acem subaylarla Liakhov, birliklerini ve toplarını yerleştirmekle meşguldu. O günü, altı adet top saymışlardı ve bunlardan en öldürücü olanı Topnane Meydanına yerleştirilmişti. Albay üst üste birkaç kez savunucuların hattını atı ile yarmış ama "Âdem Oğulları"nın karşılık vermeleri, Çar'ın bunu bahane edip ülkeyi işgal etmesinden korktuğu için, engellenmişti.

Saldırı emri öğleye doğru verildi. Kuvvetler denk olmadığı halde çatışma altı-yedi saat sürdü. Direnişçiler, toplardan üçünü saf dışı bırakmayı başardılar.

Bu, ümitsizliğin kahramanlığı idi. Güneş batarken, teslimiyetin beyaz bayrağı İran tarihinin ilk Parlamentosuna çekilmiş bulunuyordu. Son atıştan dakikalarca sonra, Liakhov topçularına yeniden ateş emri verdi. Çarın emirleri kesindi: Parlamentoyu feshetmek yetmiyordu, onu barındıran bina da yıkılmalı ve Tahranlılara ilelebet ders olmalıydı!

XXXVIII

Çarpışmalar Tahran'da devam ettiği sırada, Tebriz'de ilk silah sesleri duyulmaya başlandı. Howard'ı dersten sonra almaya gitmiştim. Fazıl ve bir arkadaşı ile yemek yemek üzere Encümen'de buluşacaktık. Henüz çarşının çapraşık sokaklarına girmemiştik ki, ilk silah seslerini duymaya başladık. Yakından geliyordu.

Büyük bir merakla seslerin geldiği yöne gittik. Yüz metre ötede, bağırıp çağıran bir kalabalık yürüyordu: toz, toprak, duman, tüfekler, meşaleler birbirine karışmıştı. Anlamadığım sözler bağırılıyordu. Anlamıyordum, çünkü Azericeydi, yani Tebrizlilerin konuştukları Türkçe. Baskerville çevirmeye çalışıyordu: "Anayasaya ölüm! Parlamentoya ölüm! Allahsızlara ölüm! Yaşasın Şah!" Bir sürü insan her bir yana koşup duruyordu. Yaşlı bir adam, şaşkına dönmüş bir keçiyi çekiştirmeye çalışıyordu. Kadının birinin ayağı takılmış, altı yaşındaki oğlu doğrulmasına yardım ediyordu. Kaçmaya başlamışlardı.

Biz de buluşacağımız yere varmak için adımlarımızı sıklaştırdık. Sokakta, gençlerden bir grup barikatlar kurmaktaydı. Bizi tanıdılar, geçmemizi sağlayarak acele etmemizi tavsiye ettiler, çünkü "bu yana geliyorlar mahalleyi yakacaklar" diyorlardı. Bütün "Âdem Oğullarını" öldürme emri almışlardı.

Encümen merkezinde, Fazıl'ın yanında kırk-elli kişi vardı. Tüfeği olmayan tek insan Fazıl'dı. Sadece bir tabanca, bir Avusturya tabancası vardı. Sakindi, bir gece öncesine oranla daha az sinirliydi, çekilmez bekleyiş bittiğinde eylem adamının duyduğu rahatlığı duyuyordu.

— İşte, dedi. Panoff ne dediyse doğru çıktı. Albay Liakhov darbesini yaptı. Kendisini Tahran Askeri Valisi ilan etti, sokağa çıkma yasağı koydu. Bu sabahtan itibaren Anayasacı avını başlattı. Her yerde ve özellikle Tebriz'de.

Howard hayretle:

— Her şey ne kadar çabuk oldu, dedi.

— Darbenin başladığı Rus konsolosuna telgrafla haber verilmiş, o da bu sabah mollalara haber göndermiş. Onlar da yandaşlarını Deveci Alanı'nda toplamışlar, oradan da kentin dört yanına yayılmışlar. Önce, dostum gazeteci Ali Meşhedi'nin evine gitmişler, karısı ile anasının gözleri önünde boğazını ve sağ elini kesmişler, kan gölü ortasında bırakıp gitmişler. Hiç tasalanmayın, akşam olmadan Ali'nin intikamı alınacak!

Sesi boğuklaştı, bir saniye durdu, derin bir nefes aldı, sonra:

— Ben Tebriz'e, bu kentin direneceğini bildiğim için geldim. dedi. Üzerine bastığınız bu toprakta Anayasa henüz geçerli. Artık Parlamento merkezi burası, yasal hükümet merkezi burası. Esaslı bir savaş olacak, sonunda biz kazanacağız. Beni izleyin.

On iki yandaşıyla birlikte onu izledik. Bizi bahçeden geçirdikten sonra, bir evin çevresinde dolandırdı, bir ucu yapraklar arasından kaybolmuş tahta bir merdivenin önüne getirdi. Dama çıktık, bir geçitten geçtik, birkaç basamak indik, sonunda kalın duvarlı, neredeyse mazgal deliği denecek minnacık pencereli bir odaya geldik. Fazıl dışarıya bir göz atmamızı istedi. Mahallenin en az korunan, en zayıf noktasının üzerinde bulunuyorduk. Bir barikat kurulmuş, barikatın arkasında, bir dizi yerde, elinde tüfek yirmi kadar genç bekliyordu.

Fazıl:

— Başkaları da var diye açıkladı. Diğerleri de bunlar kadar azimli. Hepsi mahallenin başlarını tutuyor. Güruh gelmeyegörsün...

Güruhun gelmesi uzun sürmedi. "Âdem Oğulları"na ait birkaç evi yakmak için biraz geç kalmışlardı. Onlar da silahlıydı, bağıra çağıra yaklaşıyorlardı.

Birden hepimizi bir titreme aldı. İstediğimiz kadar geldiklerini bilelim, istediğimiz kadar bir duvarın ardına sığınmış olalım, zincirinden boşanmış bir sürünün bağıra çağıra üstümüze gelmesi, yaşayacağımız en korkunç deneyim olacaktı.

Kendimi tutamayarak fısıldadım:

— Kaç kişiler?

— Bin, bin beş yüz kadar, diye açık ve yüksek sesle yanıt verdi Fazıl. Sonra emredercesine:

— Şimdi korkutmak sırası bizde dedi.

Yardımcılarına, bize de silah vermelerini söyledi. Howard'la aramızda, neredeyse alaylı bir bakışma oldu. O soğuk nesnelere büyülenmiş gibi bakıyorduk. Fazıl:

— Pencerelere geçin dedi ve kim yaklaşırsa vurun. Benim şimdi ayrılmam gerekiyor, bu vahşilere bir sürprizim olacak.

O çıkar çıkmaz, çatışma başladı. Çatışma demek abartmak olur. Sürü geliyordu, kin kusan, zıvanadan çıkmış bir güruh, başlarındaki öncüyle barikatlara, hiçbir şey yokmuşçasına dalıyordu. "Âdem Oğulları" ateş ediyorlardı. Bir salvo. Sonra bir daha... On kişi kadar vurulup yere düşüyor, geriye kalanlar çekiliyordu. Aralarında biri barikatı aşmayı başarmış ama bir süngünün üzerine olanca ağırlığı ile geçivermişti. Ardından bir ölüm çığlığı... gözlerimi çevirdim.

Eylemcilerin elebaşısı arkada durmuş, "Ölüm!" diye haykırmağa devam ediyordu. Sonra bir başka kalabalık barikata yüklendi, bu kez daha becerikliydiler. Yani savunmacıların ve ateş edilen pencerelerin üzerlerine ateş ediyorlardı. Alnından vurulan "Âdem Oğullarından" biri, kendi takımının tek kaybı oldu. Salvolar yeniden ilk sırayı dövmeye koyulmuştu.

Saldırı yavaşladı, geri çekildiler, birbirlerine bağıra çağıra danışıyorlardı. Yeni bir saldırıya geçecekleri sırada, yeri göğü inleten bir ses duyuldu. Saldırganların tam ortasına bir havan topu düşmüş, ortalığı kana bulamıştı. İşte tam o an, savunucular ellerindeki tüfekleri havaya kaldırarak bağırmaya başladılar:

"Meşrutiyet! Meşrutiyet!" Barikatın öte yanında sayısız ceset vardı.

Howard usulca:

— Benim silahım sopsoğuk duruyor. Tek bir fişek atmadım. Ya sen? diye sordu.

— Ben de.

— Tanımadığım birine nişan alıp, onu öldürmek üzere tetiği çekmek...

Fazıl birkaç saniye sonra geri geldi. Sevinçliydi.

— Sürprizime ne dersiniz. Bir eski *Bange* Fransız topu, Fransız İmparatorluk ordusundan bir subaydan satın aldık. Damın üzerine yerleştirdik, gelin de hayran kalın! Pek yakında onu Tebriz'in en geniş alanına yerleştirip üzerine "Anayasayı kurtaran top" diye yazacağız.

Anlamlı bir başarı kazandığını bildiğim halde, bu sözlerini fazla iyimser buluyordum. Amacı açıktı: Anayasaya bağlı olan birkaç kişiyi, toplanabilecekleri, korunabilecekleri ve en önemlisi gelecekte ne yapacaklarını düşünebilecekleri bir toprak parçasına sahip olmak!

Eğer bize; haziranın o karışık gününde, Tebriz Çarşısının dolambaçlı yollarının az ötesinde, omuzlarında *Lebel* silahları ve bir tek *Bange* topu ile, İran'a çalınmış olan özgürlüğünü geri vereceğimiz söylenseydi, kim inanırdı?

Ama öyle oldu. Ne varki, idealist olanımız bunu hayatı ile ödedi.

XXXIX

Hayyam'ın ülkesinde karanlık günler yaşanıyordu. Doğu'ya vaad edilen şafak bu muydu? İsfahan'dan Kazvin'e, Şiraz'dan Hemedan'a kadar her bağırdan aynı ses yükseliyordu: "Ölüm! Ölüm!" Özgürlük, demokrasi, adelet sözcüklerini söylemek için, gizlenmek gerekiyordu artık...Gelecek, yasaklanmış bir düştü; anayasacılar sokaklarda kovalanıyordu, "Âdem Oğulları"nın merkezleri boşaltılmış, kitapları toplatılıp yakılmıştı. İran'ın hiçbir yerinde, bu sakin akıl durdurulamamıştı.

Tebriz dışında hiçbir yerde! Kaldı ki bu kahraman kentte, darbe günü sona ererken, otuz kadar mahalle arasında yine de biri, Çarşının kuzeybatısında Amir-Hız denilen mahalle, direnişini sürdürüyordu. O gece, genç partizanlar, onar onar Çarşı kapısını tutarken, karargâha dönüştürülen Encümen Merkezi'nde Fazıl, buruşuk bir harita üzerinde bir takım oklar çiziyordu.

Kaleminin çizgilerini izleyen on kişi kadardık... Fazıl:

— Düşman henüz, ona verdirdiğimiz kayıpların şaşkınlığı içinde, dedi. Bizi olduğumuzdan güçlü sanıyor. Onların topu yok ve bizim kaç topumuz olduğunu bilmiyor. Bu durumdan yararlanmalıyız. Şah eninde sonunda askerlerini gönderecektir. Şimdiden kentin tamamını ele geçirmemiz gerek. Bu gece saldırıya geçeceğiz.

Eğildi, onunla birlikte bütün başlar da harita üzerine eğildi:

— Ani olarak nehri geçip kaleye iki yandan saldıracağız. Çarşıdan ve mezarlıktan saldıracağız. Akşam olmadan kale bizimdir:

Kale on gün sonra ele geçebildi. Her sokakta kanlı çatışmalar oldu, ama direnişçiler ilerliyordu, her şey lehlerine gidiyordu. "Âdem Oğulları"ndan bazıları Hint-Avrupa Postahanesini ele geçirmişlerdi. Böylece Tahran ve ülkenin diğer kentleri, hatta Londra ve Bombay ile iletişim kurulabiliyordu. O gün bir polis kışlası da Anayasacılara katıldı ve bir de *Maxim* mitralyözü ile otuz kasa cephane getirdi. Bu kazançlar halka cesaret verdi. Genç, ihtiyar yüzlerce kişi, kurtarılmış mahallelere koşuyordu. Bazıları silahlarıyla birlikte geliyordu. Birkaç hafta içinde düşman kent dışına itilmiş oldu. Sadece kentin kuzeyinde, pek oturulmayan ve Deveciler mahallesinden Sahip-Divan ordugâhına kadar uzanan bir yöreyi elinde tutabilirdi.

Temmuz ortalarına doğru bir gönüllüler ordusu kuruldu, geçici bir yönetim iş başına geçti, Howard'a alım-ikmal işleri verildi. Artık bütün vaktini çarşıda alışveriş etmekle geçiriyordu. Satıcılar ona büyük yakınlık gösteriyorlardı. Howard, İranlıların ağırlık ölçüleri ile pek âlâ baş edebiliyordu.

— Litreyi, kiloyu, onsu unut, diyordu. Burada dirhem, meskal, şinik ve eşek yükü için de harvar geçerli.

Bana öğretme çabasındaydı:

— Temel ağırlık ölçüsü Cav. Orta büyüklükte kabuklu bir arpa ağırlığına eşit.

— Müthiş! diyordum.

Hocam, ben öğrencisine sitemle bakıyordu. Dersimi iyi öğrendiğimi göstermek için:

— Demek ki Cav en küçük ölçü birimi, diyordum.

— Hiç de değil, diye kızıyordu Howard.

Derhal notlarıma bakıyor, sonra:

— Bir arpanın ağırlığı yetmiş hardal tanesine eşit ya da altı adet katır kuyruğu teline!

Benim görevim onunkisi kadar ağır değildi. Yerel lehçeyi konuşamadığım için, yabancılarla ilişki kurmak, güvenliklerini sağlamak ve Fazıl'ın niyetleri hakkında onlara bilgi vermekle yükümlüydüm.

Tebriz, yirmi yıl önce Trans-Kafkasya Demiryolu yapılana kadar, İran'ın giriş kapısı, yük katarların zorunlu geçit noktasıydı. Alman Mossig ve Schünemann veya Avusturya Doğu Ticaret Anonim Ortaklığı gibi pek çok Avrupa Şirketinin Tebriz'de şubesi vardı. Ayrıca konsolosluklar, Amerikan Presbiteryen Misyonu ve daha başka kuruluşlar da bulunuyordu. O zor günlerde hiçbir yabancının zarara uğramadığını övünerek söyleyebilirim. Dahası, duygulandırıcı bir dostluk bağı kurulmuştu. Baskerville'den, kendimden ya da harekete katılan Panoff'tan söz etmiyorum. Burada, Fazıl'ın yanında silaha sarılmaktan çekinmemiş ve yaralanmış olan *Manchester Guardian*'ın muhabiri Mr. Moore'u, ya da pek çok lojistik sorunumuzu çözen ve *Asie française*'e yazdığı yazılarla Paris'te ve bütün dünyada Tebriz'den yana tavır alınmasına yol açan ve böylece kenti tehdit eden korkunç kaderden kurtaran yüzbaşı Anginieur'ü selamlamak istiyorum. Kentin bazı din adamları, yabancıların bu katkılarını Anayasacılara karşı kullandılar: "Bir avuç Avrupalı, Ermeni, Babai ve de her türlü serseri" diyorlardı. Halk bu propagandaya kulak asmıyor, bizi sevgiyle karşılıyordu. Her erkek bizlere kardeş, her kadın abla ya da anne idi.

Söylemeye gerek yok, Direnişe en büyük destek yine İranlıların kendilerinden geldi. Bir kere Tebrizliler, sonra da inançları yüzünden kentlerinden ya da köylerinden kaçmak zorunda kalmış olan göçmenler destek veriyorlardı. Ülkenin dört bir yanından gelmiş olan Âdem Oğulları, kendilerine bir silah verilmesinden başka bir şey istemiyorlardı. Bir çok milletvekili, Bakan ve Tahranlı gazeteci için de durum aynıydı.

Ama Sığınmacıların en değerlisi hiç kuşkusuz Şirin idi. Sokağa çıkma yasağına aldırmadan otomobiliyle yola çıkmış ve Kazaklar, onu durdurmaya cesaret edememişlerdi. Halk, hayran hayran arabasını izliyordu, üstelik aslen Tebrizli olan şoförü, böyle bir aracı kullanan nadir İranlılardan biriydi.

Prenses terk edilmiş bir saraya yerleşti. O sarayı büyükbabası yaptırmıştı. Öldürülen yaşlı Şah, yılda bir kere buraya gelip kalmayı düşlemişti. Ama anlatıldığına göre, daha ilk gece bir rahatsızlık geçirmiş ve yıldızbilimciler böyle uğursuz bir yere ayak basmamasını öğütlemişlerdi. Otuz yıldan beri kimse oturmuyordu ve biraz ürkerek oraya "Boş Saray" deniliyordu.

Şirin uğursuzluğa filan aldırmayarak oraya geçip oturmuştu. Direnişçiler, geniş bahçesinde toplanmaktan hoşlanıyorlardı. Aralarına ben de sık sık karışıyordum.

Prenses, beni her görüşünde seviniyordu. Mektuplar, aramızda kimsenin bozamıyacağı bir ortaklık kurmuştu. Tabii hiçbir zaman yalnız kalmıyorduk, her toplantıda veya her yemekte en az on kişi oluyordu. Durmadan tartışıyor, arasıra şakalaşıyorduk ama asla aşırılığa kaçmıyorduk. İran'da laubalilikten hoşlanılmaz, ince bir nezaket, hatta cafcaflı bir terbiye vardır. Çoğu kez, konuşurken: "Bendeniz, gölgeniz, kulunuz" gibi deyimler kullanılır, hele soylulara ve soyluların kadın olanlarına hitap edilirken yerlere kapanılır, gerçekte değilse bile bu iş sözle yerine getirilir.

Sonunda o heyecanlı perşembe günü gelip çattı. 17 Eylül günü. Nasıl unutabilirim? Şirin'in sarayında, yanımızdakiler çeşitli nedenlerden ötürü çıkmışlar, ben de sona kalanlarla birlikte izin istemiştim. Dış kapıdan çıkacağım sırada, önemli yazıların bulunduğu evrak çantamı unuttuğumu gördüm. Hemen geri döndüm, prensesi görmek gibi bir art düşüncem yoktu. Ziyaretçilerini geçirdikten sonra, dinlenmek üzere çekildiğini sanıyordum.

Yanılmışım. Hâlâ oturuyordu, yirmibeş boş iskemlenin ortasında, tek başına! Endişeli, dalgın... onu gözden yitirmeden, çantamı usulca aldım. Şirin hâlâ sessiz, beni görmemiş gibiydi. Ben de hiç ses çıkartmadan onu seyre koyuldum. Sanki oniki yıl öncesindeymişim gibiydi; İstanbul'da, Cemaleddin'in salonunda kendimi görüyordum, onu görüyordum. O zaman da böyle yan oturmuştu, saçlarını örten ve iskemlenin ayaklarına kadar inen mavi bir örtü vardı. O zaman kaç yaşındaydı? Onyedi mi? Onsekiz mi? Bugün otuz yaşında, olgun, huzurlu bir kadın, bir ece! İlk günkü gibi endamlı! Onun durumunda ve konumunda olan kadınların alışkanlıklarına kendini kaptırmamıştı: tembel, obur biri olarak, bütün günü bir divanın üstünde yatarak geçirmek gibi! Evlenmiş miydi? Boşanmış mıydı? Dul muydu? Bundan asla söz etmedik.

Ona çok kesin bir biçimde: "Seni İstanbul'dan beri seviyorum" diyebilmeyi istiyordum. Dudaklarım kıpırdadı, sonra tek bir ses çıkmadan yeniden kapandı. Şirin, bana doğru dönmüştü oysa... Sanki ne gitmiş ne de geri gelmiştim, şaşırmış değildi. Bakışlarıyla duraksadı.

— Ne düşünüyorsun?

İlk kez sen diyordu. Yanıtı dudaklarımın üzerindeydi:

— Seni. İstanbul'dan beri.

Gülümseyişi biraz sıkılgandı ama hiçbir engelle karşılaşmak istemediği bütün yüzüne bu gülümseyişin yayılmasından belliydi. Bense, onun sözlerini tekrar etmekten başka bir şey bulamamıştım; aramızda bir çeşit parola olmuş sözleri:

— Bilinmez! Belki bir gün karşılaşırız!

Sessiz, anılarla dolu birkaç saniyeden sonra Şirin:

— Tahran'dan kitapsız ayrılmadım, dedi.

— *Semerkant Elyazması* mı?

— Başucumdaki çekmecemde duruyor devamlı olarak. Sayfalarını çevirmekten hiç bıkmıyorum. Rubailerini ezberlemekten... hele her sayfanın yanına yazılmış olan günlük olduğu gibi belleğimde.

— O kitapla bir gece geçirmek için ömrümün on yılını veririm.

— Ben de ömrümün bir gecesini.

Az sonra, Şirin'in yüzüne eğildim, dudaklarımız buluştu, gözlerimiz kapandı, dolup kalmış kafalarımızın içindeki ağustosböceği şarkılarından başka bir ses duyulmaz oldu. Uzun bir öpüşme yakıcı bir öpüşme, uzaklardan gelen, engelleri aşan bir öpüşme.

Başkaları gelir korkusuyla, hizmetkârlar görür korkusuyla ayağa kalktım, onu izledim, kapı olduğu hiç anlaşılmayan küçük bir kapıdan geçtik, basamakları yer yer kırılmış bir merdivenden çıktık, şimdi torununun kaldığı eski Şahın odasına vardık. Ağır iki kapı kanadı üzerimize kapandı, bir kilit sesi ve yalnız kaldık, ikimiz! Tebriz, dünyanın bir ucunda bir kentti, dünya Tebriz'den uzak erimekteydi.

Sütunlu, boyalı koca bir yatakta, sevgilimi öpüyordum. Her düğümü, her düğmeyi, her iliği ellerimle açıyordum, parmaklarımla, avuçlarımla, dudaklarımla, vücudunun her kıvrımını yeniden çiziyordum, okşayışlarıma, acemi öpüşleriyle karşılık veriyor, kapalı gözlerinden ılık gözyaşları akıyordu.

Sabah olduğunda, *Elyazması*'nı henüz açmamıştım. Yatağın öte yanındaki komodinin üzerinde duruyordu. Şirin çıplak, başı kollarımda, göğüsleri bana dayalı uyuyordu. Dünyada hiçbir şey beni yerimden kıpırdatamazdı. Nefesini, kokusunu içime çekiyor, kirpiklerine bakıyor, ne gibi pembe düşler ya da korkulu rüyalar gördüğünü tahmin etmeğe çalışıyordum. Uyandığında, kentin ilk gürültüleri de başlamıştı. Hemen toparlanmak zorunda kaldım. Kendi kendime Hayyam'ın kitabına, bir sonraki aşk gecesinde bakmaya söz verdim.

XL

"Boş Saray"dan çıkmış, ürpererek yürüyordum. Tebriz sokakları hiç sıcak değildir. Kestirmeden gitmeye kalkışmadan, kervansarayın yolunu tutmuştum. Oraya varmak için hiç acele etmiyordum. Gecenin kıpırtısı içimde durulmuş değildi. Resimler, hareketler, fısıltılar gözlerimin önünde uçuşup duruyordu. Mutlu muydum, onu bile bilmiyordum. Bir doyum, bir rahatlama, bir dolgunluk hissediyordum ama yasak aşklarla birlikte gelen suçluluk duygusu içimi kemiriyordu. Uykusuz gecelerin düşünceleri nasıl olursa, o biçim düşünceler takılıyordu kafama: "Ben gittikten sonra, yüzünde bir gülümseme ile tekrar uykuya daldı mı? Pişmanlık duyuyor mu? Onu tekrar gördüğümde ve yalnız kaldığımızda yakınlık mı gösterecek, soğuk mu duracak? Bu gece gene gideceğim, gözlerinde bir inanç arayacağım."

Birden bir top atışı duyuldu. Durdum, kulak verdim. Önce bir sessizlik oldu, ardından silahlar patladı, sonunda her şey duruldu. Yoluma devam ettim, biraz daha hızlı adımlarla, kulağımı kabartmış yürüyordum. Yeni bir gümbürtü duyuldu, ardından üçüncüsü. Bu kez telaşlandım, bu sıklıkta tek bir top atışı olamazdı bu! İki top olmalıydı, ya da daha çok. İki sokak ötesinde iki havan topu patladı. Koşmaya başladım. Kaleye doğru.

Fazıl, korktuğum haberi doğruladı. Şahın kuvvetleri gece gelmişti. Molların tuttukları mahallelere yerleşmişlerdi. Arkalarından gelen birlikler vardı. Her bir yandan akıyorlardı.

Tebriz kuşatılmıştı.

Tahran askeri valisi albay Liakhov'un, birliklerine çektiği nutuk şöyleydi:

"Değerli Kazaklar;

"Şah tehlikede, Tebrizliler onu tanımıyor, ona savaş açtılar, Onu Anayasayı kabule zorluyorlar. Oysa Anayasa, bizim ayrıcalıklarımızı kaldırmak, birliklerimizi lağvetmek istiyor. Başarırlarsa, sizin karılarınız ve çocuklarınız aç kalacaklardır. Anayasa en büyük düşmanımızdır. Ona karşı aslanlar gibi savaşmalısınız. Parlamentoyu yıkmakla, bütün dünyayı kendinize hayran kıldınız. Bu hayırlı eyleminizi sürdürün, isyan etmiş kenti ezin, ben de size, Rus ve İran hükümdarları adına para ve mevki vaad ediyorum. Tebriz'in zenginlikleri sizindir. Gidip almaya bakın!"

Tahran ve Saint-Petersbourg'da yüksek sesle, Londra'da fısıltı ile verilen emir aynıydı: Tebriz'i yerle bir etmek! Tebriz cezaların en ağırını hak etmiştir! İbret için cezasını görmelidir! Tebriz yenilirse, artık hiç kimse Anayasa, Parlamento, demokrasi sözü edemez. Doğu yeniden derin uykusuna dalabilir.

İşte böylece bütün dünya, aylar boyu sürecek garip ve acıklı bir çekişmeye tanık olacaktı. Tebriz örneği, İran'ın diğer kentlerinde direniş ateşini yaktığı halde, kentin kendisi giderek sertleşen bir kuşatmaya tabii oluyordu. Anayasacılar kalkınmak, toparlanmak, yeniden örgütlenmek ve son kaleleri yıkılmadan silahı ele almak vaktini bulabilecekler miydi?

Ocak ayında önemli bir başarı kazandı Anayasacılar. Şirin'in dayıları Bahtiyari reislerinin çağrısı üzerine, eski başkent İsfahan isyan etti ve Tebriz'i desteklediğini ilan etti. Haber, kuşatılmış kente ulaştığında, sevinçten yer yerinden oynadı. Bütün gece, bıkıp usanmadan "Tebriz-İsfahan, Ülkedir uyanan!" diye bağrıldı. Ama ertesi gün ağır bir saldırı sonucu, savunuculardan bir kısmı güneydeki ve batıdaki noktalardan çekilmek zorunda kaldı. Tebriz'i dış dünyaya bağlayan tek bir yol kalmıştı, o da Rus sınırına götüren kuzey yoluydu.

Üç hafta sonra, Reşt kenti isyan etti. İsfahan gibi Reşt de Şah'ın boyunduruğunu red ediyor, anayasadan ve Fazıl'ın direnişinden yana olduğunu ilan ediyordu. Tebriz, yeni bir sevinç daha yaşıyordu. Aynı anda, kuşatmacılardan yeni bir saldırı oldu, Tebriz'i dışarı bağlayan son yol da kesildi. Tebriz çepeçevre kuşatılmış oldu. Artık ne haber ne de yiyecek gelebiliyordu. Kentin iki yüz binlik nüfusunu beslemek için daha sert bir tayın usulü uygulamak gerekiyordu.

1909 Şubat ve Mart aylarında birkaç kent daha isyan etti. Böylece Şiraz, Hemedan, Meşhed, Astarabad, Bender-Abbas, Anayasayı kabul eden kentler oldu. Paris'te, Tebriz'i savunma komitesi kurulmuştu. Başında M. Dieulafoy adında biri vardı; tanınan bir doğu-bilimciydi. Aynı iş Londra'da da yapıldı. Başkanlığına Lord Lamington getirildi. Daha da önemlisi, Osmanlı topraklarında Kerbela'daki Şii din adamları açıkça anayasadan yana tavır almış ve gerici mollaları kınamışlardı.

Tebriz kazanmıştı.

Ama Tebriz ölüyordu.

Bunca isyana, bunca yadsımaya karşı koyacak gücü olmayan Şah'ın kafasında tek bir düşünce vardı: kötülüğün kökeni olan Tebriz'i yerle bir etmek gerek! Tebriz düşerse, diğerleri baş eğer. Onu ele geçiremediğine göre, açlığa mahkûm edecekti. Karneye bağlandığı halde, ekmek giderek bulunmaz olmuştu. Mart sonunda, özellikle yaşlılar ve küçük çocuklar arasında ölüm oranı yüksekti.

Londra, Paris, Saint-Petersbourg basınında eleştiriler çoğalmış ve kuşatılan kentte hayatları tehlikede olan vatandaşlarının bulunması nedeniyle, Devletler kınanmağa başlanmıştı. Bu haberler bize ancak telgrafla ulaşabiliyordu. Bir gün Fazıl beni çağırttı:

— Ruslarla İngilizler pek yakında kendi vatandaşlarını buradan çıkartacaklar, böylece Tebriz, dünyada pek fazla yankı uyandırmadan rahatça ezilmiş olacak. Bizler için ağır olacak ama bilmeni isterim, buna karşı çıkmayacağım. Burada kimseyi zorla tutacak değilim, dedi.

Benim görevim ilgililere bunu duyurmak ve gidişlerini kolaylaştırmaktı. İşte olayların en olağanüstü olanı o sırada meydana geldi. Buna tanık olunca, insanların diğer alçaklıklarına daha kolay katlanabiliyorum. Durumu anlatmak için dolaşmaya başlamış ve ilk önce Presbiteryan Misyonu'na gitmiştim. Doğrusu Rahiple karşılaşmaktan ve azar işitmekten korkuyordum. Howard'ı yola getirmem için bana güvenmişken, aynı yoldan gitmeme sitem etmeyecek miydi? Gerçekten de beni gerektiği ölçüde bir nezaketle ama mesafeli karşıladı. Neden geldiğimi söyleyince, hiç duraksamadan:

— Gitmeyeceğim, dedi. Yabancıları buradan çıkartmak için bir konvoy düzenlenebildiğine göre, aç kenti doyurmak için de bir konvoy düzenlenebilir.

Davranışına teşekkür ettim. Dini ve insani inançlarına yakışır bir davranıştı. Daha sonra o yakınlardaki üç şirkete gittim ve büyük bir hayretle, aynı yanıtı verdiklerini gördüm. Rahip gibi tüccarlar da, gitmek istemiyorlardı. Aralarından bir İtalyan şöyle dedi:

— Böyle zor günlerde Tebriz'den gidecek olursam, daha sonra dönmeye utanırım. Onun için kalacağım. Belki burada kalışım, hükümetimi harekete geçirebilir.

Aralarında sözleşmiş gibi her yerde aynı cevap verildi. İngiliz konsolosu Mr. Wratislaw'dan, konsolos M. Pokhitanoff dışında Rus Konsolosluğu'nun personeline kadar! Yabancıların bu müthiş dayanışması kente moral verdi. Ama durum parlak değildi. 18 Nisan'da Wratislaw, Londra'ya şu telgrafı çekiyordu: "Ekmek azaldı. Yarın daha da azalacak." 19 Nisan'da yeni bir mesaj gönderiyordu: "Durum ümitsiz. Kuşatmayı yarmak için son bir hamleden söz ediliyor."

Gerçekten de o gün kalede bir toplantı yapılmaktaydı. Fazıl, Anayasaya bağlı birliklerin Reşt'ten Tahran'a yürüdüğünü, iktidarın yıkılmasına az kaldığını söylüyordu. Ama Howard artık hiçbir yerde yiyecek kalmadığını belirtmek zorunda kaldı:

— İnsanlar, damdaki kedilere varana dek tüm evcil hayvanları yediler. Pek çok aile, gece gündüz sokaklarda bir arpa tanesi, bir ekmek kırıntısı arıyor. Yamyamlık tehlikesi gelip kapıya dayandı.

— İki hafta, iki hafta bize yeter!

Fazıl adeta yalvarıyordu. Ama Howard'ın elinden bir şey gelmezdi:

— Bugüne kadar idare ettik. Artık dağıtabilecek hiçbir şey kalmadı. Hiç. İki haftada halk kırılıp gider, Tebriz bir hayalet kent olur. Son günlerde ölü sayısı sekiz yüze çıktı. Açlıktan ve açlığın neden olduğu hastalıklardan ölüyorlar.

— İki hafta! Sadece iki haftacık! Oruç tutmak gerekse bile!

— Biz kaç gündür oruç tutuyoruz.

— Öyleyse ne yapalım? Teslim mi olalım? Sabırla oluşturduğumuz bunca desteği yok mu edelim? Bir başka çare bulunamaz mı? Dayanmak için?

Dayanmak. Dayanmak. Açlıktan, yorgunluktan ama aynı zamanda hemen ellerinin altındaki bir zaferin sarhoşluğundan şaşkına dönmüş oniki adamın tek bir saplantısı vardı, o da dayanmaktı.

Howard:

— Bir çözüm olabilir, dedi. Belki...

Bütün gözler Baskerville'e çevrildi:

— Ani bir yarmada bulunmak, dedi.

Parmağını haritaya koydu ve devam etti:

— Bu konuma yeniden girebilirsek, güçlerimiz dışarı ile yeniden bağlantı kurmuş olur. Düşman kendine gelip toparlanıncaya kadar, selamete çıkabiliriz.

Ben bu öneriye hemen karşı çıktım; askerler de aynı fikirdeydi. Hepsi bunun bir intihar olacağını söylüyordu. Düşman, hatlarımızın beşyüz metre kadar ötesinde, bir tepenin üzerinde mevzilenmişti. Bu beşyüz metreyi geçip, kerpiç bir duvarı aşıp, savunucuları yerlerinden edip, karşı saldırıya direnecek güçleri yerleştirmek söz konusuydu.

Fazıl tereddüt ediyordu. Haritaya bakmıyordu bile. Onun merak ettiği, harekâtın yaratacağı siyasal etkiydi. Birkaç gün kazandırabilir miydi? Tartışma uzayıp duruyordu. Baskerville diretiyor, savlar ileriye sürüyordu. Bir süre sonra Moore da ona katıldı. *Guardian*'ın muhabiri, kendi askeri deneyimini ileri sürüyor, ani baskından sonuç alınabileceğini söylüyordu. Sonunda, Fazıl karar verdi:

— Hâlâ inanmış değilim ama başka bir çare olmadığına göre Howard'ın önerisine karşı çıkmayacağım, dedi.

Ertesi günü, 20 Nisan'da, sabahın üçünde saldırıya geçildi. Sabahın birinde bazı yerler ele geçirilmişse, cepheye birkaç yerden ilerlenecek ve düşmanın karşı saldırıda bulunması önlenecekti. Ama daha ilk dakikalardan itibaren, girişimin ne derece tehlikeli olduğu anlaşıldı: ilk çıkışta, Moore, Baskerville ve altmış kadar gönüllü bir ateş hattı meydana getirmişlerdi. Ama düşmanın hiç de baskına uğramış bir hali yoktu. Hazırlıklarımızı bildiren bir casus mu vardı? Doğrulanması olanaksızdı tabii, ne var ki orası, Liakhov'un en yetenekli subaylarından biri tarafından korunuyordu.

Mantıklı biri olarak Fazıl, harekâtın durdurulmasını emretti. Geri çekilme işareti verdi. Savaşçılar tersine akmaya başlamışlardı. Moore da dahil çok kişi yaralanmıştı. Geri dönmeyen bir tek kişi vardı: Baskerville. Daha ilk salvoda, vurulup düşmüştü.

Tebriz üç gün boyunca taziye havası içinde yaşadı. Presbiteryen Misyonunda usulca, Âdem Oğullarının semtlerinde avaz avaz ağlanıyordu. Gözlerim kıpkırmızı, kime ait olduklarını bilmediğim eller sıkıyordum. Durmadan, hiç bitmeyecekmiş gibi kucaklanıyordum. Ziyaretçiler arasında İngiliz konsolosu vardı. Beni bir köşeye çekti:

— Belki teselli eder diye söylüyorum; arkadaşınızın ölümünden altı saat sonra Londra'dan haber geldi. Tebriz konusunda, Devletler bir anlaşmaya varmışlar. Baskerville boş yere ölmüş olmayacak. Kenti kurtarmak ve donatımını sağlamak için, bir birlik gönderilmiş. Tabii yabancıları da kentten çıkartacak...

— Bir Rus birliği mi?

— Elbette. Çevrede ordusu olan bir tek onlar var. Ama biz de teminat istedik. Anayasacılar rahat bırakılacak ve Çar ordusunun görevi tamamlanır tamamlanmaz geri çekilecek. Fazıl'ın silahları bırakması için güvendiğim kişi sizsiniz.

Niçin kabul ettim? Şaşkınlıktan mı? Yorgunluktan mı? Bende de yerleşmeğe başlayan İran kaderciliğinden mi? Ne var ki karşı çıkmadım işte.. bu berbat görev benim yazgımmış gibi bir duyguya kapıldım. Yine de Fazıl'ın yanına hemen gitmedim. Birkaç saatliğine kaçmayı yeğledim. Şirin'e gittim.

Aşk gecemizden beri ona sadece topluluk içinde rastlayabiliyordum. Kuşatma, Tebriz'de yepyeni bir hava yaratmıştı. Hiç durmadan düşmanın sızdığından söz ediliyordu. Herkese casus ya da sabotajcı gözüyle bakılıyordu. Silahlı adamlar sokaklarda kol geziyor, belli başlı binaların girişlerinde nöbet tutuyorlardı. Boş saray'ın kapısı önünde de beş ya da altı kişi oluyorlardı. Beni her seferinde gülerek selamlasalar da, orada oluşları, Şirin'e yalnız gitmemi engelliyordu.

O akşam, nöbet her yanda laçkalaştığı için, prensesin odasına kadar gizlice sızabildim. Kapı aralıktı. Usulca ittim.

Şirin yatağın üzerine oturmuş; *Elyazması'*nı dizlerinin üzerine koymuştu. Usulca yanına vardım, omzu omzumda, kalçası kalçamdaydı. Ne o ne de ben o akşam sevişmeye gönüllüydük! O gece başka türlü seviştik, ikimiz de aynı kitaba dalmıştık. Gözlerimi, dudaklarımı yönetiyordu. Her sözcüğü biliyor, her resmi tanıyordu. Oysa benim için bunlar ilk idi.

Genelde Fransızcaya çeviriyordu. Kendine göre. Öylesine güçlü, öylesine çağdaş, öylesine zaman ötesi şiirlerdi ki, sekiz yüz yıl önce Nişapur'un ya da İsfahan'ın ya da Semerkant'ın bir bahçesinde yazıldıkları unutuluyordu.

Yaralı kuşlar ölürken saklanır.

Yenik düşmüş çok büyük bir şairin hazin şikâyeti!

Huzur bulsun ahiretin kara sessizliğindeki insan!

Keyifli, neşeli olanları da var:

Mey, yanakların kadar pembe olsun
Sıkıntım da saçının kıvrımları kadar hafif.

214

Dörtlükleri sonuna kadar okuduktan ve her minyatüre uzun uzun, hayranlıkla baktıktan sonra, kitabın tekrar başına dönüp sayfa kenarındaki yazıları okuyorduk. Önce, yapıtın yarısını doldurmuş olan Ermeni Vartan'ın yazdıklarını... Onun yazdıkları sayesinde o gece Ömer ile Cihan'ın ve üç arkadaşın öyküsünü öğrenmiş oldum. Daha sonraki otuz sayfanın her birinde, Alamut kütüphanecileri, babadan oğula, *Elyazması*'nın öyküsünü, Merv'de nasıl çalındığını, Haşhaşiler üzerindeki etkisini ve Moğol akınına kadar Haşhaşilerin öyküsünü yazmışlardı.

Yazıyı sökemediğim için, son sayfaları bana.Şirin okumuştu: "Alamut yıkılmadan önce, memleketim Kirman'a kaçtım. Nişapur'lu büyük Hayyam'ın eserini de beraberimde götürerek.... Onu tutmaya layık eller tutana dek, onu saklamaya karar verdim. Bunun için Yüce Tanrı'ya sığınıyorum. Dilediğine yol gösterir, dilediğini yoldan çıkarır."

Bu satırları yazan, bir de tarih atmıştı: 14 Mart 1257.

Düşüncelere saplandım:

— *Elyazması* 13. yüzyılda susuyor, dedim. Cemaleddin'e 19. yüzyılda armağan edilmiş. Peki, arada ne oldu?

— Uzun bir uyku, diye yanıtladı Şirin. Bitmez tükenmez bir Doğu siestası. Sonra o deli Mirza Rıza'nın ellerinde sıçrayarak uyanış. Alamut kütüphanecileri gibi o da Kirmanlı değil mi? Ataları arasında bir Haşhaşi'nin olması, o denli şaşırtıcı mı?

Şirin ayağa kalktı, aynasının önünde bir tabureye oturdu. Eline tarağını aldı. Çıplak kolunu, zarif hareketlerini saatlerce seyredebilirdim. Ama beni gerçekle yüzyüze getirdi:

— Seni yatağımda yakalamalarını istemiyorsan, gitmeye hazırlan.

Gerçekten de gün ışığı odaya dolmuş, perdeler saydamlaşmıştı.

Bıkkın bir sesle:

— Doğru, dedim. Sana laf gelsin istemem.

Gülerek döndü:

— Üstüne bastın. Bana laf gelsin istemem. Tüm İran haremlerinde, yakışıklı bir yabancının bütün geceyi, soyunmayı bile düşünmeden yanımda geçirdiğini anlatmalarını istemem. Sonra kimse bana göz dikmez!

Elyazması'nı kutusuna yerleştirdikten sonra, sevgilimin dudaklarına bir buse kondurdum, sonra sarayın koridorlarından koşarak kendimi dışarı attım, kentin kalabalığına karışıverdim.

215

XLI

Bu acılı günlerde ölenlerden neden Baskerville'i andım? Dostum ve vatandaşım olduğu için mi? Kuşkusuz. Ama aynı zamanda, yabancısı olduğu şu Doğu'da özgürlüğün ve demokrasinin doğduğunu görmekten başka ihtirası olmadığı için de! Kendini boş yere mi feda etti? On yıl, yirmi yıl, yüz yıl sonra Batı, onun verdiği örneği anımsamayacak mı? İran, yaptıklarını hatırlamayacak mı? Düşünmek bile istemiyorum. İki dünya arasında, aynı zamanda hem vaad edici hem düş kırıcı iki dünya arasında, melankoliye kapılmaktan korktuğum için. Yine de, Baskerville'in ölümünün hemen ardındaki olaylarla yetinecek olursam, ölümü yararsız olmadı diyebilirim.

Dışarıdan müdahale edildi, abluka kalktı, yiyecek geldi. Howard sayesinde mi? Belki daha önce karar verilmişti, ama onun ölümü kentin kurtarılmasını çabuklaştırdı. Binlerce aç insan, hayatlarını ona borçludur.

Bekleneceği gibi, Çar ordularının kente girişi Fazıl'ın hoşuna gitmedi. Ona, kadere razı olması gerektiğini söylemeye çalışıyordum:

— Halkın direnecek gücü kalmadı. Onlara verebileceğin tek armağan açlıktan kurtarmaktır. Bunca acıdan sonra onlara böyle bir borcun var.

— On ay savaş, sonra Şah'ın koruyucusu Nicolas'ın eline düş!

— Ruslar kendi başlarına hareket etmiyor. Uluslararası topluluk adına geliyorlar. Yeryüzündeki tüm dostlarımız bu harekâtı alkışlıyor. Bunu red etmek, buna karşı çıkmak, bizi bugüne kadar tutmuş olanların desteğini yitirmek olur.

— Zafer yanıbaşımızdayken teslim olmak, silahları bırakmak!

— Bana mı cevap veriyorsun yoksa kaderine mi laf atıyorsun?

Fazıl silkindi, gözleri sitem doluydu:

— Tebriz böyle bir aşağılanmaya layık değil!

— Elimden bir şey gelmez, elinden bir şey gelmez. Öyle anlar vardır ki vereceğin her karar kötüdür. Kötüler arasında, sana en az pişmanlık vereceği seç!

Durulmuş göründü, düşünceye daldı:

— Arkadaşlarım ne olacak?

— İngilizler güvenliklerini garanti ediyor.

— Silahlarımız?

— Herkes kendi silahını alıkoyabilecek, evler aranmayacak, sadece ateş edilen ev olursa oraya girilecek. Ağır silahlar teslim edilecek.

Hiç de inanmış görünmüyordu:

— Peki, bir süre sonra ordusunu geri çekmeye Çar'ı kim mecbur edecek?

— Tanrı'ya emanet olacağız!

— Birdenbire başıma Doğulu kesildin!

Fazıl'ın dilinde "Doğulu" sözcüğünün iltifat olmadığını bilmek için onu yeterince tanımak gerekir... Hele bunu söylerken bir de yüzünü ekşitirse... Taktik değiştirmek zorunluluğunu duydum. Gürültülü bir iç çekmesiyle ayağa kalktım:

— Belki de hakkın var, tartışmakla hata ettim. Gidip İngiliz konsolosuna seni razı edemediğimi söyliyeyim. Sonra buraya döner, sonuna kadar yanında kalırım.

Fazıl kolumdan tuttu:

— Seni suçlamış değilim. Önerini red etmiş de değilim. ·

— Önerim mi? Benim mi? Ben sadece İngiliz konsolosunun önerisini naklettim, üstelik kimin tarafından yapıldığını vurgulayarak...

— Sakin ol ve anla beni! Rusların Tebriz'e girmelerini önleyecek olanağım olmadığını biliyorum. En ufak bir direnişte bulunursam, kimin tarafından olursa olsun kurtarılmayı bekleyen kendi vatandaşlarım başta olmak üzere bütün dünyanın beni kınayacağını da biliyorum. Kuşatmanın son buluşunun Şah için bir yenilgi olduğunu da biliyorum.

— Savaşma amacın da bu değil miydi?

— Hayır, işte bunda yanıldın! Bu Şah'a lanetler yağdırabilirim ama savaştığım o değil. Bir despotu yenmek nihai amaç olamaz. Ben, İranlılar özgür olduklarının bilincinde olsunlar diye, burada söylendiği biçimiyle birer Âdem Oğlu gibi kendi güçlerine güvensinler, günümüz dünyasında layık oldukları yeri alsınlar diye savaşıyorum. Burada bunu başarmak istedim. Bu kent, Şahın ve mollaların vesayetini red etti, büyük devletlere kafa tuttu, yürekli insanların hayranlığını kazandı. Tebriz halkı kazanmak üzereydi ama kazanmasına fırsat vermiyorlar, bu örneğin yayılmasından korkuyorlar, onları aşağılamak istiyorlar, bu gururlu halk ekmek yemek için çarın askerlerine baş eğecek. Sen ki özgür bir ülkede doğdun, bunu anlaman gerek.

Aradan birkaç saniye geçti. Sonra:

— İngiliz konsolosuna ne cevap vermemi istiyorsun? diye sordum.

Fazıl yapay bir gülümseme takındı:

— Ona de ki, bir kez daha Majestelerine iltica etmekten kıvanç duyacağım.

Fazıl'ın karamsarlığının ne denli yerinde olduğunu anlamam için zamanın geçmesi gerekti. Çünkü hemen ardındaki olaylar, onu haksız çıkarmıştı. Fazıl İngiltere konsolosluğunda birkaç gün kaldı. Sonra M. Wratislaw onu kendi arabasıyla, Rus hatlarını geçerek, Kazvin yakınlarına kadar götürdü. Fazıl orada Anayasa birliklerine katıldı. Onlar da, uzun bir bekleyişten sonra, Tahran üzerine yürümeğe hazırlanıyorlardı.

Tebriz kuşatma altında olduğu sürece Şah'ın elinde, düşmanlarını caydıracak bir koz bulunuyordu. Onları tehdit edebilir, onları durdurabilirdi. Kuşatma kalkar kalkmaz, Fazıl'ın dostları, ellerini tutan bağdan kurtulduklarını hissettiler ve hiç vakit kaybetmeden başkent üzerine yürümeğe başladılar. Biri kuzeyden Kazvin'den, diğeri güneyden İsfahan'dan iki ordu halinde ilerliyorlardı. Güney ordusu çoklukla Bahtiyari aşiretlerindendi ve 23 Haziran'da Kom'u ele geçirmişti. Birkaç gün sonra, bir İngiliz-Rus ortak bildirisi yayınlandı. Anayasacıların ilerlemeyi durdurmalarını ve Şah ile anlaşmaya gitmelerini istiyordu. Aksi halde iki devlet müdahale etmek zorunda kalacaktı. Fazıl ile arkadaşları aldırmadılar, yürüyüşlerine hız verdiler. 9 Temmuz'da iki ordu Tahran surları önünde buluştu. 13 Temmuz günü, onbin kişi başkente kuzey-batıda iyi tutulmayan bir kapıdan ve *Temps* gazetesi muhabirinin hayretten açılmış gözleri önünde kente giriyordu. Sadece Liakhov direnmeye kalkışmıştı. Üçyüz askeri, birkaç eski topu ve iki makinelisi ile merkezde birkaç mahalleyi denetimi altında tutmayı başardı. Çatışma bütün hızıyla 16 Temmuz'a kadar sürdü. O günü saat sekiz otuzda Şah, Rus Elçiliğine sığındı. Törensel biçimde beş yüz asker ve Saraylı kendisine eşlik etmişti. Bu davranışı tahttan feragat anlamına geliyordu.

Kazak komutanının silahı bırakmaktan başka seçeneği yoktu. Bundan böyle anayasaya sadık kalacağına ve Anayasacıların hizmetinde olacağına yemin etti. Tek şartı, birliğinin dağıtılmamasıydı. Bu da kendisine vaad edildi.

Yeni Şah, tahttan inen Şahın küçük oğlu idi. Oniki yaşında var yoktu. Onu bebekliğinden beri tanıyan Şirin'e göre, yumuşak ve duygulu, içinde kötülük olmayan bir çocuktu. Çatışmaların ertesi günü vasisi M. Smirnoff ile birlikte, Saraya gitmek üzere kentten geçerken "Yaşasın Şah" çığlıklarıyla karşılandı. Bir gün önce "Şah'a Ölüm!" diye bağıranlar, aynı kişilerdi!

Genç Şah halkın üzerinde iyi bir izlenim bıraktı. Çok fazla gülümsemeden, zaman zaman elini sallayarak vatandaşlarını selamlıyordu. Ama Saray'a varır varmaz çevresindekilerin dünyasını kararttı. Ailesinin yanından apar topar alındığı için, durmadan ağlıyordu. Hatta o yaz, annesiyle babasını bulmak üzere Saraydan kaçmaya kalkıştı. Yakalanınca, kendini asmaya kalkıştı. İlmik boynunu sıkınca, bu kez korkup imdat istedi. Tam vaktinde kurtulabildi. Bu serüven, üzerinde olumlu bir etki yarattı: Korkularından sıyrıldı ve meşruti hükümdar rolünü, gereği gibi oynamaya başladı.

Gerçek iktidar Fazıl ile dostlarının ellerindeydi. Yeni döneme, hızlı bir temizlik hareketi ile başladılar. Eski rejim yanlısı altı partizan asıldı. Aralarında Âdem Oğullarına savaş açmış mollalar ve bir de Şeyh Feyzullah Nuri vardı. Suçu, bir yıl önceki darbeden sonraki kıyama fetva vermesiydi. Cinayete bulaştığı için ölüme mahkûm edildi ve ölüm fermanı Şii makamlarınca onaylandı. Bu cezanın simgesel bir yönü olduğu da açıktı: Nuri, anayasanın delilik olduğunu iddia etmişti. 31 Temmuz 1909 günü Tophane Meydanında halkın gözü önünde ipe çekildi. Ölmeden önce: "Ben gerici değilim" demiş ama hemen sonra yandaşlarına anayasanın dine aykırı olduğunu ve son sözün dine ait olacağını söylemişti.

Yeni yöneticilerin ilk işi, Parlamentoyu yeni baştan yaptırmak oldu. Bina enkaz halindeydi. Seçimler düzenlenmişti. 15 Kasım'da genç Şah İkinci Meclis'i şu sözlerle açıyordu:

"Özgürlüğü bahşeden Tanrı adına ve Mehdi'nin manevi koruyuculuğunda Ulusal Danışma Meclisini büyük bir sevinçle açmış bulunuyorum. Kültürel ilerleme ve zihniyetlerdeki gelişme, değişikliği önlenemez kılmıştır. Bu gelişme acı deneyimlerden geçmiştir ama İran, çağlar boyu, bir çok buhranı atlatmasını bilmiştir ve bugün İran halkı emellerinin gerçekleştiğini görmektedir. Bu

219

ilerici yeni hükümetin, halkın desteğine sahip olmasından memnunluk duyuyoruz. Ülkeye huzur ve güveni geri getirmiştir.

Hükümet ve Parlamento, gerekli reformların yapılması için, devletin yeniden örgütlenmesine, özellikle mali işlerin uygar ülkelerdeki gibi düzenlenmesine öncelik vermelidir.

Tanrı'ya ulusun temsilcilerine yol göstermesi ve İran'dan onuru, bağımsızlığı ve mutluluğu esirgememesi için yakarıyoruz."

O gün Tahran'da bayram havası esti. Sokaklarda geziliyor, köşebaşlarında şarkılar söyleniyor, her sözcüğü "Anayasa", "Demokrasi", "Özgürlük" ile kafiyeli şiirler döktürülüyor, satıcılar sokaktakilere şerbet ve şeker ikram ediyor, darbe sırasında susturulmuş olan onlarca gazete özel sayılarının reklamını yapıyorlardı.

Gece olunca, havai fişekler kenti aydınlattı. Baharistan bahçelerinde tribünler kurulmuştu. Şeref tribününde diplomatlar, yeni hükümet üyeleri, milletvekilleri, dini liderler, Çarşı loncasından temsilciler bulunuyordu. Baskerville'in bir arkadaşı olarak bana ilk sıralarda yer ayrılmıştı: Fazıl'ın hemen arkasında oturuyordum. Patlamalar, havai fişekler, birbirini izliyor, gökyüzü kısa aralıklarla gündüze dönüyor, başlar arkaya eğiliyor, yüzler ışıldıyor, sonra çocuksu gülümsemelerle yerine geliyordu. Dışarıda ise, Âdem Oğulları, hiç yorulmadan, aynı şeyleri bağırıyorlardı.

Hangi çığlık, hangi gürültü Howard'ı düşünmeme neden oldu bilmiyorum. Bu bayram aslında onun bayramı idi. Fazıl da aynı anda bana döndü ve:

— Hüzünlü görünüyorsun, dedi.

— Hüzünlü değilim tabii ki! Ne zamandır, Doğu'da "özgürlük" diye bağırılsın istiyordum. Ama bazı anılar aklımı çeldi.

— Onları bir yana at, gülümse, eğlen, son sevinç anlarından yararlanmaya bak!

Gecenin tüm kutlama hevesini kursakta bırakan ürkütücü sözler! Fazıl, yedi ay önce Tebriz'de yaptığımız tartışmayı mı sürdürüyordu yoksa? Endişe duyacağı yeni konular mı vardı? Ertesi gün, daha fazla bilgi almak için ona gitmeye karar verdim. Ama sonra vazgeçtim. Bütün bir yıl, onunla karşılaşmaktan kaçmıştım. Hangi nedenle? Yaşadığım müthiş serüvenden sonra, Tebriz'deki davranışımın doğruluğu konusunda kuşkularım vardı. Doğu'ya, bir kitabın peşine düşerek gelmiş olan benim, bana ait olmayan bir savaşa bu denli bulaşmaya hakkım var mıydı? Hangi hakla Howard'a İran'a gitmesi tavsiyesinde bulunmuştum? Baskerville, Fazıl ve arkadaşları için bir şehitti. Benim için yitirdiğim bir arkadaş. Yabancı topraklarda, yabancılara ait bir dava için ölmüş ve ailesinin bir gün çocuklarını neden baştan çıkardığımı soracakları bir arkadaş!

Howard yüzünden vicdan azabı mı? Belki saygı gösterme hassasiyeti! Uygun sözcük mü bilemiyorum ama demek istediğim, arkadaşımın ölümünden sonra, Tahran sokaklarında dolaşıp Tebriz kuşatması sırasındaki sözde kahramanlıklarla böbürlenmeye hiç niyetim yoktu. Ben bu işe tesadüfen, ucundan karışmıştım, bir dost sahibi, kahraman bir arkadaş sahibi olmuştum ama anısına sarılarak ayrıcalıklar ve iltifatlar peşinde değildim.

Aslında yok olmak, unutulmak, politikacıların, Kulüp üyelerinin, diplomatların yanlarına uğramamak istiyordum. Hergün zevkle gördüğüm tek insan Şirin idi. Ailesine ait pek çok ikâmetgâhtan birine gidip yerleşmesini kabul ettirebilmiştim. Zarganda tepelerinde, başkentin dışında bir yerdeydi. Ben de çevrede küçük bir ev kiralamıştım. Görünüşü kurtarmak için... çünkü hizmetçilerin yardımı ile gece gündüz onunlaydım.

O kış, odasından çıkmadan haftalar geçirdiğimiz oldu. Harikulade bir çini sobanın ısıttığı odada, *Elyazması*'nı ve birkaç başka kitabı okuyor, nargile içiyor, Şiraz şarabı, hatta zaman zaman şampanya yudumluyor, Kirman fıstığı ile İsfahan helvası atıştırıyorduk. Prensesim hem bir ağırbaşlı hanımefendi hem de afacan bir kız çocuğu olmasını biliyordu.

Yazın ilk günlerinde Zarganda hareketlendi. Yabancılar ve İranlı zenginler köşklerine gelmeye başladı. Onlar için uzun dinlenme ayları başlıyordu. Yabancılar içinse Tahran'ın boz sıkıntısını gidermenin yolu bu yeşil cennete gelmekti. Kış aylarında Zarganda boşalırdı. Sadece bahçıvanlar, bekçiler ve yerli halk kalırdı. Şirin'le böylesi bir ıssız çöle gereksinimiz vardı.

Ne yazık ki nisan ayından itibaren taşınmalar başladı. Evlerin parmaklıkları önünde başıboş gezenlerin sayısı arttı. Şirin, her öğle uykusundan sonra, ziyaretçilerini kabul etmeye başladı. Her saniye saklanmak, koridorlardan kaçmak zorunda kalıyordum. Artık o rahat kış günleri sona ermişti. Gitmek gerekiyordu. Bunu kendisine söylediğimde, Prensesim üzüldü:

— Mutlu olduğunu sanıyordum.

— Ender bir mutluluk yaşadım. Bu mutluluğa, bozulmadan ara vermek, bozulmadan yeniden kavuşmak istiyorum. Seni aşkla, hayranlıkla izlemekten kendimi alamıyorum. Çevremizi saran kalabalığın, bakışlarımı çevirmeme neden olmasını istemiyorum. Yazın gidip, kışın döneceğim.

— Yaz, kış, gideceksin, döneceksin.. Mevsimlere, yıllara, ömrüne, benim ömrüme hükmedeceğini sanıyorsun. Hayyam'dan ders almadın mı? "Aniden, dudaklarını ıslatana kadar, uçup gidersin."

Gözlerini gözlerime dikti, beni okumak istercesine... Herşeyi anlamıştı, içini çekti.

— Nereye gideceksin?

Ben de bilmiyordum. İran'a ikinci gelişimdi, her ikisinde de kuşatmaya uğramıştım. Önümde, keşfedeceğim bütün bir Doğu alemi vardı. Boğaziçi'nden Çin Denizi'ne kadar Türkiye, ki o da İran'la aynı zamanda isyan etmiş, Sultan-Halife'yi tahtından indirmiş, milletvekilleri, kulüpleri, muhalif gazeteleri ile övünür olmuştu. Sonra gururlu Afganistan vardı, ki İngilizler baş eğdirmişlerdi ama ne pahasına! Ve tabii İran'ın geriye kalan yerleri... Ben sadece Tebriz ile Tahran'ı biliyordum. Ya İsfahan? Ya Şiraz, Kâşan ve Kirman? Ya Nişapur ve Hayyam'ın mezarı?

Bütün bu yollardan hangisini seçmeli, hangisine sapmalı? Seçimi, benim yerime *Elyazması* yaptı. Krasnovodsk'ta trene bindim, Aşkabad'ı ve tarihi Merv kentini geçtim, Buhara'yı gördüm.

Semerkant'a özel olarak gittim.

XLIII

Hayyam'ın gençliğini geçirdiği kentten geriye ne kaldığını merak ediyordum.

Asfizar mahallesi, Ömer'in Cihan ile seviştiği, bahçedeki küçük köşk, ne olmuştu? Eski Çin yöntemine göre beyaz dut ağacından kâğıt yapan Yahudinin oturduğu Maturid mahallesi duruyor muydu? Haftalarca, yaya sonra da katır sırtında dolaştım. Satıcılara, gelip geçenlere, camideki imamlara sorular sordum, karşılığında bilgisizce edilmiş sözler, alaylı gülüşler ve çay davetleri almaktan başka bir yanıt alamadım.

Bir sabah, Recistan meydanına gitmekle, talihim açıldı. Bir kervan geçmekteydi, küçük bir kervan; altı-yedi deveden ibaretti. Yaşlı deveci az ötemde durmuş, kucağına yeni doğmuş bir kuzu almıştı. Bir çanak çömlek satıcısıyla pazarlık ediyordu. İkisini izliyordum. Yün örme takkeleri, çizgili entarileri, kızılımtrak sakalları ile bin yılın ötesinden gelmiş gibiydiler. Hayyam'ın devrindeki gibi bir görüntü müydü bu?

Hafif bir rüzgâr kumları savurdu, giysiler kabardı, tüm alanı görünmez bir örtü kapladı. Çevreme baktım. Recistan'ın yanında üç bina yükseliyordu. Üç muazzam külliye... kuleleri, kubbeleri, cümle kapıları, mozaik kaplı yüksek duvarları, altın-mor-türkuaz ışıklar saçan süslemeleri ve üzerlerine işlenmiş pek çok yazı ile... Her şey muhteşemdi, ama kuleler eğriydi, kubbeler delikti, cepheler oyuk oyuktu... geçen yıllar, esen rüzgâr, yüzyıllık umursamazlık yapıları her bir yönden kemirmişti. Bu anıtlara, bu harikulade, devasa, bilinmeyen yapıtlara bakan tek bir göz yoktu.

Geriye doğru gittim, ayağım takıldı, arkama baktığımda, benim gibi giyinmiş bir adamla burun buruna geldim. Konuşmaya başladık. Adam Rus'tu. Arkeolog. O da kafasında binlerce soru ile gelmişti. Ama birkaç yanıt bulmuştu.

— Semerkant'da zaman, bir felaketten bir felakete, bir yıkımdan bir yıkıma geçer. Moğollar onikinci yüzyılda kenti yıktıklarında, yerleşim yerleri mezarlığa dönüşmüş. Bu yerleri terketmişler.

Geriye kalanlar kentlerini bir başka yere, daha güneye kurmuşlar. O eski şehir, Selçukluların Semerkant'ı bütünüyle, kum katmanları altında yitip gitmiş. Toprağın altında ne hazineler, ne gizler var! Toprak üstünde sadece otlar! Günün birinde, evleri, sokakları ortaya çıkartmak gerekecek. Semerkant kurtulunca, bizlere öyküsünü anlatabilecek.

Durdu.

— Siz de arkeolog musunuz?

— Hayır. Bu kent başka nedenlerden ötürü ilgimi çekiyor.

— Hangileri diye sorsam çok mu saygısızlık etmiş olurum?

Ona *Elyazması*'ndan söz ettim. İçinde yazılmış olan Tarih'ten, çizilmiş olan resimlerden...

— O kitabı görmeyi çok isterdim dedi. O Tarihte ne yazılı ise yok edilmiş, biliyor musunuz? Lanetlenmiş gibi. Duvarlar, saraylar bostanlar, bahçeler, su yolları, tapınaklar, kitaplar, belli başlı sanat yapıtları. Bugün hayran kaldığımız yapıtlar, daha sonraları Timur tarafından yaptırılmış. Beşyüz yıldan daha az bir zamandan kalma. Hayyam'ın döneminden kırık dökük birkaç çanak çömlek kalmış. Ve bir de, varlığını şimdi sizden öğrendiğim o mucizevi *Elyazması*. Onu ellerinize almış olmanız hem büyük bir ayrıcalıktır hem de ağır bir sorumluluk.

— Emin olun, bunun farkındayım. Bu kitabın var olduğunu öğrendiğim yıllardan bu yana, sadece onun için yaşıyorum. Beni bir serüvenden diğerine sürükledi. Onun dünyası benim dünyam oldu. Onun bekçisi, benim sevgilim oldu.

— Anlattığı yerleri görmek için mi Semerkant'a geldiniz?

— En azından, bu kentin insanları bana eski mahallelerin nerede olduğunu gösterirler sanıyordum.

— Sizi düş kırıklığına uğratacağım için özür dilerim, ama sizi ilgilendiren çağ hakkında sadece efsaneler, *cin* ve *dev* öyküleri dinlersiniz. Bu kent, onları büyük bir keyifle yaşatır.

— Yani diğer Asya kentlerinden de mi çok?

— Korkarım öyle. Bu yıkıntının yakınında bulunmaları, belki de hayal güçlerini arttırıyor. Üstelik bir de şu yeraltı kenti var. Yüzyıllar boyu, kaç çocuk yarıklarından düşüp bir daha ortaya çıkmamış, toprağın derinliğinden gelen nice garip sesler duyulmuş! İşte ünlü Semerkant efsanesi böyle doğmuş, çok kişi için bu kentin gizemi içinde yer alan efsane!

Anlatmasını istedim.

— Derler ki, Semerkant krallarından biri, her insanın gerçekleşmesini istediği düşü gerçek kılmak istemiş: ölümden kaçmayı! Ölümün gökyüzünden ineceği inancı içinde, kendisine hiçbir vakit ulaşmasın diye, yer altında demirden bir saray yaptırmış. Muazzam bir saray. Bütün çıkış yerlerini kapattırmış. Çok zengin olduğu için, her sabah doğan, her akşam batan ve onu ısıtan yapay bir güneş yaptırmış. Ne varki ölüm tanrısı, hükümdarı aldatıp sarayın içine sızmış. Bütün insanlara, ne denli güçlü ve zengin olurlarsa olsunlar, ölümden kaçamayacaklarını kanıtlamak istiyormuş. Böylece Semerkant, insanın kaderi ile buluştuğu kent olmuş.

Semerkant'dan sonra nereye gitmeli? Benim için Semerkant, Doğu'nun bir ucu, harikaların yer aldığı, bitmeyen bir özlemin duyulduğu yerdi. Kentten ayrılacağım sırada, eve dönmeye karar verdim. Annapolis'e gidecek, birkaç yıl dinlenecek ve sonra yeniden yola koyulacaktım.

Onun için de delice bir tasarı yaptım. İran'a dönecek, Şirin'i ve Hayyam'ın *Elyazması*'nı alacaktım, sonra büyük kentlerden birine gidecektik, Paris'e, Viyana'ya veya New-York'a ! Şirin'le bir Batı kentinde, Doğulu biçimde yaşamak, cenneti yaşamak olmaz mıydı?

Dönüş yolunda yalnız ve dalgındım. Şirin'e söyleyeceklerimin heyecanı içindeydim. " Gitmek, gitmek, mutlu olmak sana yetmiyor mu?" diyecekti kuşkusuz. Çekingenliğimi yeneceğime inanıyordum.

Hazar kıyılarında kiraladığım araba beni Zarganda'ya kapalı kapımın önüne getirdiğinde, önünde bir başka araba duruyordu. Direğinde yıldızlı bayrak dalgalanan bir Jewel-40! Şoförü beni görür görmez arabadan indi, kim olduğumu sordu. Beni, gidişimden bu yana bekliyormuş gibi bir duyguya kapıldım. Hemen yanıtladı, sabahtan beri bekliyormuş.

— Efendim, siz dönene kadar beklememi söyledi.

— Bir ay, ya da bir yıl sonra dönebilirdim ya da hiç dönmezdim!

Hayretime hiç aldırmadı:

— Buradasınız ya! dedi.

Sonra bana Amerikan elçisi Charles W. Russel'ın bir notunu verdi:

"Sayın B. Lesage;

Çok önemli ve acele bir iş için bugün öğleden sonra saat dörtte gelebilirseniz sevinirim. Şoförüm emrinizde olacaktır."

XLIV

Sabırsızlandıklarını göstermemeye çalışan iki kişi bekliyordu beni Elçilikte! Gri takımları, muare papyonu, Theodore Roosevelt'inkine benzeyen ama daha özenle kırpılmış sarkık bıyıkları ile Russel ve her zamanki beyaz entarisi, siyah üstlüğü ve mavi sarığı ile Fazıl! Tabii söze ilk başlayan Elçi oldu. Düzgün ama duraksak bir Fransızcayla konuşuyordu.

— Bugün yaptığımız toplantı, tarihin akışını değiştiren türden bir toplantıdır. Bizim kişiliklerimizde iki ulus buluşuyor. Mesafelere ve farklılıklara aldırış etmeksizin. Genç bir ulus ama yaşlı bir demokrasi olan Amerika ile, bin yıllık eski bir ulus ama genç bir demokrasi olan İran.

Bu sözlerinin kendisini rahatsız etmediğini anlamak için Fazıl'a bir bakış attı, sonra devam etti:

— Birkaç gün önce, Tahran Demokrasi Kulübüne davetliydim. Anayasa Devrimine duyduğum ilgiyi ve sempatiyi dile getirdim. Başkan Taft ve Dışişleri Bakanımız Mr. Knox da benim gibi düşünüyor. Hemen şunu da belirteyim, Dışişleri Bakanımız, bugün yaptığımız bu toplantıdan haberlidir. Varacağımız sonuçları kendisine telgrafla bildireceğiz.

Bana durumu açıklama işini Fazıl'a bıraktı:

— Çar ordusuna direnmememi istediğin günü anımsıyor musun?

— Ne baş belasıydı!

— Sana asla alınmadım, yapman gerekeni yapmıştın, bir bakıma da hakkın vardı. Ama korktuğum başımıza geldi. Ruslar Tebriz'den hiç çıkmadılar. Halkı her gün rahatsız ediyorlar, Kazaklar sokakta kadınların peçelerini çekiyorlar, Âdem Oğulları ufacık bahanelerle hapse atılıyor. Ama daha kötüsü var. Tebriz'in işgal edilmesinden, arkadaşlarımın başına gelenlerden de kötü! Demokrasimizin batma tehlikesi var. Mr. Russel "genç" diye tanımladı. Bence "kırılgan" demeliydi. Görünürde her şey çok iyi gidiyor. Halk daha mutlu, çarşı daha hareketli, mollalar daha uzlaşmacı! Oysa yapının yıkılmasını önlemek için mucize gerek. Neden mi? Çünkü, tıpkı geçmişte olduğu gibi, hazine tamtakır. Eski rejimin garip bir vergi toplama yöntemi vardı. Her eyalette, halkın kanını emen birini görevlendirirdi. Adam, topladığı parayı kendisine alıkoyar, sadece bir kısmı ile Saraydan bir takım adamları satın alırdı. Felaket de işin bu noktasında. Hazine'ye para gelmeyince, Ruslardan ve İngilizlerden borç alırdık; onlar da borcun ödenme sırası geldiğinde ödünler ve ayrıcalıklar kopartırlardı. Çar iç işlerimize bu yoldan karışmaya başladı, bütün zenginliklerimiz bu yoldan uçup gitti. Yeni iktidar da aynı dertle karşı karşıya: çağdaş ülkeler gibi vergi toplayamazsak, diğer devletlerin vesayetini kabul etmek zorunda kalacağız. Bizim için en ivedi uğraş, maliyemizi yoluna sokmak. İran'ın çağdaşlaştırılmasının yolu buradan geçiyor. İran'ın özgürlüğü buna bağlı.

— İlacı bilindiğine göre, neden harekete geçilmiyor?

— Çünkü günümüzde hiçbir İranlı, bu görevi yapabilecek çapta değil. On milyonluk bir ulus için bunu söylemek acı ama, cehaleti gözardı edemeyiz. İleri ülkelerde devletin üst düzey görevlilerinkine eş bir eğitim almış bir avuç insanız şurada. Deneyimimizin engin olduğu tek alan diplomasi. Askerlik olsun, ulaşım olsun, özellikle maliye olsun, sıfır! Rejimimiz yirmi yıl, otuz yıl ayakta kalabilseydi, bütün bu alanlarda bir kuşak yetişmiş olurdu. Ama bunun gerçekleşmesini beklerken, dürüst ve yetenekli yabancı uzmanlara başvurmaktan başka çözüm yok. Biliyorum, böylesini bulmak kolay değil. Geçmişte Naus ile, Liakhov ile ve daha birçoğu ile kötü deneyimlerimiz oldu. Ama ümitsiz değilim. Bu konuda, Parlamento'da ve hükümette bazı dostlarımla görüştüm. Amerika'nın bize yardım edebileceğini sanıyoruz.

Birden:

— Gurur duydum, diye atıldım. Ama niçin benim ülkem?

Charles Russel bu sorumu hayret ve endişe ile karşıladığını gösteren bir harekette bulundu ama Fazıl'ın yanıtı ile yatıştı:

— Bütün devletleri tek tek gözden geçirdik. Ruslar ile İngilizler, bize daha fazla egemen olabilmek için, iflasa sürüklenmemizden sevinç duyuyor. Fransızlar, bizim kaderimize ilgi gösteremeyecek kadar Çarla ilişkilerinin düzgün gitmesi kaygısında! Yani genelde bütün Avrupa, bir takım ittifaklar ve karşı ittifaklar ağı kurmuş ki, bunun içinde İran, pek basit bir dama taşı olur. Bizi ele geçirmek istemeksizin yardım elini uzatabilecek tek ülke Amerika'dır. Bu yüzden Mr. Russel'a başvurdum ve böyle ağır bir görevi yerine getirebilecek bir Amerikalı tavsiye etmesini istedim. Hemen söyleyeyim; senin adını veren o oldu, ben senin maliye okuduğunu unutmuştum.

Sıkıntılı gülüşler, kaçamak bakışlar:

— Siz adamınızı bulun, ben yanında çalışır, tavsiyede bulunur, ona yardımcı olurum, dedim. Ama asıl görev ona ait olmalı. Ben çok iyi niyetli biriyim ama o denli de bilgisiz ve tembel biriyim.

İsrar etmekten vazgeçen Fazıl, aynı biçimde konuşmayı yeğledi:

— Bakın bu doğru! Tanıklık edebilirim. Sonra senin daha da büyük kusurların var. Benim arkadaşımsın, bunu herkes biliyor. Siyasi rakiplerim, başarısız olman için ellerinden geleni yaparlar.

Russel sessiz, dinliyordu. Yüzündeki gülümseme, ne zamandır orada kalmış, unutulmuş, donmuş gibiydi. Şakalaşma biçimimiz hiç onun tarzı değildi ama yine de istifini bozmamıştı. Fazıl ona dönerek:

— Benjamin'in kusurlarından dolayı özür dilerim, dedi. Ama anlaşmamız bozulmuş sayılmaz. Belki de bu işi, İran'daki olaylara hiç karışmamış birine vermek daha doğru olacak.

— Aklınıza gelen biri var mı?

— Hiçbir isim bilmiyorum. Ben güçlü, dürüst, açık fikirli birini istiyorum. Sizde böyleleri var, bunu biliyorum. Nasıl biri olduğunu gözümün önüne getirir gibiyim: zarif, temiz, dik duran, dürüst bakan, doğru sözlü.

Tanımı Baskerville'in tanımıydı.

İran Hükümetinin Washington'daki Elçiliğine 25 Aralık 1910 Pazar günü gönderdiği telgraf şöyleydi:

"Parlamento'nun onayına sunulacak, başlangıçta üç yıllık bir sözleşme ile hazinedar olarak çalışacak, dürüst bir Amerikalı uzman istihdam etmek üzere, dışişleri bakanından sizi derhal Amerikan mali çevreleriyle temas ettirmesini isteyiniz. Devletin gelir kaynaklarını, gelir ve giderleri düzenlemekten sorumlu olacak ve kendisine bir muhasebe uzmanı ile taşrada vergi tahsilini denetleyecek bir müfettiş yardımcı olarak verilecektir. Tahran'daki Amerika Birleşik Devletleri Elçisi, Amerikan Dışişleri Bakanının onayını bildirdi. Kendisiyle doğrudan ilişki kurun, aracı sokmaktan çekinin. Bu metni olduğu gibi kendisine iletin ve tavsiyeleri doğrultusunda hareket edin."

Bunu izleyen 2 Şubat günü, Meclis Amerikalı uzmanların atanmalarını ezici çoğunlukla ve alkış yağmuru altında kabul etti.

Birkaç gün sonra, tasarıyı Meclis'e sunan Maliye Bakanı, sokağın ortasında, iki Gürcü tarafından vuruldu. Aynı akşam, Rus Elçiliğinin çevirmeni, İran Dışişleri Bakanlığına giderek Çarın tebası olan katillerin, derhal kendisine teslim edilmelerini istedi. Tahran'da herkes, bu eylemin Parlamento oylamasına yanıt olduğunu anlamıştı. Resmi makamlar, güçlü komşularıyla arayı bozmamak için, istekleri kabul ettiler. Katiller Elçiliğe götürüldü, sonra da sınıra... Sınırı geçer geçmez serbest bırakıldılar.

Çarşı, protesto anlamında kepenk kapattı. Âdem Oğulları, Rus mallarının boykot edilmesi çağrısında bulundu, hatta ülkede sayıları hiç de az olmayan Gürcülere karşı misillemeler oldu. Bununla birlikte Hükümet, sabır gösterilmesini istiyordu. Gerçek reformlar yakında başlayacak, uzmanlar gelecek, Hazine dolacak, borçlar ödenecek, vesayet kalkacak, okullar ve hastahaneler yapılacak, modern bir ordu kurulacak, Çar'ın ordusu Tebriz'den kovulacak, savurduğu tehdit yok olacak, diyorlardı.

İran'ın beklediği mucizeydi. Gerçekten de mucizeler olacaktı.

XLV

İlk mucizeyi Fazıl haber verdi. Fısıldayarak konuşuyordu ama sevinçliydi.

— Bak ona! Sana Baskerville'e benzeyecek dememiş miydim?

O dediği, Morgan Shuster idi. İran'ın yeni Genel Hazinedarı bize doğru geliyordu. Onu Kazvin yolunda karşılamaya gitmiştik. Yanındakilerle birlikte, cılız atların çektiği kırık dökük posta arabasıyla gelmişti. Ne kadar da Howard'a benziyordu! Aynı gözler, aynı burun, belki daha yuvarlakça ama aynı yüz, aynı saç rengi, aynı saç çizgisi, aynı tokalaşma, nazik ama fethedici! Ona gözlerimizi dikmiş olmamızdan rahatsız olmuş olmalıydı ama bunu belli etmedi. Gerçi yabancı bir ülkeye, bu denli olağan dışı koşullarla gelince, merakları üzerine çekmeyi beklemiş olmalıydı. Burada bulunduğu sürece incelenecek, izlenecek, araştırılacaktı doğal olarak! Bazen kötü niyetle. Her hareketi, her davranışı anlatılacak, yorumlanacak, övülecek ya da yerilecekti.

Gelişinden bir hafta sonra, ilk kriz patlak verdi. Amerikalılara, Tanrı'nın günü hoş geldiniz demeye gelen yüzlerce kişi arasından bazıları, Shuster'e İngiliz ve Rus elçiliklerini ziyaret etmeyi düşünüp düşünmediğini sorup duruyordu. Yanıt belirsizdi. Ama sorular giderek sıklaşıyor ve söylentiler, Çarşı'da tartışmalara yol açacak kadar artıyordu. Amerikalı, elçiliklere nezaket ziyareti yapmalı mıydı yoksa yapmamalı mı? Elçilikler hakarete uğradıklarını ima ediyorlardı, hava gerginleşiyordu. Fazıl, Shuster'in gelmesinde oynadığı rolden ötürü, bu diplomatik gerginlikten son derece rahatsızdı. İşin tümüyle bozulması tehlikesi vardı. Benim araya girmemi istedi.

Böylece, Atabek Sarayında oturan vatandaşımı ziyarete gittim. Beyaz mermer, otuz kocaman odalı, bir kısmı Doğu diğer kısmı Avrupa stili döşenmiş, halıların ve sanat eserlerinin ağırlığı altında adeta eğilmiş bir yapıydı. İçinde akar suların, yapay göllerin bulunduğu muazzam bir bahçenin ortasındaydı. Kentin gürültüsünü bastıran kuş ve ağustosböceği cıvıltılarıyla tam bir İran cennetiydi.

Tahran'ın en güzel ikâmetgâhı idi. Eskiden başbakanlardan birine ait iken, Anayasacı zengin bir tüccara satılmış ve o da sarayını Amerikalının emrine vermişti.

Shuster beni kapının eşiğinde karşıladı. Yol yorgunluğu gitmişti ve adamakıllı genç görünüyordu. Otuzdört yaşındaydı ama göstermiyordu. Bense, Washington'un dazlak kafalı, kelli felli bürokratlarından birinin geleceğini sanmıştım.

— Size şu Elçilik işinden söz etmeğe geldim.

— Siz de mi?

Eğlenmiş görünüyordu.

— Bu protokol işinin ne denli büyüdüğünün farkında mısınız bilmiyorum. Unutmayın, entrikalar diyarında bulunuyoruz.

— Entrikalardan benim kadar hoşlanan olmasın!

Güldü, sonra birden görevinin gerektirdiği ciddiyete büründü:

— Bay Lesage, dedi. İş sadece protokol işi değil, ilke işi! Bu görevi kabul etmeden önce, bu ülkeye gelmiş olan pek çok yabancı uzman hakkında bilgi edindim. Bazılarının ne yeteneği, ne iyi niyeti eksikti. Ama hepsi başarısız oldu. Niye biliyor musunuz? Çünkü beni bugün davet ettikleri tuzağa düştüler. Ben İran Parlamentosu tarafından İran Genel Hazinedarlığına atandım. Gelişimden Şaha, Naibe, hükümete haber vermem doğaldır. Amerikalı olduğum için Mr. Russel'ı ziyaret etmem de doğaldır. Ama Ruslara, İngilizlere, Belçikalılara ya da Avusturyalılara ne diye nezaket ziyaretinde bulunayım?

Bakın ne diyeceğim: Amerikalılardan bunca şey bekleyen İran halkına, tüm baskılara karşın bizi işe alan parlamentoya, Morgan Shuster'in diğer yabancılar gibi bir yabancı, bir Frenk olduğum gösterilmek isteniyor. Daha ilk ziyaretimi yapar yapmaz, davetlerin ardı arkası kesilmeyecektir. Diplomatlar kibar insanlardır, bildiğim dilleri bilirler, bildiğim kağıt oyunlarını oynarlar. Burada mutlu yaşayabilirim Bay Lesage, briç, çay partileri, tenis, ata binme, maskeli balo, keyfime diyecek olmaz. Üç yıl sonra ülkeme döndüğümde, zengin ve sağlıklı biri olarak dönerim. Ama ben buraya bunun için gelmedim ki...

Neredeyse bağırıyordu. Görünmeyen bir el, belki de eşinin eli, kapıyı kapattı. Bunu farketmedi bile. Devamla:

— Çok belirgin bir görevle geldim, dedi. İran'ın maliyesini çağdaşlaştırmak. Bu insanlar bizim kurumlarımıza ve işleri yönetiş biçimimize inandıkları için bizi çağırdılar. Onları düş kırıklığına uğratmaya hakkım yok, onları aldatmaya da... Ben bir Hıristiyan topluluğundan geliyorum Bay Lesage ve bunun benim için bir anlamı var. İranlılar bugün Hıristiyan uluslara hangi gözle bakıyorlar? Pek Hıristiyan İngiltere petrolüne el koyuyor, pek Hıristiyan Rusya orman kanunu kuralları doğrultusunda dişlerini gösteriyor. Bugüne kadar ilişki kurdukları Hıristiyanlar kimler? Kurnazlar, küstahlar, Tanrısızlar, Kazaklar, hakkımızda ne düşünsünler istiyorsunuz? Birlikte nasıl bir dünyada yaşayacağız? Bizim kölelerimiz ya da düşmanlarımız olmaktan başka onlara önereceğimiz bir şey yok mu? Bizimle ortak, bizimle eşit olamazlar mı? Neyse ki aralarından birkaçı bize inanmaya devam ediyor ama Avrupalıyı canavara benzeten binlerce kişiyi nasıl susturacaklar?

Yarının İran'ı neye benzeyecek? Bu, bizim davranışımıza, bizim vereceğimiz örneğe bağlı. Baskerville'in fedakârlıkları, diğerlerinin canavarlıklarını unutturdu. Ona büyük saygım var. Ama emin olun, ölmeye hiç niyetim yok. Sadece dürüst olmaya çalışıyorum. İran'a, bir Amerikan şirketine hizmet eder gibi hizmet edeceğim, onu soymayacağım, sağlığına kavuşmasına, refaha kavuşmasına çalışacağım. Yönetime saygım olacak ama el öpmeyeceğim, eğilip bükülmeyeceğim.

Gözyaşlarımı tutamadım, aptallar gibi! Shuster sustu. Bana kuşku ve şaşkınlıkla bakıyordu.

— Sizi bilmeden incittimse, lütfen affedin.

Ayağa kalkıp, elimi uzattım.

— Beni incitmediniz Bay Shuster, sadece beni altüst ettiniz. Sözlerinizi İranlı dostlarıma nakledeceğim, tepkileri benimkinden farklı olmayacaktır.

Oradan çıkar çıkmaz Baharistan'a koştum; Fazıl'ı orada bulacağımı biliyordum. Onu uzaktan görünce, seslendim:

— Fazıl, bir mucize daha!

13 haziran günü, İran Parlamentosu, eşi görülmedik bir oylama ile, Morgan Shuster'e, ülke maliyesini düzenlemesi için tam yetki verdi. Bundan sonra, düzenli biçimde Bakanlar Konseyine katılacaktı.

Bu ara, çarşıyı ve elçileri telaşlandıran bir başka olay oldu. Nereden kaynaklandığı belli olmayan ama tahmin etmesi de zor olmayan bir söylentiye göre, Morgan Shuster bir Acem tarikatındandı. Saçma görünebilir ama, haberi yayanlar, zehirlerini sulandırarak, yalanlarına gerçek süsü vermeyi başardılar. Amerikalılar bir gün içinde, halkın gözünde kuşkulu kişiler durumuna düştüler.

Genel hazinedarla konuşma işini bir kez daha üstlendim. İlk karşılaşmamızdan sonra, ilişkilerimiz iyileşmişti. O bana Ben, ben ona Morgan diyordum. Neyle suçlandığını anlattım:

— Senin adamlarının arasında Babî'lerin ya da Bahai'lerin olduğu söyleniyor. Bunu Fazıl da doğruladı. Bahai'lerin Amerika'da çok etkin bir şube açtıkları söyleniyor. Delegasyonundaki bütün Amerikalıların Bahai oldukları ve ülkenin maliyesini düzeltme bahanesiyle yandaş kazanmaya çalıştıkları sonucuna varılmış.

Morgan bir süre düşündü:

— Önem taşıyan tek soruya cevap vereceğim: Hayır, ben buraya vaaz vermeye ya da mürit kazanmaya gelmedim; İran maliyesinin çok gerekli olan düzenleme işini yapmaya geldim. Hemen söyleyeyim, Bahai filan değilim. Bu tarikatların varlığını, buraya gelmeden önce okuduğum Profesör Browne'un kitabından öğrendim. Yine de Babî ile Bahai arasındaki farkı bilmem. Hizmetçilere gelince, ki bu evde yirmi kişi kadardırlar, herkesin bildiği gibi, onları işe ben almadım. Buraya gelmemden önce de buradaydılar. İşlerinden memnunum; önemli olan da bu! Benimle çalışanları, dinsel inançlarına ya da kravatlarının rengine göre değerlendirme gibi bir alışkanlığım yoktur.

— Davranışını anlıyorum. Benim ilkelerime de tıpatıp uyuyor. Ancak, İran'dayız ve hassasiyet duydukları konular değişik olabiliyor. Yeni Maliye Bakanı ile görüştüm. Dedikoducuları susturmak için, uşaklarını kovman gerektiğini düşünüyor. En azından aralarından birkaçını.

— Maliye Bakanının bu konuda endişesi mi var?

— Sandığından da çok. Girişilen bütün işlerin tehlikeye düşmesinden korkuyor. Konuşmamızın sonucu hakkında kendisine hemen bilgi vermemi istiyor.

— Öyleyse seni alıkoymayayım. Ona, hiçbir uşağa yol vermeyeceğimi ve işin burada biteceğini söyle.

Ayağa kalktı, ısrar etmek zorunda kaldım:

— Bu yanıtın yeterli olacağını sanmıyorum Morgan!

— Öyle mi? Öyleyse şunu da ekle: "Sayın Maliye Bakanı, bahçıvanımın dinini kontrol etmekten başka bir işiniz yoksa, vaktinizi doldurmak üzere size önem taşıyan birkaç dosya gönderebilirim."

Bakana, sözlerinin sadece anlamını taşıdım ama sanırım Morgan, ilk karşılaşmalarında ona düşündüklerini söylemiş olmalı. Bu bir sorun yaratmadı. Aksine herkes, bir takım şeylerin açıkça söylenmesinden memnundu.

Birgün Şirin:

— Shuster geleli, daha sağlıklı, daha temiz bir hava esiyor, dedi. İçinden çıkılmaz durumların çözümü için yüzyılların geçmesi gerekeceği sanılır. Birden bir insan çıkar ve ölüme mahkûm bir ağacın yeşerme mucizesi göstermesi gibi, meyve vermeye başlar. O yabancı bana, ülkemin insanlarına inanmayı öğretti. Onlara yerli muamelesi yapmadı, küçüklükleri, bayağılıkları görmezlikten gelerek, insanca davrandı. Biliyor musun? Ailemdeki yaşlı kadınlar onun için dua ediyor.

XLVI

1911 yılında, bütün İran'ın, "varsa yoksa Amerikalı" dediğini, bütün sorumlular arasında en sevileni ve en güçlüsü olduğunu söylersem, hiç de abartmış olmam. Yapmak istediklerini gazetecilere açıkladığı hatta dikenli konularda onların fikirlerini aldığı için, gazetelerin desteği büyüktü.

Üstelik, üstlendiği bu zor görevde başarı kazanmak üzereydi. Mali sistem tam çökeceği sırada, sadece hırsızlığı ve savurganlığı önleyerek bütçeyi dengelemesini bilmişti. O gelmeden önce, prensler, bakanlar, üst düzey görevlileri, pis ve buruşuk bir kâğıdı Hazine'ye göndererek kaç para istediklerini bildirirler, oradaki memurlar da canlarını ya da görevlerini kaybetme korkusu ile her isteği yerine getirirlerdi. Morgan ile her şey bir günde değişti. Bir örnek vermek gerekirse: 17 Haziran günü, Shuster Bakanlar Kurulunda, Tahran'daki birliklerin maaşlarını ödemek için kırk iki bin tuman istemiyle karşılaşmış, Emir-i Azam, yani Savaş Bakanı, aksi halde ayaklanacaklar ve bunun da sorumluluğu Genel Hazinedara ait olacak diye atılmış, Shuster'den de şu yanıtı almış:

— Sayın Bakan on gün önce, aynı miktarda bir para aldı. Onu ne yaptı?

— Gecikmiş borcu ödedim. Asker aileleri aç. Bütün subaylar borçlu. Durum ümitsiz.

— Sayın Bakan o paradan hiçbir şey kalmadığından emin mi?

— En ufak bir akçe bile...

Shuster cebinden bir küçük kâğıt çıkartmış, üzerindeki incecik yazıya bakmış ve sonra:

— On gün önce Hazine'den alınan para Bakan'ın özel uşaklarının adına yatırılmış. Tek bir kuruş harcanmamış. Elimde bankacının adı ve hesap numarası var.

Emir Azam ayağa kalkmış, öfkeden her bir yanı titriyormuş, meslektaşlarına kızgın bir bakış fırlatarak:

— Şerefimle oynanmak mı isteniyor? diye sormuş.

Kimse ses çıkartmayınca:

— Böyle bir para adıma yatmışsa, bunu bilen en son kişi olduğuma yemin ederim, demiş.

Sonunda bankacıyı getirtmişler, bankacı gelir gelmez, Savaş Bakanı ona doğru atılıp fısıldayarak birkaç sözcük söylemiş, sonra masum bir gülümseme ile:

— Bu kör olası bankacı talimatımı anlamamış. Birliklerin parasını ödememiş. Arada bir anlaşmazlık var demiş.

Olay zorlukla kapanmış. Ama o olaydan sonra hiç bir Bakan Hazineyi soymaya kalkışmadı. Bu durumdan hoşlanmayanlar vardı tabii ama susmaktan başka çareleri yoktu. Çünkü pek çok kişiyi, hatta Bakanları bile memnun edecek bir çok neden vardı: İran tarihinde ilk kez, memurlar, askerler ve yurt dışındaki diplomatlar maaşlarını zamanında alıyorlardı. Uluslararası finans çevrelerinde Shuster mucizesine inanılmaya başlanmıştı. Nitekim, Londra'daki Seligman kardeşler, İran'a dört milyon sterling kredi açmayı kabul etmişlerdi. Bu tarz kredilerin yanı sıra istenilen aşağılayıcı ödünlere yer verilmiyordu. Ne gümrük gelirlerine el koymak, ne ipotek etmek söz konusuydu. Ödeme gücü olan normal bir müşteriye verilen normal bir borçtu! Bu önemli bir adımdı. İran'a baş eğdirmek istiyenlerin gözünde ise tehlikeli bir adım! İngiliz Hükümeti borcu bloke etmek için müdahale etmişti.

Çar ise daha sert yöntemlere başvurmaktaydı. Temmuzda, eski Şahın, iki kardeşiyle birlikte, paralı askerlerden oluşan bir orduyla Tahran üzerine gelmekte olduğu haber alındı. Amacı iktidarı ele geçirmekti. Oysa Rus Hükümetinin gözetiminde, İran'a asla geri dönmeyeceği vaadi ile Odessa'da tutulmuyor muydu? Saint - Petersbourg makamları, kendilerine soruldukta, Şahın gözetimlerinden kaçtığını, sahte bir pasaportla yolculuk yaptığını, silahlarını üzerlerinde "maden suyu" yazılı kasalarda taşıdığını, bu kaçıştan sorumlu olmadıklarını söylüyorlardı. Böylece, Odessa'daki ikametgâhından ayrılıp, Ukrayna ile İran arasındaki yüzlerce kilometrelik alanı kimseye görünmeden aşıp, silahlarıyla birlikte bir Rus gemisine binip, Hazar denizini geçerek İran topraklarına ayak basacak ve bundan ne Çar'ın ne hükümetinin, ne ordusunun, ne gizli polisi Okhrana'nın haberi olmayacaktı!

Ama tartışmanın ne gereği vardı? İran'ın hassas demokrasisinin yıkılmasını önlemek gerekiyordu. Parlamento Shuster'den para istedi. Bu kez, Amerikalı hiç tartışmadı. Tam tersine, birkaç gün içinde ordunun en iyi silahlarla donatılması için elinden geleni yaptı, hatta bir adım daha atarak, Komutanlığına Efrayim Han'ın getirilmesini önerdi. Efrayim Han, parlak bir Ermeni subayı idi ve üç ay içinde eski Şah'ı ezip sınırın öte yanına püskürtecekti.

Bütün dünya buna inanamıyordu; İran gerçekten modern bir ülke mi olmuştu? Buna benzer ayaklanmalar, eskiden yıllar boyu sürerdi. Gözlemcilerin çoğu için bunun tek bir yanıtı vardı, o da: Shuster idi. O artık sadece Genel Hazinedar değildi. Parlamento'nun eski Şahı yasa dışı ilan etmesini öneren de o oldu. Tıpkı Amerikan kovboy filmlerinde "Aranıyor" dercesine, Şahı ve kardeşlerini yakalayana para vaadinde bulunuldu.

Çar istifini bozmadı. İran'daki emellerinin, Shuster orada oldukça gerçekleşemeyeceğini anlamıştı. Onun gitmesi gerekiyordu! Bir olay yaratmak gerekiyordu, büyük bir olay! Bu görevi yüklenen eski Tebriz Konsolosu, şimdiki Tahran Başkonsolosu Pokhitanoff oldu!

Görev sözcüğü belki de çok basit kaçacak: çünkü son derece büyük bir beceriyle düzenlenen bir komplodan söz etmek daha doğru olacak. Parlamento, eski Şah'ın ve iki kardeşinin mallarına el koyma kararı vermişti. Bu işi Genel Hazinedar sıfatı ile yerine getirecek olan Shuster, işi son derece yasal ölçüler içinde yapmak istedi. Malların önemlice kısmı, Atabek Sarayının az ötesindeki "Saltanat Işığı" adını taşıyan saraydaydı. Amerikalı oraya, bir jandarma timi eşliğinde, ellerinde yasal emirler bulunan bazı sivil görevlileri gönderdi. Bunlar Rus Konsolosunun gönderdiği Kazaklarla burun buruna geldiler. Jandarmaların saraya girmesini engelliyor, çekilmezlerse Hükümete başvuracaklarını söylüyorlardı.

Olan biten hakkında haber aldığı vakit Shuster, yardımcılarından birini Rus Elçiliğine gönderdi. Pokhitanoff, gelen adamı tehdit etti: "Saltanat Işığı" sarayının sahibi Prensin annesi, Çara ve Çariçeye bir mektup yazarak korunmasını istemiş, onlar da bu işi üstlenmişlerdi.

Amerikalı duyduklarına inanamadı; yabancıların dokunulmazlığı olmasını, bir İranlı bakanı öldüren katillerin Çarın uyruğundadır diye yargılanmamasını anlıyordu. Bu değiştirilmesi zor bir kuraldı. Ama İranlıların, bir gün içinde, mülklerini yabancı bir hükümdarın koruyuculuğuna bırakarak kendi ülkelerinin yasalarına karşı gelmeleri, işte bu duyulmuş şey değildi. Shuster bunu kabul etmek istemedi. Jandarmalara, Sarayı kuvvete başvurmadan ama kararlılıkla teslim almaları emrini verdi. Bu kez Pokhitanoff ses çıkarmadı. Yangını başlatmıştı. Görevi tamamlamıştı.

Tepki gecikmedi. Saint-Petersbourg'da bir hükümet bildirisi yayınlandı, meydana gelen olayın Rusya'ya saldırı, Çara ve Çariçeye hakaret sayılacağını öne sürüyor ve Tahran Hükümetinin resmen özür dilemesini istiyordu. Paniğe kapılan Başbakan, İngilizlere danıştı; İngiliz Dışişleri Bakanlığı, Çarın şakası olmadığını, Bakû'ya birlik çıkarttığını, İran'ı işgal etmeğe hazırlandığını ve ültimatomu kabul etmenin akıllıca bir iş olacağını bildirdi.

24 Kasım 1911'de İran Dışişleri Bakanı, içi kan ağlayarak, Rus Elçiliğine gitti, Elçinin elini sıktı ve şunları söyledi:

"Ekselans, Hükümetim beni, Hükümetinizin konsolosluk mensuplarının uğradıkları hakaret nedeniyle özür dilemekle görevlendirdi."

Ona uzanan eli sıkarken, Çar'ın temsilcisi de şu yanıtı verdi:

"Özrünüz, birinci ültimatomumuza bir yanıt olarak kabul edilmiştir. Ancak şu anda, Saint-Petersbourg'da ikinci bir ültimatom hazırlandığını haber vermek durumundayım. Bana ulaştırıldığında, içeriğini öğrenmiş olacaksınız."

Bu sözlerin ardı hemen geldi. Beş gün sonra, 29 Kasım öğle vakti, Rus Elçisi Dışişleri Bakanına yeni ültimatomu verdi ve ayrıca Londra'nın da onayı olduğunu bildirdi:

"Madde Bir: Morgan Shuster gitmelidir.

Madde İki: Rus ve İngiliz Elçiliklerinin onayı olmaksızın, bundan böyle yabancı uzman istihdam edilmeyecektir."

XLVII

Parlamento'da, yetmiş altı milletvekili bekliyordu. Bazıları sarıklı, bazıları fesli veya takkeli idi. Âdem Oğullarından en aşırıcı olanları Avrupa usulü giyinmişlerdi. Saat onbirde, Başbakan bir darağacına çıkar gibi kürsüye çıktı, Londra'nın da onayını almış ültimatomu kısık bir sesle okuduktan sonra, Hükümetinin kararını bildirdi: direnmeyecekler, ültimatomu kabul edecekler, Amerikalıyı geri göndereceklerdi; yani bir kelimeyle, eskiden olduğu gibi, devletlerin çizmeleri altında ezilmektense, vesayetleri altına gireceklerdi. Beterin beterini önlemek için yetkiye gereksinimleri vardı. Onun için de milletvekillerine ültimatomun öğle saatinde bittiğini, tartışacak vakitleri olmadığını hatırlatarak güvenoyu istedi. Konuştuğu sürece, içeriye girmesini kimsenin önleyemediği M. Pokhitanoff'un locasına kaçamak bakışlar fırlatıyordu.

Başbakan yerine oturduğunda, ne alkışlandı, ne yuhalandı. Ezici, sıkıcı bir sessizlik oldu. Sonra, Shuster'i başından beri desteklemiş olan, Peygamber sülalesinden saygıdeğer bir seyyid ayağa kalktı. Kısa bir konuşma yaptı:

— Özgürlüğümüzün ve egemenliğimizin zorla elimizden alınması belki de Allah'ın emridir. Ama onları kendi ellerimizle teslim edecek değiliz.

Yeni bir sessizlik. Sonra aynı doğrultuda kısa bir konuşma daha! M. Pokhitanoff, gösterişli bir biçimde saatine bakıyordu. Başbakan bunu görünce saatini çıkardı. Onikiye yirmi vardı. Ürktü, bastonuyla yere vurdu. Oylamaya geçilmesini istedi. Dört milletvekili, çeşitli bahaneler öne sürerek aceleyle dışarı çıktı. Geriye kalan yetmişiki milletvekili "Hayır" dedi. Çarın ültimatomuna hayır! Shuster'in gitmesine hayır! Hükümetin tutumuna hayır! Böylece, Başbakan istifa etmiş sayıldı. Bütün kabinesiyle düştü. Pokhitanoff kalktı, Saint-Petersbourg'a çekeceği telgraf zaten hazırdı.

Büyük kapı çarpılarak kapandı, yankısı sessiz salonda dalga dalga yükseldi. Milletvekilleri kendi başlarına kaldı. Kazanmışlardı ama içlerinden bu zaferi kutlamak gelmiyordu. İktidar ellerindeydi, ülkenin yazgısı, anayasanın geleceği onlara bakıyordu. Ne yapabilirlerdi? Ne yapacaklardı? Bildikleri yoktu. Gerçek dışı, duygulu, karmaşık bir oturumdu bu. Bir bakıma da çocuksu. Arasıra ileriye bir düşünce sürülüyor ve hemen vazgeçiliyordu:

— Amerika'dan askeri birlik göndermesini istesek?

— Neye gelsinler? Rusların dostu onlar. Çarı, Japon İmparatoru ile barıştıran Başkan Roosevelt değil mi?

— Ama Shuster'e yardım etmek istemezler mi?

— Shuster İran'da çok tanınıp, çok seviliyor. Ama ülkesinde adını duyan çok az. Amerikan Yönetimi, Saint-Petersbourg ile Londra'yı kızdırmış olmasından pek hoşlanmıyacaktır.

— Onlardan bir demiryolu yapmalarını isteriz. Belki bu öneriye bayılırlar, yardımımıza koşarlar.

— Belki. Ama gelmeleri altı ay sürer. Çar ise iki haftada burada olur.

Ya Türkler? Ya Almanlar? Japonlar neden olmasın? Rusları Mançurya'da ezmediler mi? Kirman'lı bir milletvekili, Şahın tahtını Japon Mikadosuna sunma önerisinde bulunacakken, Fazıl patladı:

— Şunu iyice bilmeliyiz ki, İsfahanlıları bile yardıma çağıramayız. Eğer savaşacaksak, bu Tahran'da olacaktır. Tahranlılarla olacaktır ve şu anda Tahranda bulunan silahlarla olacaktır. Tıpkı üç yıl önce Tebriz'de olduğu gibi. Üzerimize bin Kazak değil, elli bin Kazak göndereceklerdir. Hiçbir kazanma şansımız olmadığını bilerek çarpışmış olacağız.

Bu cesaret kırıcı konuşmayı başkası yapmış olsaydı, suçlamaların ardı arkası kesilmezdi. Ama Tebriz kahramanından, Âdem Oğullarının en ünlüsünden gelince, sözcükler gerçek anlamını buldu, yani gerçeğin acı yüzü ortaya çıktı. O andan itibaren, direniş önerisinde bulunmak zorlaştı. Ama Fazıl, yine de bunu yaptı:

— Vuruşmaya hazırsak, bu sırf geleceği kurtarmak içindir. İran daha hâlâ İmam Hüseyin'in anısını yaşamıyor mu? Oysa o da, önceden yitirilmiş bir savaşta çarpıştı, yenildi, ezildi, katledildi ve şimdi biz onun adını onurlandırıyoruz. İran'ın, inanmak için kana ihtiyacı var. Biz İmam Hüseyin'in yoldaşları gibi, yetmiş iki kişiyiz. Ölürsek, bu Parlamento bir anıt-kabir olur. Demokrasi, yüzyıllar boyu Doğu toprağına gömülür.

Hepsi ölüme hazır olduklarını söyledi ama hiç biri ölmedi. Davaya ihanet ettikleri için değil, aksine kentin savunmasını üstlene-

cek gönüllüler bulmuşlardı. Tebriz'de olduğu gibi, "Adem Oğulla-
rı" ilk sıralarda yerlerini almıştı. Ama bu çözüm değildi. Çarın bir-
likleri ülkenin kuzeyini işgal ettikten sonra, şimdi de başkente doğ-
ru yürümekteydi. İlerlemelerini yavaşlatan tek şey, havanın karlı
oluşu idi.

24 aralık günü düşük Başbakan iktidarı zorla ele geçirmeye
karar verdi. Kazakların, Bahtiyarilerin, jandarma kuvvetlerinin
önemli bir kısmının yardımı ile başkente egemen oldu ve Parla-
mentoyu feshettiğini bildirdi. Pek çok milletvekili yakalandı. En et-
kin olanları sürgüne gönderildi. Listenin başında Fazıl vardı.

Yeni rejimin ilk işi, Çarın ültimatomunu resmen tanımak oldu.
Nazik bir mektupla Morgan Shuster'e, işine son verildiği bildirildi.
İran'da sadece sekiz ay kalmıştı, soluk soluğa, çılgınca, baş döndü-
rücü ve Doğunun yüzünü değiştiren sekiz ay.

11 Ocak 1912'de Shuster törenle uğurlandı. Genç Şah, onu En-
zeli limanına götürmek üzere, emrine kendi otomobilini ve Fransız
şoförü M. Varlet'yi verdi. Ona veda etmeye gelen İranlılar ve ya-
bancılar bir hayli kalabalıktı. Kimi oturduğu saraya gitmiş, kimi
yol boyunca dizilmişti. Alkış yoktu ama binlerce elin usulca sela-
mı, gözlerden akan gözyaşları vardı. Bir alay insan, terkedilen bir
sevgili gibi ağlıyordu. Yol boyunca, sadece ufak bir olay oldu: bir
Kazak, Konvoy geçerken, yerden bir taş aldı ve Amerikalıya atar
gibi yaptı, eylemini tamamlayabildiğini sanmıyorum.

Otomobil Kazvin kapısından çıkıp kaybolduğunda, Charles
Russel ile birkaç adım yürüdüm. Sonra tek başıma, Şirin'in sarayı-
na yöneldim. Beni karşılarken:

— Çok üzgün görünüyorsun! dedi.

— Shuster'i yolcu ettim.

— Ah! Nihayet gitti.

Doğru duymuş olduğumdan emin değildim. Açıkladı:

— Kendi kendime bu ülkeye hiç gelmeseydi daha iyi mi olur-
du diyorum.

Ona dehşetle baktım:

— Bunu sen mi söylüyorsun?

— Evet, bunu ben Şirin söylüyor. Gelişinde Amerika'lıyı alkış-
layan ben, her eylemini onaylayan ben, onu bir kurtarıcı olarak gö-
ren ben, Amerika'da kalmamış olduğuna üzülüyorum.

— Ne kusuru oldu ki?

— Olmadı. İran'ı anlayamamış olduğu da bundan belli.

— Gerçekten anlayamıyorum.

— Krala karşı haklı olan bir bakan, kocasına karşı haklı olan bir kadın, subayına karşı haklı olan bir er iki kat ceza görmez mi? Zayıfların haklı olmaları hatadır. Rusların ve İngilizlerin karşısında İran zayıftır, bir zayıf gibi davranmalıydı.

— Sonuna kadar mı? Günün birinde ayağa kalkması, modern bir devlet kurması, halkını eğitmesi, zengin ve saygın ülkeler arasına girmesi gerekmez mi? Shuster bunu denemeğe kalkıştı.

— Bu yüzden ona saygım sonsuz. Ama daha az başarılı olsaydı, bugünkü duruma düşmezdik diye düşünmekten kendimi alamıyorum. Şimdi demokrasimiz yok oldu, toprağımız işgal edildi.

— Çarın emelleri hep böyleydi, bu er geç olacaktı.

— Felaket gelecekse bile, geç gelmesi yeğdir! Sen Nasreddin Hoca'nın eşek hikâyesini bilir misin?

Nasreddin Hoca, İran'da, Maveraünnehir'de ve Küçük Asya'da, fıkralarıyla efsane olmuş bir kişidir.

Şirin anlatmaya koyuldu:

— Yarı deli bir hükümdar, eşek çaldı diye Nasreddin Hoca'yı ölüme mahkûm etmiş. Tam öldürülmeye götürülecekken, Hoca şöyle bağırmış: "Aslında bu eşek benim kardeşimdir. Bir büyücü onu bu hale soktu. Bu eşeği bir yıl bende bırakın. Ona tekrar, sizin benim gibi konuşma öğretirim." Hükümdar ilgilenmiş, Hocaya söylediklerini tekrar ettirdikten sonra; "Pek âlâ, demiş. Ama günü gününe bir yıl sonra eşek konuşmazsa, ölümlerden ölüm beğen." Hükümdar gidince, karısı Hoca'ya "Böyle bir şeyi nasıl söylersin? diye sormuş. "Eşeğin konuşmayacağını sen de biliyorsun." "Tabii ki biliyorum" diye yanıtlamış Nasreddin Hoca. "Ama bir yıla kadar hükümdar ölebilir, eşek ölebilir, ben ölebilirim."

Şirin devam etti:

— Vakit kazanabilseydik, belki Rusya Balkan veya Çin Savaşına girerdi. Sonra Çar da ölümsüz değil. Ölebilirdi, isyanlarla tahttan indirilebilirdi. Sabretmeliydik, beklemeliydik, köprüyü geçene kadar ayıya dayı diyebilmeliydik. Doğu her zaman böyle bir basiret göstermiştir. Shuster bizi, Batılıların ritmi ile ilerletmek istedi, bizi yıkıma götürdü.

Bunları söylerken acı çekiyordu, ona karşı çıkmamaya özen gösterdim. Şirin devamla:

— İran bana şanssız bir yelkenliyi anımsatıyor, dedi. Denizciler yeterli rüzgâr olmamasından yakınıyorlar hep. Sonra birden Tanrı, onları cezalandırmak istercesine bir fırtına gönderiyor.

Uzun süre düşüncelere dalıp sustuk. Sonra sevecenlikle ona sarıldım:

— Şirin!

Adını söyleyiş biçimim miydi? Sıçradı, benden uzaklaştı, kuşkuyla yüzüme baktı:

— Gidiyorsun.

— Evet. Ama başka türlü.

— "Başka türlü" nasıl gidilir?

— Seninle gidiyorum.

XLVIII

Cherbourg, 10 Nisan 1912.

Önümde uçsuz bucaksız Manş Denizi, sakin, gümüş sularıyla uzanıyor. Yanı başımda: Şirin. Bavullarımızda: *Elyazması*. Çevremizde belirsiz bir kalabalık, olanca Doğulu!

Titanic'e binen pek çok ünlüden söz edildi ama bu deniz devinin kimler için yapıldığı unutuldu: göçmenler, milyonlarca göçmen erkek, kadın ve çocuk için... Hiçbir toprağın beslemeyi kabul etmediği ve Amerika özlemi çeken onca insan için... Gemi, tam bir dolmuş gemisi gibiydi: Southampton'dan İngilizleri ve İskandinavları, Queenstown'dan İrlandalıları ve Cherbourg'dan daha uzak diyarlardan gelen Yunanlıları, Suriyelileri, Anadolu Ermenilerini, Selanik veya Besarabya Yahudilerini, Hırvatları, Sırpları, Acemleri toplamaktaydı. Limanda gördüğüm Doğulular bunlardı. Her biri serüvenci bir bakışa, bir iç acısına, bir dik kafalılığa sahip görünüyordu. Hepsi, Batıya varır varmaz, bir insan beyninden çıkma en güçlü, en modern, en sarsılmaz ürün olan bu gemiyle denize açılmayı bir ayrıcalık sayıyordu.

Ben de farklı düşünmüyordum. Üç hafta önce Paris'te evlenmiştim ve yola çıkmayı erteleme nedenim, sevgilime, yaşadığı görkemli Doğu debdebesine eş bir balayı yolculuğu yaşatmaktı. Bu boş bir kapris değildi. Şirin, Amerika'ya yerleşme düşüncesini, uzun süre benimseyememişti. İran'ın uyanışı yarıda kesilmeseydi, Şirin bu önerimi asla kabul etmezdi. Onu, ayrıldığı ortamdan çok daha görkemli bir düş dünyasında yaşatmak istiyordum.

Titanic bu isteğime tam uyan gemiydi. Bu yüzen saray, Doğu'daki keyif ehilleri gibi zevkleri olan kişilerce inşa edilmişti. İstanbul'daki ya da Kahire'deki gibi insanı gevşeten bir Türk hamamı vardı. Palmiye ağaçlı verandaları, barfiksli jimnazyumu, çölde geziyor izlenimi edinmek isteyenler için elektrikli düğmesine basınca yürüyen devesi vardı.

Titanic'te yalnızca bu egzotik görünüşün arayışı içinde değildik. Avrupa usulü eğlendiğimiz de oluyordu. İstridye yemek, Lyon usulü pişirilmiş bir tavuğun keyfine varmak, 1887 Cos - d'Estournel şarabını yudumlamak, *Hoffmann'ın Masalları*'nı ve *Geyşa'*yı ya da *Büyük Moğol'*u yorumlayan orkestrayı dinlemek de cabasıydı.

Bugünlerin, bizim için değeri, İran'daki gibi gizlenmek zorunda olmayışımızdı. Prensesimin Tebriz'deki, Zarganda'daki veya Tahran'daki evleri ne kadar rahat olursa olsun, aşkımızı dört duvar arasında gizli tutma zorunluluğu beni rahatsız ediyordu. Artık birlikte olmanın, birlikte kol kola gezmenin keyfini sürüyor ve geminin en geniş kamarası olduğu halde, kamaramıza dönmeyip geç vakte kadar çevremizdeki bakışların üzerimizde takılı kalmasından hoşlanıyorduk.

En çok sevdiğimiz şeylerden biri de akşam gezintilerimiz idi. Yemeğimizi yer yemez bir gemi subayını ve hep aynı subayı bulmaya gidiyorduk. O bizi bir kasanın önüne götürüyor, oradan *Elyazması*'nı çıkartıyor, güverteden ve koridorlardan geçerek Café Parisien'in rahat koltuklarına kuruluyor, rastgele birkaç dörtlük okuyor sonra asansöre binerek güverteye çıkıyor ve açık havada öpüşüyorduk. Gecenin ilerlemiş saatinde, *Elyazması*'nı odamıza götürüyor ve sabah aynı subay tarafından kasaya konuluncaya kadar yanımızda alıkoyuyorduk. Bu, Şirin'in pek hoşuna giden bir tören, bir ayindi. Onun için de, her gün aynı ayrıntıları aynı biçimde tekrar etmeye özen gösteriyordum.

Dördüncü geçe, *Elyazması*'nı, Hayyam'ın şu dörtlüğünün bulunduğu yerden açtık:

Ömür soluğumuz nereden geliyor diye soruyorsun.
Uzun bir öyküyü özetlemek gerekirse
Derim ki Okyanus'un dibinden,
Her şeyi yeniden yutan Okyanus'tan.

Okyanus'tan söz etmesi hoşuma gitmişti. Tekrarlamaya kalkıştım. Şirin sözümü kesti:

— Lütfen!

Boğuluyor gibiydi, kaygıyla yüzüne baktım.

— Bu *rubai*'yi ezbere biliyorum, dedi. Ama birden ilk kez duyuyormuşum gibi bir duyguya kapıldım. Sanki...

Anlatmaktan vazgeçti, derin bir nefes aldı, biraz sakinleşmiş gibiydi:

— Bir an önce varmış olmayı istiyorum, dedi.

Omuzlarımı silktim:

— Yeryüzünde güvenle yolculuk yapacağımız bir gemi varsa, o da bu gemidir. Kaptan Smith'in dediği gibi, "Tanrı bile bu gemiyi batıramaz!"

Böyle demekle onu rahatlatacağımı sanırken büsbütün ürküttüm. Koluma yapıştı:

— Böyle konuşma! Asla! dedi.

— Niçin böyle telaşlanıyorsun? Laf olsun diye söyledim. Bunu sen de biliyorsun.

— Bizde, bir imansız bile böyle bir şey demeye cesaret edemez.

Titriyordu. Aşırı tepkisini anlamakta güçlük çekiyordum. Yolda düşmemesi için kendisini tutmak zorunda kaldım.

Ertesi gün kendisine gelmişti. Onu eğlendirmek için geminin eğlence yerlerini gezdirdim, elektrikli deveye bindirdim. Ama Şirin'i hiçbir şey oyalayamıyordu. Akşam yemeğinde sessizdi; bitkin gibiydi. Güvertedeki gezimizi yapmamayı ve *Elyazması*'nı kasada bırakmayı önerdim. Yatmak üzere kamaramıza çekildik. Rahatsız bir uykuya daldı. Onun için kaygılı idim ve bu kadar erken yatmaya alışık olmadığım için gecenin büyük bir kısmını onu seyretmekle geçirdim.

Neden yalan söylemeli? Gemi buzdağına çarptığı zaman, farkına bile varmadım. Çok sonraları, çarpma ne zaman oldu diye sorulduğunda, gece yarısından az önce, yandaki kamarada yırtılan çarşaf sesi gibi bir şey duyduğumu hatırladım. O kadar. Herhangi bir çarpma duymuş değildim. Sonunda uykuya dalmıştım. Kapıya vurulup, avaz avaz bağırıldığı vakit sıçradım. Saatime baktım, bire on vardı. Sabahlığımı sırtıma geçirip kapıyı açtım. Koridor boştu. Uzakta yüksek sesle konuşulduğunu duyuyordum. Gecenin bu saatinde bu normal bir şey değildi. Fazla kaygılanmadığım için Şirin'i uyandırma gereği duymadan ne olup bittiğine bakmaya gittim.

Merdivende, fazla telaşlı olmayan bir sesle, kamarotlardan biri "bazı küçük sorunlardan" söz ediyordu. "Kaptan bütün birinci sınıf yolcuların, geminin en üstündeki Güneş güvertesinde bulunmalarını istiyor."

— Karımı uyandırayım mı? Biraz rahatsız da...
— Kaptan herkes dedi efendim.

Kamaraya dönüp Şirin'i uyandırdım. Son derece yumuşak bir biçimde, alnını okşayarak, kirpiklerini öperek, adını fısıldayarak, dudaklarımı kulaklarına yapıştırarak, mırıldanırcasına:

— Kalkman gerekiyor. Güverteye çıkmalıyız, dedim.
— Bu akşam olmaz. Çok üşüyorum.
— Gezecek değiliz. Kaptanın emri.

Bu sözcük bir yıldırım etkisi yaptı:

— Hudâyâ! Tanrım! diye haykırdı.

Acele giyindi. Onu yatıştırmak zorunda kaldım, acelemiz olmadığını söyledim. Güverteye çıktığımızda görülür bir telaş vardı. Yolcular filikalara bindiriliyordu. Biraz önceki kamarot oradaydı. Ona doğru gittim. Soğukkanlılığından bir şey yitirmemişti.

— Önce kadınlar ve çocuklar.

Şirin'i elinden tuttum, filikalara doğru götürürken:

— *Elyazması* diye yalvardı.

— Bu karışıklıkta onu büsbütün kaybederiz. Kasada daha iyi korunuyor.

— Onsuz bir yere gitmem!

Kamarot:

— Gitmek diye bir şey söz konusu değil, diye araya girdi. Yolcuları bir veya iki saat için uzaklaştırmak söz konusu. Bana sorarsanız, bu bile gerekli değil ama gemide kaptanın sözü geçiyor..

Şirin inanmış görünmedi. Sadece sürüklendi ve buna karşı koymadı. Ta ki bir gemi subayı yanıma gelip:

— Efendim, bu yana, size ihtiyacımız var, diyene kadar.

Yaklaştım.

— Bu filikada bir erkek eksik, kürek çekmesini bilir misiniz?

— Cheaspeak Körfezi'nde yıllardır kürek çektim.

Rahatladı, Şirin'i ve beni filikaya bindirdi. Filikada otuz kişi kadardık, bir o kadar da boş yer vardı. Bir kaç deneyimli kürekçiyle filikaya binmem emredilmişti. Bizi, pek de hoşuma gitmeyen bir sertlikle denize indirdiler. Küreklere asıldım. Nereye gitmek için? Hangi karanlık noktaya? Hiçbir fikrim yoktu. Kurtarma işiyle uğraşanlar da bilmiyorlardı. Sadece gemiden uzaklaşmaya ve yarım mil ötesinde beklemeye karar verdim.

İlk dakikalarda hepimizin tasası soğuktan korunmaktı. Dondurucu bir rüzgâr esiyordu ve gemi orkestrasının çaldığı havayı duymamızı engelliyordu. Uygun bir yerde durduğumuz zaman, gerçeği aniden farkettik: *Titanic* öne doğru kaykılmış, ışıkları tek tek söner olmuştu. Hepimiz heyecanlanmıştık, suskunduk. Birden biri seslendi, bu yüzen bir adamın seslenişiydi. Filikayı ona doğru yönelttim. Şirin ve diğerleri adamı filikaya çıkartmaya yardım ettiler. Az sonra, başkaları da işaret verdi, onları da denizden topladık. Bu işe dalmışken; Şirin bir çığlık attı. *Titanic* dikey bir biçim almıştı. Beş dakika öylece durdu, sonra yazgısının kendisini beklediği yere gömüldü.

15 Nisan günü, bitkin, yorgun, üzgün haldeydik. *Carpathia* gemisinin güvertesinde Şirin yanı başımda, sessizdi. *Titanic*'in battığını gördüğümüzden beri, tek bir söz etmemişti. Bakışlarını benden kaçırıyordu. Onu sarsmak istiyor, kurtulduğumuzu hatırlatmak istiyor, çoğu yolcunun öldüğünü, şu güvertede kocalarını, çocuklarını yitirmiş kadınlar olduğunu söylemek istiyordum.

Yine de ona öğüt vermekten kaçınıyordum. Bu *Elyazması*'nın benim için olduğu kadar onun için de bir mücevherden daha değerli, biraz da birlikte oluşumuzun nedeni olduğunu biliyordum. Bunca felaketten sonra yok oluşu, Şirin'i ister istemez çok etkileyecekti. Bu işi zamana bırakmayı yeğledim.

18 Nisan gecesi New-York limanına yanaştığımızda, müthiş bir karşılama oldu. Gazeteciler kayıklarla gelmiş, ellerinde hoparlörlerle avaz avaz sorular soruyor, yolcuların bir kısmı da, ellerini hoparlör gibi ağızlarında tutarak yanıt vermeye çalışıyorlardı.

Carpathia rıhtıma yanaşır yanaşmaz, gazeteciler kurtarılanlara doğru koşup, aralarından hangisinin konuyu ayrıntılarıyla anlatacağını bulmaya çalışıyordu. Beni seçen, *Evening Sun*'ın genç bir muhabiri oldu. Özellikle Kaptan Smith'in tutumuna ve yolcuların davranışlarına ilgi duyuyordu. Yolcular panik olmuşlar mıydı? Birinci sınıftaki yolcuların kurtarılmasına öncelik verildiği doğru muydu? Yanıtların her birini düşünüyor, belleğimi yokluyordum. Vapurdan inerken, sonra da rıhtımda uzun uzun konuştuk. Şirin, bir ara yanımda durmuş, sessizliğini korumuş, sonra birden yok olmuştu. Kaygılanmam için bir gerek yoktu, kuşkusuz bu yakınlarda olmalıydı, beni flaş ışığı ile yaklaşan şu fotoğrafçının arkasında bekliyor olmalıydı.

Gazeteci ayrılırken tanıklığım için beni kutladı, daha sonra da konuşmak için adresimi aldı. Çevreme bakınıp duruyordum. Şirin'e seslendim, sesim gittikçe yükseldi. Şirin yoktu. Beni bıraktığı yerden kıpırdamamaya karar verdim. Bekledim. Bir saat. İki saat. Rıhtım yavaş yavaş boşaldı.

Nereye bakmalı? Önce White Star bürosuna gittim. *Titanic*'in şirketiydi. Sonra kurtarılanların yerleştirildikleri otelleri dolaştım. Hiçbir iz yoktu. Rıhtıma geri döndüm. Boştu.

Bunun üzerine, adresimi bildiği ve yatıştıktan sonra beni arayabileceği yere dönmeye karar verdim: Annapolis'teki evime!

Uzun süre Şirin'den haber bekledim. Gelmedi. Bana yazmadı, kimse benim önümde adını anmadı.

Bugün, kendi kendime soruyorum: acaba böyle biri var mıydı? Doğu saplantılarımın bir ürünü müydü yoksa? İçimdeki kuşku artınca, belleğim sislenince, aklımı kaybedecek gibi olduğumda, kalkıp odanın bütün ışıklarını yakıyor, eski mektupları çıkartıyor, onları yeni almışım gibi açıyor, kokularını içime çekiyor, bazı sayfalarını yeniden okuyorum. Bu mektupların ifadesindeki soğukluk bile içimi ısıtıyor. Bana yeniden, yeni bir aşkı yaşıyormuşum izlenimini veriyor. Ancak o zaman yatışarak onları yerlerine koyuyor ve geçmiş anılara döndüğüm karanlıklara dalıyorum. İstanbul salonlarından birinde söyleniverilen bir sözcük, Tebriz'de geçirilen uykusuz geceler, Zarganda kışının sıcaklığı! Son yolculuğumuzdan da şu sahne: güverteye çıkmış dolaşıyor, karanlık bir köşede öpüşüyorduk. Yüzünü ellerimin arasına alabilmek için, *Elyazması*'nı bir kenara bırakıyordum. Şirin, bunu görünce gülmekten kırılmış, bir iki adım geri atmış ve tiyatroda oynar gibi gökyüzüne seslenmişti:

— *Titanic*'te *Rubaiyat!* Doğu'nun çiçeği, Batı'nın çiçekliğinde! Ey Hayyam! Yaşadığımız şu güzel ânı görebilseydin!

EDEBİYAT

Roman, Öykü, Anlatı, Senaryo

İngiliz Müziği Peter Ackroyd

Chatterton Peter Ackroyd

Toplu Oyunlar Adalet Ağaoğlu

Ölmeye Yatmak Adalet Ağaoğlu

Bir Düğün Gecesi Adalet Ağaoğlu

Hayır Adalet Ağaoğlu

Romantik/Bir Viyana Yazı Adalet Ağaoğlu

Yazsonu Adalet Ağaoğlu

Suç ve Ceza Cem Akaş

Kalem Bahçelerinden Yedi Hayat Çetin Altan

Sahtekâr Şırıltı Ercüment Aytaç

Ve: Blues Ercüment Aytaç

Updike ve Ben Nicholson Baker

Gözün Kahverengi Suyu Memet Baydur

Piyanoçalanlar Anthony Burgess

Yüce Sultan Miguel De Cervantes

Batan Güneş Osamu Dazai

Toplu Oyunları Kemal Demirel

Harran'da Dolunay Yeşim Dorman

Fırtına Orhan Duru

Sarmal -Bütün Öyküler- Orhan Duru

Kısas-ı Enbiya haz. Orhan Duru

Av Ferit Edgü

Bir Gemide Ferit Edgü

Çığlık Ferit Edgü

Doğu Öyküleri Ferit Edgü

Eylülün Gölgesinde Bir Yazdı Ferit Edgü

Şehrin Ilık Solukları Tuncer Erdem

Yabanda Yolculuk Moris Farhi

Yaratık John Fowles

Stiller Max Frisch

Elveda Sidonie Erich Hackl

Diri Gömülen Sâdık Hidâyet

Hacı Aga Sâdık Hidâyet

Gramofon Hâlâ Çalıyor Selim İleri

Cahide, Ölüm ve Elmas Selim İleri

Ağır Roman Metin Kaçan

Fındık Sekiz Metin Kaçan

Modern İran ve Afgan Öyküleri Antolojisi
haz. ve çev. Mehmet Kanar

Buz Anna Kavan

Boşnak Edebiyatı Antolojisi haz. Fahri Kaya

Bütün Öyküler Feyyaz Kayacan

Ay Çarpması Ayinleri Bayram Keten

Çocuk Ölümü Şarkıları Hamdi Koç

Tanrı Gelini Sibyl Pär Lagerkvist

Lady Chatterley'in Sevgilisi D.H. Lawrence

Afrikalı Leo Amin Maalouf

Semerkant Amin Maalouf

Tanios Kayası Amin Maalouf

Doğunun Limanları Amin Maalouf

Altenburg'un Ceviz Ağaçları André Malraux

her biri bulutlu zirve Friederike Mayröcker

Golem Gustav Meyrink

Bekârlar Henry de Montherlant

Ruh İkizini Arar Mahir Öztaş

Soğuma Mahir Öztaş

Panayır/Sur Adnan Özyalçıner

Babamın Özyaşam Öyküsü Pierre Pachet

Yazıcı ya da Bir Yol Romanı Hüseyin Peker

Yaşam Kullanma Kılavuzu Georges Perec

Sorgulama Robert Pinget

Fantoine ile Agapa Arasında Robert Pinget

Çöl Masalları Tayfun Pirselimoğlu

Kayıp Zamanın İzinde –

   Çiçek Açmış Genç Kızların Gölgesinde
   Marcel Proust

   Guermantes Tarafı Marcel Proust

   Sodom ve Gomorra Marcel Proust

Çavdar Tarlasında Çocuklar J.D. Salinger

ŞİİR

İlan-ı Şiir Serhan Ada
Nüzüllü Şiirler Mim Kaf Agayef
Avluda Sina Akyol
Bir Acıya Kiracı Metin Altıok
Hey! Jack, Gary, Allen, Alp! C. Hakan Arslan
Necroscopium Ömer Arakon
Seçme Şiirler - Selected Poems John Ash
Aşağı Üsküdar Ali Asker Barut
Seyrüsefer Defteri Enis Batur
Doğu-Batı Dîvanı Enis Batur
Seçme Şiirler 1947-1997 Taner Baybars
Çiçek Dünyalar Sami Baydar
Asılı Eros –çeviri şiirler– İlhan Berk
Sofokles'in Antigone'si Bertolt Brecht
Varduman Salâh Birsel
Şiir ve Yaşam Ali Cengizkan
Şiir Atlası 2 haz. Cevat Çapan
Şiir Atlası 3 haz. Cevat Çapan
Seferis – Profil haz. Cevat Çapan
Eski Yağmurları Dinliyordum... Arif Damar
Seferi Salih Ecer
Yarım Damla haz. Gültekin Emre
Siyaha Elveda Gültekin Emre
Seçme Şiirler Louise Glück
Romeo ve Romeo. Ahmet Güntan
İlk Kan. Ahmet Güntan
Eski Mısır'dan Şiirler haz. Talat Sait Halman
Deliliğin Arifesinde Friedrich Hölderlin
Ait'siz Kimlik Kitabı Mustafa Irgat
Daha İyisi Saksofon – seçme şiirler Ernst Jandl
Gül Yaprağın' Döktü Bugün - Ağıtlar
    haz. Alpay Kabacalı
Yahya Kemal Rimbaud'yu Okudu mu?
    Hasan Bülent Kahraman
Sarı Defterdekiler-Folklor Derlemeleri
    Yaşar Kemal
Akademi Tuna Kiremitçi
Ciddiye Alındığım Kara Parçaları
    küçük İskender

Periler Ölürken Özür Diler küçük İskender
Şiirlideğnek küçük İskender
Yirmi5April küçük İskender
Papağana Silah Çekme! küçük İskender
Simone Martini'nin Dünyevî ve Semavî
    Yolculuğu Mario Luzi
Mağrur Olma Padişahım Roni Margulies
Bilirim Niye Yanık Öter Ney Roni Margulies
Bir Dünyalının Notları –toplu şiirler– Özkan Mert
Toplu Şiirler Ahmet Oktay
Gözüm Seğirdi Vakitten Ahmet Oktay
Söz Acıda Sınandı Ahmet Oktay
1945 Sonrası İsveç Şiiri Antolojisi
    haz. Lütfi Özkök - Yüksel Peker
İnsan Arkadaşınındır Hüseyin Peker
Gösterge Avcıları - Şiiri Okuyan Şairler 1
    Mehmet Rifat
Balkur'da Akşam Yemeği Demir Özlü
Babam Benden Hiçbir Şey Anlamıyor
    Barış Pirhasan
Seçilmiş Şiirler Ali Püsküllüoğlu
Siyah İnciler Mehmed Rauf
Gece Yazı - çeviri şiirler Oktay Rifat-Samih Rifat
İtalyan Hermetik Şiiri Antolojisi
    haz. Işıl Saatçıoğlu
Ungaretti – Profil haz. Işıl Saatçıoğlu
Kardan Düşler - Seçme Şiirler Lasse Söderberg
Gençlik Ayinleri Zafer Şenocak
Toplu Şiirler 1971-1995 Tuğrul Tanyol
Toplu Şiirler Güven Turan
101 Bir Dize Güven Turan
Gizli Alanlar Güven Turan
Kıbrıslıtürk Şiiri Antolojisi haz. Mehmet Yaşın
1945 Sonrası Fransız Şiiri Antolojisi
    haz. Levent Yılmaz
Kayıp Ruhlar İsimsiz Adalar Levent Yılmaz
20 Ş. Necmi Zekâ

BÜTÜN YAPITLARI
Gülten Akın
Toplu Şiirler (1956-1991)
Sonra İşte Yaşlandım
Şiir Üzerine Notlar
Şiiri Düzde Kuşatmak
Toplu Oyunlar

Sabahattin Kudret Aksal
Şiirler 1938-1993
Batık Kent (Son Şiirleri)
Öyküler
Oyunlar
Denemeler, Konuşmalar

Sabahattin Ali
Bütün Öyküleri 1
Bütün Öyküleri 2
Kürk Mantolu Madonna
İçimizdeki Şeytan

Nurullah Ataç
Günlerin Getirdiği - Sözden Söze
Karalama Defteri ~ Ararken

Ece Ayhan
Morötesi Requiem
Bütün Yort Savul'lar!
Son Şiirler
Başıbozuk Günceler
Şiirin Bir Altın Çağı
Dipyazılar
Aynalı Denemeler!

Leylâ Erbil
Eski Sevgili
Tuhaf Bir Kadın
Zihin Kuşları

Füruzan
Redife'ye Güzelleme
Kırk Yedili'ler
Berlin'in Nar Çiçeği
Balkan Yolcusu

Gecenin Öteki Yüzü
Gül Mevsimidir
Parasız Yatılı
Benim Sinemalarım
Kuşatma
Lodoslar Kenti
Yeni Konuklar

Akşit Göktürk
Ada
Okuma Uğraşı
Çeviri: Dillerin Dili
Sözün Ötesi

Ercümend Behzad Lâv
Bütün Eserleri

Nezihe Meriç
Yandırma

Behçet Necatigil
Şiirler 1938-1958
Şiirler 1948-1972
Şiirler 1972-1979
Bile/Yazdı
Ertuğrul Faciası
Radyo Oyunları

Tezer Özlü
Zaman Dışı Yaşam
Eski Bahçe - Eski Sevgi
Çocukluğun Soğuk Geceleri
Yaşamın Ucuna Yolculuk
Kalanlar
Tezer Özlü'den Leylâ Erbil'e Mektuplar
Tezer Özlü'ye Armağan

Cemal Süreya
Sevda Sözleri
Yürek ki Paramparça -Çeviri Şiirler-
Günler
Aritmetik İyi Kuşlar Pekiyi
"Güvercin Curnatası" –
Cemal Süreya ile Konuşmalar